THOMAS MANN JAHRBUCH · BAND 17

THOMAS MANN JAHRBUCH

Band 17

2004

Begründet von
Eckhard Heftrich und Hans Wysling

Herausgegeben von
Thomas Sprecher und Ruprecht Wimmer

VITTORIO KLOSTERMANN · FRANKFURT AM MAIN

Herausgegeben in Verbindung mit der Deutschen Thomas-Mann-Gesellschaft
Sitz Lübeck e.V. und der Thomas Mann Gesellschaft Zürich

Redaktion und Register:
Katrin Bedenig
(Thomas-Mann-Archiv der ETH Zürich,
Schönberggasse 15, CH-8001 Zürich)

© Vittorio Klostermann GmbH Frankfurt am Main 2004

Gedruckt auf alterungsbeständigem Papier ⊗ ISO 9706
Satz: Fotosatz L. Huhn, Maintal
Druck: Hanf Buch- und Mediendruck, Pfungstadt
Printed in Germany
ISSN 0935-6983
ISBN 3-465-03320-5

Inhalt

Vorwort

Die Deutsche Thomas-Mann-Gesellschaft und das Heinrich-und-Thomas-Mann-Zentrum veranstalteten vom 18. bis 21. September 2003 im Bürgerschaftssaal des Rathauses zu Lübeck ein internationales Kolloquium zum Thema „Thomas Manns Familie im fiktionalen und essayistischen Werk". Wir danken den Autorinnen und Autoren für die Erlaubnis zum Abdruck ihrer Vorträge im Jahrbuch.

Im Thomas Mann Jahrbuch werden seit der Ausgabe 2000 immer wieder Nachträge zur Thomas-Mann-Bibliographie veröffentlicht. Wer weitere Ergänzungen entdeckt, ist gebeten, diese Herrn Gregor Ackermann bekannt zu geben, damit die verschiedenen Funde zusammengeführt und gemeinsam publiziert werden können. Natürlich werden die Finder im Jahrbuch auch Erwähnung finden.

Die Herausgeber

Dank an Eckhard Heftrich

Mit dem Jahrbuch 2002 hat Eckhard Heftrich die Mitherausgeberschaft des Thomas Mann Jahrbuchs an Ruprecht Wimmer abgegeben. Verlag und Herausgeber danken ihm herzlich für sein Wirken. Zusammen mit Hans Wysling hat Eckhard Heftrich das Thomas Mann Jahrbuch 1988 gegründet. Fünfzehn Jahre lang hat er es mitbetreut, zuerst mit Hans Wysling, ab 1994 mit Thomas Sprecher. Unter seiner Ägide hat es sich durchgesetzt und ist das lebendige und massgebliche Organ der Thomas-Mann-Forschung geworden. Tradition und Innovation sollen auch weiterhin seinen Geist bestimmen.

Vittorio E. Klostermann   Thomas Sprecher

Karsten Blöcker

Neues von Tony Buddenbrook

Über die beiden Ehen der Elisabeth Mann

„Thomas Manns Familie im fiktionalen und essayistischen Werk" war das etwas sperrige Generalthema des internationalen Kolloquiums der Thomas-Mann-Gesellschaft vom 18. bis 21. September 2003 in Lübeck. Man merkt, daß sich die Literaturwissenschaft dem Thema von einer höheren Warte aus näherte, als es damals, 1901, nach Erscheinen der *Buddenbrooks,* die Lübecker Kaffeetanten taten. Von ihnen wird berichtet, daß ihr neuestes Gesellschaftsspiel „Wer ist wer?" in dem Triumph einer älteren Dame gipfelte: Sie knallte das Buch mit den Worten auf den Tisch: „Ich hab' es dreimal gelesen; jetzt hab' ich sie alle heraus."[1] Dementsprechend gab es sehr bald die „Entschlüsselungslisten", die an die wenigen Käufer eines als Nestbeschmutzung angesehenen Buches unter dem Ladentisch abgegeben wurden.

Einigkeit bestand darüber, daß mit Tony Buddenbrook nur die Tante Elisabeth, mit Christian Buddenbrook nur Onkel Friedel des Autors Thomas Mann gemeint gewesen sein konnte, ebenso wie klar schien, daß Bendix Grünlich in Ernst Elfeld sein Vorbild hatte. Schwieriger war es mit dem Hopfenhändler Permaneder, dem zweiten Ehemann Tonys, als dessen Urbild mal ein „Haack", mal ein „Haak", mal ein „Haag, München", mal ein Industrieller aus Cannstatt bei Stuttgart vermutet wurde.[2]

Thomas Mann hat sich von Anfang an gegen derartige Gleichstellungen gewehrt. Am heftigsten und ausdauerndsten gegenüber einem Lübecker Rechtsanwalt,[3] der 1905 in einem Privatklageverfahren wegen Beleidigung gegen den in Lübeck lebenden Schriftsteller Dose nebenbei behauptet hatte, Thomas Manns Roman vom Verfall einer Familie sei ein „Bilse-Roman", also ein

---

[1] Otto Anthes: Die Stadt der Buddenbrooks (1925), hier zitiert nach Hartwig Dräger (Hrsg.): Buddenbrooks. Dichtung und Wirklichkeit. Bilddokumente, Lübeck: Graphische Werkstätten 1993, S. 44.

[2] Dräger (zit. Anm. 1), S. 21–35.

[3] Enrico, recte: Dr. iur. Heinrich Wilhelm Joseph von Brocken (1871–1934), Rechtsanwalt (*nicht* Staatsanwalt; so aber Heinrich Detering in: Herkunftsorte. Literarische Verwandlungen im Werk Storms, Hebbels, Groths, Thomas und Heinrich Manns, Heide: Boyens 2001, S. 168, sowie 14.2, 127 u. 131) und Notar in Lübeck (vgl. Staatshandbuch der freien und Hansestadt Lübeck auf das Jahr 1905, S. 14).

Schlüsselroman, in dem bestimmte lebende Personen lächerlich gemacht würden. Solche Behauptung, und dazu noch von einem Lübecker Rechtsanwalt, konnte und wollte Thomas Mann nicht auf sich sitzen lassen. Hämisch bedauert er den „ausgezeichnete[n] Rechtsgelehrte[n]" und versetzt sich in seine Lage: „Man verbringt seine Tage als Rechtsanwalt in einer mittleren Hafenstadt, man fristet ein dürres, armseliges und völlig unbemerktes Dasein, man gäbe 'was drum, könnte man ein bißchen Aufhebens von sich machen." (14.1, 95 f.) Erst nachdem er so Hohn und Spott über den Advokaten ausgegossen hat, kommt er zur Sache: Er gesteht ein, manches durch die Wirklichkeit gegebene Detail für sein Werk verwendet zu haben, und nimmt dies als ein Recht des Dichters in Anspruch. Wenn dieser ein Stück lebendige Wirklichkeit mit seinem Odem und Wesen erfülle, – Thomas Mann nennt diesen schöpferischen Vorgang Beseelung –, mache er den Stoff zu seinem Eigentum. Ich hoffe, dieses am Beispiel der beiden Ehen Elisabeth Manns einerseits, der Ehen Tony Buddenbrooks andererseits ein wenig illustrieren zu können. Dabei bin ich mir als früherer Lübecker Rechtsanwalt sehr wohl der Gefahr bewußt, was es heißt, sich mit Thomas Mann einzulassen.

Eine wesentliche Quelle der nachfolgenden Ausführungen war zunächst der Bericht der Schwester Thomas Manns, Julia, den diese über ihre Tante Elisabeth Mann geschrieben hat. (1.2, 642–659) Als Thomas Mann nämlich, gerade einundzwanzigjährig, vom Verleger Fischer die Aufforderung erhalten hatte, einen Roman vorzulegen, hörte er sich auch bei der Verwandtschaft um, um über den Verfall einer Lübecker Familie berichten zu können, seiner eigenen. Tante Elisabeth hatte ihrer Nichte Julia einiges über ihre bewegte Vergangenheit berichtet, und das gab Julia nun an Thomas weiter. Es versteht sich, daß dabei die beiden Ex-Ehegatten nicht gerade gut wegkamen, ein gefundenes Fressen für den Meister der Ironie Thomas Mann. Allerdings hat die weitere Spurensuche ergeben, daß Julias Bericht beileibe nicht vollständig und auch nicht immer richtig ist. Das wird verständlich, wenn man bedenkt, daß Julia weitgehend nur aus zweiter Hand berichtet, nämlich aufgrund der Erzählungen von Tante Elisabeth, zum anderen „eine in sich geschlossene literarisch dargestellte Lebensgeschichte zweier Frauen"[4] geschrieben, sich einige dichterische Freiheit genommen hat.

In Julias Bericht wird die junge Elisabeth Mann als ein übermütiges, stets zu Streichen aufgelegtes Mädchen aus gutem Hause geschildert. Der Ernst des Lebens erreichte die Siebzehnjährige, als eines Abends Herr „Ernst Elfeldt. Agent" (1.2, 647)[5] im elterlichen Hause in der Mengstraße auftauchte, ein Pa-

---

[4] Ulrich Dietzel: Tony Buddenbrook – Elisabeth Mann, in: Sinn und Form, Berlin: Rütten & Loening 1963, S. 497.
[5] Die richtige Schreibweise des Namens lautet Elfeld.

storensohn aus Krummesse bei Lübeck,[6] jetzt in Hamburg tätig. Während Elisabeth den späten Besuch nur mit den Worten kommentierte „Was will denn der Kerl hier am späten Abend?'", verstand dieser es, „süßlich und tänzelnd [...] mit einer Flötenstimme" dem Herrn Konsul, also Elisabeths Vater, einen „Guten Abend" zu wünschen und ihn für sich einzunehmen. Später las er der Mutter christliche Bücher vor. Da er zudem ein erfolgreicher Kaufmann zu sein vorgab, schien er den Eltern die ideale Partie für die noch widerstrebende Elisabeth zu sein: „Du machst Dein Glück, kommst in glänzende Verhältnisse und wirst in Hamburg auf großem Fuße leben.'" Als schließlich Elfeld noch mit Selbstmord drohte, falls sie ihn nicht heirate, gab sie nach.

Die „frohe Verlobung" wurde in einem Gedicht gebührend gewürdigt, halb auf Hochdeutsch, halb auf Plattdeutsch, wie es dem alten M. Johann Buddenbrook sicher gefallen hätte[7] und ein wenig an Herrn Jean Jacques Hoffstedes Gedicht zum „frohen Einweihungsfeste des neuerworbenen Hauses" (1.1, 37) erinnert. Hier ein Auszug:

Der Bräutigam zählt 27 Jahre
und 18 seine Braut;
Ihr Bund enthalte alles Schöne, Wahre,
Weil Beide lieb und traut.

Herr Ernst Elfeld, to Crummess' geboren,
hett op Hochschool hier lehrt;
He is de Söhn vun dortigen Pastoren,
den allgemehn man ehrt.

[...]

Gott segne seine Firma und sein Streben,
da er so lieb und traut;
Erhebt das Glas: ‚Hoch soll Ernst Elfeld leben
mit seiner theuern Braut!'

De braven Oellern mütt Ehnjeder wäten,
Kahmt nu tonächst heran;

---

[6] Das Dorf Krummesse gehört seit 1747 teils zu Lübeck, teils zum Kreis Herzogtum Lauenburg. Kirche und Pastorat, also Ernst Elfelds Elternhaus, liegen im lauenburgischen Teil. Vgl. Johannes von Schröder/Hermann Biernatzki: Topographie der Herzogthümer Holstein und Lauenburg, des Fürstenthums Lübeck und des Gebiets der freien und Hanse-Städte Hamburg und Lübeck, Oldenburg: Fränckel 1855, Bd. 1, S. 510.

[7] Zur Vermischung von Hoch- und Niederdeutsch in *Buddenbrooks*: 1.2, 229. Kritisch hierzu: Hartwig Suhrbier: „Je, den Düwel ook..." Fehlanzeige bei Reuter und Niederdeutsch – Der neue Kommentar zu Thomas Manns „Buddenbrooks", in: Mecklenburg Magazin, Bd. 13 (2002), H. 13, S. 12.

Herr Pastor Elfeld hoch! Nich to vergäten:
Herr Johann Sigmund Mann![8]

– und so weiter… „Charmant" hätte der alte Buddenbrook vielleicht gerufen.
(1.1, 38) Genug davon. Die Hochzeit fand am 7. Mai 1857 in Lübeck statt.
Auch das Hochzeitsgedicht ist erhalten.[9] Ich erspare es Ihnen.

In Hamburg[10] bezogen die Eheleute ein standesgemäßes Domizil am Neuen
Wall 59 in einem Neubau nach dem Stadtbrand von 1842. Doch der Schein
trog: Tatsächlich hatte Gott weder Elfelds Firma noch sein Streben gesegnet,
dieser war vielmehr überschuldet. Nur die mit der Hochzeit erlangte Mitgift
rettete ihn noch einmal. Es war ein Betrag von 5 000 Bancomark,[11] eine für damalige Verhältnisse erkleckliche Summe. Die Braut war also richtig teuer,
wenn auch in einem anderen Sinne als im Verlobungsgedicht gemeint. Den
Vorwurf des Mitgiftjägers muß sich Elfeld unter diesen Umständen gefallen
lassen. Er hatte seinen Schwiegervater ganz offensichtlich über seine wahre ge-
schäftliche Situation getäuscht. Das wurde vollends offenbar, als Ende 1857 der
Konkursfall dennoch eintrat und die Mitgift verloren war. Zwar machten zur
gleichen Zeit wegen einer ersten Weltwirtschaftskrise allein in Hamburg rund
200 Kaufleute Konkurs, auch ein Sohn aus der ersten Ehe des Schwiegervaters,
aber wegen der Vorgeschichte war der Fall Elfeld doch einer der schwerwie-
genderen Fälle.

Das Ehepaar Elfeld, zwei Kinder kamen bald hinzu, konnte unter diesen
Umständen nicht in Hamburg bleiben, sondern zog nach Uetersen im Kreise
Pinneberg. Hier versuchte Elfeld ernsthaft, wieder auf die Beine zu kommen –

---

[8] Herrn Prof. Dr. Gerhard Ahrens, Lübeck, danke ich sehr für den Hinweis auf dieses 15 Stro-
phen umfassende, bisher unveröffentlichte Gedicht aus dem Archiv der Hansestadt Lübeck
(AHL).

[9] Im AHL.

[10] Die nachfolgenden Ausführungen zur ersten Ehe Elisabeth Manns mit Ernst Elfeld und dessen späterem Leben beruhen im wesentlichen auf Gerhard Ahrens: „Eine bösliche Verlasserin ihres Ehemannes". Die wahre Geschichte von Bendix Grünlich und Tony Buddenbrook, in: Der
Wagen. Lübecker Beiträge zur Kultur und Gesellschaft, hrsg. von Alken Bruns, Lübeck: Hansi-
sches Verlagskontor 2002, S. 8–26.

[11] Bancomark, Courant- (oder Kurant-)Mark (MCt), Mark (M): Seit 1502 begannen Lübeck,
Lüneburg, Wismar und Hamburg mit der Verausgabung der Mark. Hamburg gründete 1619 die
Hamburger Bank, die Konten einrichtete und einen bargeldlosen Geldverkehr ermöglichte, wo-
von auch noch im 19. Jahrhundert die Hamburger und Altonaer Kaufleute Gebrauch machten.
Die Bankwährung (nur in Hamburg!) war die Bancomark, im Gegensatz zur Courantmark (MCt),
die zuletzt das (Bar-)Geld des Hamburger Kleinverkehrs und die Lübecker Währung war und mit
20 bis 25 Prozent niedriger bewertet wurde. Am 15.2.1873 trat die „Mark" als Reichswährung an
die Stelle aller bisher geltenden Währungen in Deutschland. (Vgl. Dieter Dummler: 500 Jahre
Markprägung in Deutschland 1502–2001, Lübeck: Schmidt-Römhild 2001; Brockhaus Konversa-
tionslexikon, 14. Aufl., Berlin/Wien/Leipzig: Brockhaus 1892, Bd. 2, Art. „Banco"; siehe auch 1.2,
237.)

damit beginnt die große Abweichung zwischen Roman und Wirklichkeit –, aber für Elisabeth dauerte die Zeit wirtschaftlicher Bedrängnis in Uetersen wohl zu lange. Nach vier schrecklichen Jahren „in den ärmlichsten Verhältnissen" (1.2, 650) verließ Elisabeth mit den zwei Kindern den verarmten Elfeld und kehrte 1862 in das elterliche Haus zurück, das heutige Buddenbrookhaus. Hier starb 1863 nicht nur ihr Vater, sondern auch ihre kleine Tochter Olga. Inzwischen lief schon das Scheidungsverfahren, in dem Elfeld zunächst die Rückkehr seiner Ehefrau verlangte, erfolglos allerdings, denn die Beklagte ließ durch ihre Anwälte dieses Ansinnen zurückweisen: „Da der Kläger die immer tiefere Wurzeln fassende Abneigung nicht zu besiegen vermag, so mag er sich scheiden lassen und eine andere Frau unglücklich machen; die Beklagte ist dessen satt, sie geht eher ins Wasser als ins klägerische Haus." So wurde die Ehe der Elfelds am 27. Mai 1864 zur Schuld Elisabeths als „eine bösliche Verlasserin ihres Ehemannes" geschieden.

Elfeld endete danach nicht, wie Grünlich im Roman, verarmt im Nirgendwo, sondern fand tatsächlich ein neues Glück. 1867 heiratete er wieder, und nach etwa 30 Jahren tauchte er wieder in Lübeck auf. Er wurde ein angesehenes Mitglied des Lübecker Industrie-Vereins, wurde dessen Sekretär und einer der Hauptverantwortlichen für die Deutsch-Nordische Handels- und Industrieausstellung in Lübeck von 1895, einer Art Expo des Stadtstaates. Als er 1912 starb, wurden ihm immerhin vier Traueranzeigen gewidmet, darunter eine, die ihn als Veteranen der schleswig-holsteinischen Erhebung von 1848 auswies.

Und Elisabeth? Sie war nun 25 Jahre alt, schuldig geschieden, ein Kind. Sie kannte also das Leben, wie Tony Buddenbrook es von sich sagte: „Ich bin keine Gans mehr". (1.1, 330) Im Hause ihrer verwitweten Mutter konnte sie auf Dauer nicht bleiben. Ins Wasser, z. B. die nahegelegene Trave,[12] ging sie auch nicht. Ein Versuch, eine Stellung als Gesellschafterin in England zu finden, scheiterte nach Julias Bericht, den Thomas Mann in seinen Roman aufnahm, an ihrer Photographie: „man müsse auf ihre Dienste verzichten, da sie zu hübsch sei. Es sei ein erwachsener Sohn im Hause". (1.2, 652 bzw. 1.1, 331) Stattdessen ging Elisabeth Elfeld geb. Mann 1864 nach Esslingen am Neckar.[13]

Elisabeth wird von Esslingen nicht viel gewußt haben. Damals war Esslingen eine im Umbruch befindliche Stadt von etwa 25 000 Einwohnern. Seit 1844 war es Station der ersten schwäbischen Eisenbahn und Sitz einer zunehmend bedeutender werdenden Lokomotivfabrik. Der von Handel und Wein-

---

12 In die Trave gehen wollte dagegen Mme. Antoinette Buddenbrook, als die Franzosen sich anschickten, ihre silbernen Löffel zu stehlen, vgl. 1.1, 28.
13 Karsten Blöcker: Tony Buddenbrook in Esslingen am Neckar. „Ach, es ist so hart und traurig!", 2. Aufl., Marbach am Neckar: Deutsche Schillergesellschaft 2003 (= Spuren, Bd. 58).

bau geprägte Charakter der Stadt trat langsam zurück. Seinen Status als freie Reichsstadt hatte es schon 1803 verloren, und es war nun zu einer Oberamtsstadt im Königreich Württemberg geworden. Sein Stadtkern blieb mittelalterlich geprägt, bis heute, denn die Stadt blieb in den Kriegen unzerstört. Das sieht man am besten vom Burgberg aus. Von einstiger Pracht zeugt das alte Rathaus. Heute hat die Stadt etwa 95 000 Einwohner, aber 56 000 Arbeitsplätze, ist also ein sehr lebhafter Nachbar des fast unmittelbar angrenzenden Stuttgart.

Warum ging Elisabeth ausgerechnet nach Esslingen, das als Provinzstadt wohl keinem Vergleich mit den Stadtstaaten Hamburg oder Lübeck standhalten konnte? Der Grund dürfte in der Person von Hermann Georg Heinrich Chelius liegen. Dieser war 1823 als Sohn eines Lübecker Försters in Israelsdorf geboren und ab 1855 wieder in seiner Heimatstadt kaufmännisch tätig, zuletzt als Direktor der Lübecker Maschinenbau-Gesellschaft (LMG).[14] Er ließ sich 1862 in der Lübecker Roeckstraße 7 das Haus errichten, das 1893 zum letzten Wohnhaus der Familie Mann in Lübeck wurde und im Elften Teil von *Buddenbrooks* als „bequeme kleine Villa, vorm Thore" eine wichtige Rolle spielt.[15] Sein wirtschaftlicher Aufstieg dürfte Hermann Chelius sicher mit dem nach dem Tode seines Vaters 1863 mit dreiundzwanzig Jahren gerade zum Chef der Firma Johann Siegmund Mann gewordenen Thomas Johann Heinrich Mann in Verbindung gebracht haben, dem Vater der Dichterbrüder und späteren Finanzsenator. Dessen Schwester Elisabeth Elfeld lebte, wie erwähnt, gerade zu dieser Zeit wieder in Lübeck und könnte in diesem Umfeld Hermann Chelius kennengelernt haben, der sie auf seine Verwandten in Stuttgart/Esslingen hinwies.

Sein Bruder Rudolf nämlich betrieb von 1851 bis 1875 in Stuttgart eine Verlagsbuchhandlung, hauptsächlich für aufwendig gestaltete Kinderbücher,[16] die noch heute für stattliche Preise antiquarisch zu haben sind. Seine Ehefrau Augusta machte – nach Julias Bericht – Elisabeth den Vorschlag, „als Freundin bei ihr zu leben". Angeblich hielt die „Verlagsbuchhändlerin Chelius" Elisabeth von einem im Hause Chelius verkehrenden Adligen fern und verkuppelte sie durch verschiedene Intrigen mit dem Esslinger Gustav Haag, dem Julia Mann – informiert durch Tante Elisabeth – alle nur erdenklichen schlechten Charaktereigenschaften zuschreibt. Dies, obwohl die Fami-

---

[14] Ludwig Rasper: Das Werk Lübeck der Orenstein-Koppel und Lübecker Maschinenbau Aktiengesellschaft, Lübeck: o.A. 1965, S. 11.

[15] Vgl. Karsten Blöcker: Das „kleine Buddenbrookhaus". Das letzte Wohnhaus der Familie Mann in Lübeck, Roeckstraße 7, in: Lübeckische Blätter, Jg. 158, H. 10 (8. Mai 1993), S. 145–150.

[16] Vgl. Ute Liebert: Geschichte der Stuttgarter Kinder- und Jugendbuchverlage im 19. Jahrhundert, Stuttgart: Lithos 1984, S. 28.

lie Haag „in Esslingen sehr angesehen" war, wie Julia in ihrem Bericht vermerkt.

Gustav Haags Großeltern, Ludwig Friedrich Haag und Louise Maria Katharina Bahnmayer, hatten 1796 in Esslingen geheiratet. Die Ehefrau hatte das Hausgrundstück Webergasse 1 und die Bahnmayersche Eisenwarenhandlung, die von Ludwig Haag weiter betrieben wurde, in die Ehe eingebracht. Das Bahnmayersche Haus Webergasse 1 hat die Zeitläufte offenbar fast unverändert überstanden. Noch heute ragt dieser beeindruckende „spätmittelalterliche Bau mit großer gotischer Einfahrt"[17] weit in die Webergasse hinein.

Ludwig Haag kaufte 1828 das gegenüberliegende Objekt Webergasse 2. Sein Sohn Leonhardt Carl Haag ließ anstelle des vorhandenen Gebäudes 1844 einen zu dieser Zeit für das noch mittelalterlich geprägte Esslingen geradezu revolutionär wirkenden vierstöckigen Neubau errichten. Seine zentrale Lage zum Rathausplatz hin eignete sich sehr gut für die im Neubau – übrigens bis in die 1930er Jahre – weiter betriebene Eisenwarenhandlung.

Leonhardt Carl Haag spielte, obwohl Kaufmann, in dem schon von Fabrikanten geprägten Esslingen eine gesellschaftlich und ökonomisch bedeutende Rolle. Er war unter den Höchstbesteuerten der Stadt der dritte und war einer von zwei Esslinger Mitbegründern der schon erwähnten Maschinenfabrik. Auch politisch wirkte er an hervorragender Stelle. Leonhardt Carl Haag bedeutete also einiges in Esslingen. Aus seiner Ehe mit Marie Brodbeck gingen sieben Kinder hervor, darunter die Söhne Rudolf Carl und Gustav Albert. Sie übernahmen 1863 Hausgrundstück Webergasse 2 und Eisenwarenhandlung, und zwar „ungeteilt gemeinschaftlich je die Hälfte".

Nicht nur war die Familie Haag in Esslingen sehr angesehen, auch die Verhältnisse Gustav Haags schienen geordnet, als Elisabeth Elfeld geb. Mann sich 1866 für die Eingehung einer zweiten Ehe entschied. Im Trauregister von St. Marien zu Lübeck[18] heißt es: „Die Trauung [...] ist am Sonnabend, den achtundzwanzigsten April, von dem Herrn Prediger Münzenberger im elterlichen Hause der Braut in der Mengstraße vollzogen", also im heutigen Buddenbrookhaus. Damit war der später im Roman von Tony formulierte Wunsch, „eine unseres Namens würdige Partie [zu] machen" (1.1, 330), in Erfüllung gegangen.

Julia Manns Mitteilung, Gustav Haag habe im Wissen, daß es schlecht um sein Vermögen stehe, „sich um Elisabeth, die er für reich hielt, beworben", wird durch die Tatsachen nicht bestätigt. Wie sich aus dem Ehevertrag[19] vom

17 Christian Ottersbach/Claudius Ziehr: Esslingen am Neckar. Kunsthistorischer Stadtführer, Esslingen am Neckar: Bechtle 2001, S. 111.
18 Im AHL.
19 Im Stadtarchiv Esslingen (StAE).

1.1.1867 ergibt, brachte Haag immerhin das Fünffache des Anfangsvermögens seiner Frau in die Ehe ein. Elisabeths Aussteuer war mit ca. 2 600 MCt[20] deutlich geringer als bei der Hochzeit mit Elfeld. Die Braut war nicht mehr so teuer. Außerdem hatte ihr drei Jahre zuvor verstorbener Vater Johann Siegmund Mann seine „innig geliebte Tochter" enterbt,[21]

um ähnlich trübe Erfahrungen [wie sie im Hinblick auf das ‚Mißgeschick, welches über die Vermögensverhältnisse meines Schwiegersohnes, des bisherigen Kaufmanns, Ernst Elfeld in Hamburg, während seiner Ehe mit meiner Tochter Elisabeth infolge ungünstiger Conjunctur ergangen ist, gemacht worden waren'] für die Zukunft fernzuhalten.

Eine weise Entscheidung, die allerdings im Endergebnis ins Leere ging. Denn Gustav Haag, der schon zur Eheschließung ein Darlehn von zunächst 15 000 MCt von seiner Schwiegermutter Elisabeth Mann geb. Marty erhalten hatte, zahlte den zuletzt auf 24 000 M[22] – nach heutigem Wert immerhin etwa 150 000 Euro – aufgelaufenen Betrag nicht zurück. Die Darlehensgeberin verfügte deshalb in ihrem Testament vom 17.2.1885[23] die Anrechnung des Betrages von 26 865 M, „welchen mein Schwiegersohn Gustav Haag von mir bei Lebzeiten erhielt", auf das Erbteil Elisabeths, die somit die eigentliche Leidtragende wurde. Das mag der Grund für die Unterstellung Julias, und damit mittelbar Elisabeths, gewesen sein, auch Gustav Haag sei ein Mitgiftjäger gewesen.

Das Ehepaar Haag bezog 1866 das Haus Webergasse 1, das inzwischen einem Halbvetter Gustavs gehörte. Dort wurde am 17. März 1867 die Tochter Elisabeth – genannt Alice – geboren und am 21. April getauft.[24] Angehörige der Familien Haag und Mann fungierten als Taufzeugen.[25] Auch sonst ließ sich das Leben in Württemberg für die Kaufmannstochter aus dem Norden offenbar gut an. Tante Elisabeth ging, wie Julia berichtet, „viel aus, fand auch viel Vergnügen daran, ihr Haus hübsch zu halten". (1.2, 654)

Sie hatte sich in Würtemberg eingelebt und war gern dort, wenn sie sich auch nicht immer mit den Leuten ihres Umgangs verstand. – Sie machte sich häufig lustig über das

---

[20] Vgl. Anm. 11. Der Betrag ergibt sich aus dem Geschäftsjournal der Firma Johann Siegmund Mann im AHL.

[21] Das Testament Johann Siegmund Manns vom 7. Februar 1859 befindet sich im AHL.

[22] Vgl. Anm. 11 und 20.

[23] Im AHL.

[24] Familienregister Esslingen, Bd. IV/508.

[25] Taufzeugen waren „Elisabeth Marty, Consuls Wittwe in Lübeck, Urgroßm., abwes.; Elisabeth Mann, Consuls Wittwe in Lübeck, Großm., abwes.; Olga Mann in Lübeck, abwes.; Carl Haag senior, Kaufmann in Eßlingen, Großv.; Emilie Dr. (Adolf) Stimmels Wittwe in Eßlingen; Bertha Haag, Kaufmanns Ehefrau in Eßlingen" gemäß Taufbuch 1867 der Evangelischen Gesamtkirchenpflege Esslingen am Neckar.

untergeordnete Verhältnis, in dem viele der Frauen zu ihren Männern standen und das sie in ihrer Ehe, gegen den Willen ihres Mannes, natürlich nicht duldete. (1.2, 655)

Das Verständnis der selbstbewußten Gattin von der Rolle einer Ehefrau paßte so gar nicht zu den Auffassungen Gustav Haags. „Er besuchte aus Bequemlichkeit nur wenig Gesellschaften, war auch zu faul, sich zu unterhalten." Wenn ihm das Essen nicht paßte, warf er die Teller auf die Erde, „und als seine Frau einmal das Unglück hatte, sich beim Frühstück an einem Zwieback einen Zahn auszubeißen, machte er ihr, in seiner Eitelkeit, eine hübsche Frau zu haben, gekränkt, eine Scene, als sei sie daran schuld." (1.2, 654) Die Tochter Alice haßte ihren Vater, weil er so roh gegen ihre Mutter war, und ihr jüngerer Bruder nannte ihn öffentlich einen „Grobian".

1869 trennten sich die Brüder und Geschäftspartner Gustav und Rudolf Carl Haag. Dieser übernahm das Geschäftshaus Webergasse 2 und die Eisenwarenhandlung. Gustav Haag verließ mit Frau und Tochter Esslingen und zog zunächst nach Stuttgart, danach 1870 in das damals noch selbständige Cannstatt. Hier wurde am 7. Januar 1871 der Sohn Gustav Ewald Siegmund Henry geboren.[26] Dieses Mal, anders als bei Alices Taufe, wurden nur Angehörige der Familie Mann „Taufzeugen", niemand aus der Familie Haag. Hatte sich die Patrizierfamilie aus Esslingen von Gustav Haag distanziert?

Welches Geschäft Gustav Haag in Cannstatt betrieb, ist noch nicht geklärt. Er wird als Weinhändler, Bauunternehmer oder allgemein als Kaufmann bezeichnet. So oder so, die Geschäfte gingen schlecht. Schon für 1870 werden im Geschäftsjournal der Firma Johann Siegmund Mann[27] in Lübeck Zinsrückstände bei dem erwähnten Darlehn verzeichnet, 1876 wurde die Weinhandlung aufgelöst. Am Ende stand erneut ein Konkurs.

Elisabeth Haag befand sich also wieder, wie schon in ihrer ersten Ehe, in schwierigen wirtschaftlichen Verhältnissen. Dennoch nahm sie ab August 1875 ihren kranken Bruder auf, Friedrich Leberecht Mann. Ihn hat Thomas Mann in *Buddenbrooks* als Christian verewigt, als – vordergründig – hypochondrischen „Possenreißer", der von seiner Ehefrau Aline, die „mit dem Arzt im Bunde" stand, für immer in einer Irrenanstalt untergebracht werden sollte. Friedel, wie der Bruder in der Familie Mann genannt wurde, war tatsächlich psychisch erkrankt und schon stationär behandelt worden, bevor er zur Schwester Elisabeth nach Cannstatt kam. Doch sein Zustand verschlimmerte sich weiter, so daß erneut eine Anstaltsunterbringung erforderlich wurde, ab

---

[26] Taufzeugen waren „Gustav Sievers in Petersburg; Ewald Milz, Kirchenrath in Ellwangen; Sigmund Mann in Lübeck; Henry Mann in Lübeck" gemäß Taufregister des Evangelischen Kirchenregisteramts Bad Cannstatt.

[27] Im AHL.

24. Juli 1876 in der Esslinger „Heilanstalt Kennenburg für Gemüths- und Ner-
venleidende", wo er bis zum 9. Dezember verblieb. Auch hier kümmerte sich
Elisabeth um ihren Bruder. Die Krankenakte[28] weist sie als „eine sehr ge-
scheidte und die Verhältnisse richtig verstehende und beurtheilende Frau" aus.

Es war der Zeitpunkt, zu dem Gustav Haag den Weinhandel aufgab und aus
Cannstatt verschwand, und zwar so gründlich, daß ihm eine Steuererstattung
nicht mehr zugestellt werden konnte. Julia berichtet über diese Zeit nur wenig:
Tante Elisabeth habe sich diesmal nicht so lange hinhalten lassen wollen wie
beim ersten Mal, sondern bald erklärt, sich scheiden lassen zu wollen. Die
Scheidung sei, „da Haag ihr nichts in den Weg legte", ausgesprochen worden.
(1.2, 655) Hier hat Tante Elisabeth ihrer Nichte Julia aber offensichtlich nur einen Teil der Wahrheit erzählt, denn tatsächlich war alles viel schlimmer: Die
Klage mußte dem Beklagten im „Gefängnis Stuttgart" zugestellt werden, wohin
er „wegen betrügerischen Bankrotts" geraten war, „gefänglich eingezogen" also.[29] Das Scheidungsurteil des Landgerichts Frankfurt am Main vom
28.3.1881[30] weist aus, daß Elisabeth Haag ihrem Mann neben anderem vorwarf,
er „habe in den Jahren 1879 und 1880 wiederholt mit prostituierten Dirnen ge-
schlechtlich verkehrt und solchergestalt die Ehe gebrochen". Dies bestritt Haag
zwar, leistete den ihm vom Gericht abgeforderten Gegeneid aber nicht, so daß
die Ehe zu seiner Schuld geschieden wurde.

Über den Abschied der Kinder von Gustav Haag berichtet Julia: Zwar habe Alice ihren Vater nach der Scheidung nicht wieder gesehen, „aber Henry
besuchte ihn eines Tages, kurz nach der Scheidung, in Frankfurt, um ihm Lebewohl zu sagen". (1.2, 655 f.) Gustav Haag habe dem Sechsjährigen einen
schönen Tag bereitet, sei mit ihm zum Konditor gegangen und habe ihn dann
zur Bahn gebracht. Mit Tränen in den Augen habe er sich von seinem Sohn
verabschiedet: „„Lebewohl, mein Junge! Du siehst mich nun nicht mehr wieder!'" In den Akten liest es sich etwas anders: „Nachdem er aus der Strafan-
stalt entlassen war, [reiste er] nach Amerika, seine Familie in Deutschland
zurücklassend."[31] Am 1. März 1886 ist er im Armenspital von San Antonio,
Bexar County, Texas, an der Schwindsucht verstorben, unter Hinterlassung

---

[28] Im Staatsarchiv Ludwigsburg.

[29] So wörtlich das Schreiben des königlichen Gerichtsnotariats Esslingen an den Gemeinderat
Cannstatt vom 2. Juni 1888 in der Nachlaßsache Theodor Haag (Nachlaßakte Nr. 18700 im StAE).
Dieselbe Formulierung verwendet Thomas Mann in *Bekenntnisse des Hochstaplers Felix Krull*:
Der Zuhälter der prostituierten Dirne Rosza, bei der Felix Krull in Frankfurt (!) in die Liebesschule ging, war wegen irgendeiner Bluttat „gefänglich eingezogen" worden (VII, 382). Auch hier also,
wie bei Gustav Haag, eine Frankfurter Prostituierte und jemand „gefänglich eingezogen". Zufall
oder eine Spur Gustav Haags im *Krull*?

[30] Im AHL.

[31] Wie Anm. 29.

von 43 $ 15 Ct. Schulden für von Bexar County geleistete Unterhaltszahlungen.[32]

Elisabeth verließ mit ihren Kindern Alice und Henry Süddeutschland und kehrte in den Norden zurück. Zu Vormündern für den minderjährigen Henry wurden am 15. Juni 1888 vom Stadt- und Landamt der freien und Hansestadt Lübeck der „Direktor der Lübecker Feuerversicherungs-Gesellschaft Emil Eugen Guido Biermann und der Versicherungsbeamte Friedrich Wilhelm Lebrecht Mann" bestellt. Elisabeth Haag geb. Mann zog später nach Dresden, wo sie 1917 verstarb, sechzehn Jahre nach dem Erscheinen von *Buddenbrooks*.

Alice wuchs bei den Verwandten in Lübeck auf. Hier „spielte sich [...] die Geschichte mit Biermann" ab, wie Julia schreibt (1.2, 656): Die neunzehnjährige Alice, im Roman Erika Grünlich, heiratete den bereits erwähnten, wesentlich älteren Direktor der Lübecker Feuerversicherungsgesellschaft Guido Biermann, einen schnurrbärtigen, eifersüchtigen und jähzornigen Mann mit schlechten Manieren, der die Rolle der Frau wie sein Schwiegervater sah: „Eine Frau sei nötiger in der Küche als am Klavier [...]. – Er verlangte [von Alice] nichts, als daß sie heiter sei." Als er 1890 u. a. wegen Rückversicherungsbetruges zu einer mehrjährigen Gefängnisstrafe verurteilt worden war,[33] verließ Alice Lübeck, folgte ihrer Mutter nach Dresden und ließ sich schließlich scheiden. Biermann verschwand, wie zuvor Gustav Haag, auf Nimmerwiedersehen...

Für Thomas Mann war Julias Bericht über Tante Elisabeth, Alice, Elfeld und all die anderen willkommenes Material für seinen Roman über den *Verfall einer Familie*, wie der Untertitel von *Buddenbrooks* lautet. Das zeigen schon seine ersten Notizen über Tony Buddenbrooks zweite Ehe, die sich noch sehr an Julias Mitteilungen anlehnen. Er erwog sogar, Tony mit einem Chelius zu verheiraten. Auch von einer intriganten Verlagsbuchhändlerin ist die Rede. Aber in der Endfassung des Romans ehelicht Tony statt eines jähzornigen Gustav Haag aus Esslingen einen gemütlichen Hopfenhändler aus München, dessen Namen Thomas Mann einem seiner Vermieter und dessen Statur er einer Zeichnung aus dem Simplicissimus nachgebildet hat, Alois Permaneder. Schlechte Manieren hat allerdings auch dieser, beleidigt er doch seine Frau auf deren Vorhaltungen wegen seines „unsittlichen Ringkampfes" mit der Köchin Babette in „einem ungebildeten Bierdialekt" unaussprechlich: „„Geh' zum Deifi, *Saulud'r dreckats!*"" (1.1, 433)

Diese – und natürlich viele andere – Abweichungen zeigen, daß Thomas Mann sich zu Recht gegen den Vorwurf gewehrt hat, seine Familienangehöri-

---

[32] Schreiben von Chas L. Wurzbach, Judge of Bexar County, San Antonio, Texas, vom 2. März 1886 an Theodor Haag (in Nachlaßakte Nr. 18 700 im StAE). Die bisherigen Sterbedaten (6.6.1886, Stuttgart) sind nicht aufrechtzuerhalten.

[33] Urteil im AHL.

gen und Mitbürger einfach abkonterfeit und ins Lächerliche gezogen zu haben. Lehnert ist zuzustimmen, wenn es ihn stört, „daß (z. B.) Elfeld ‚der richtige Grünlich' genannt wird, und so sich ergibt, daß Grünlich der falsche Elfeld ist. Aber Grünlich ist der echte Grünlich und Elfeld ist der echte Elfeld."[34] Entsprechendes könnte man vom übrigen Romanpersonal sagen.

Das allerdings sahen die Betroffenen – und mit ihnen viele, viele *Buddenbrooks*-Leser – anders. Friedrich Mann hielt den ganzen Roman für eine Nestbeschmutzung und seinen Autor für einen traurigen Vogel. Das brachte er 1913 sogar in einer Zeitungsanzeige zum Ausdruck, die zunächst in Lübeck erschien, dann aber in ganz Deutschland nachgedruckt wurde. Thomas Mann hatte für diese „Ausschreitung" (21, 537) nur den Kommentar, es gebe kein besseres Beispiel für den Unterschied zwischen Gestalt und Modell: „Mein Christian Buddenbrook hätte diese alberne Annonce nicht geschrieben." (21, 533)

Auch Elisabeth Haag gesch. Elfeld geb. Mann war zunächst schockiert, als der Roman 1901 erschien. Sie mußte wohl angesichts der Scheidungen, Gefängnisstrafen, Konkurse, Todesfälle und Geisteskrankheiten im Leben wie im Roman Tonys Feststellung zustimmen:

,Alles ist fehlgeschlagen und hat sich zum Unglück gewandt, was ich unternommen habe ... Und ich habe so gute Absichten gehabt, Gott weiß es! ... Ich habe immer so innig gewünscht, es zu etwas zu bringen im Leben und ein bißchen Ehre einzulegen [...]. So muß es enden [...]. Ach, es ist so hart und traurig!' (1.1, 609 u. 836)

Und so eine dumme Gans wie die Tony sei sie nun doch nicht.

Doch Tante Elisabeth verwand „alle Stürme und Schiffbrüche des Lebens", auch den ihr vom Neffen zugefügten Schock, und fand ihre Lebensfreude wieder. Viktor Mann, der jüngste Bruder von Thomas Mann, schildert das Vergnügen der ganzen Familie, wenn die Tante zu Besuch kam:

Sie strahlte Würde, Fröhlichkeit und Güte aus, war in ihrem starren Seidenkleid immer der Mittelpunkt einer lachenden Gruppe und sprach mit einer Stimme, in der mir eine kleine Trompete mitzuklingen schien, besonders wenn sich die Tante als eine ‚vom Leben gestählte Frau' bezeichnete. [...] Nach Erscheinen der ‚Buddenbrooks' nannten ihre Freunde sie nur noch Tony, was sie zunächst indigniert, dann mit Humor und schließlich mit Stolz hinnahm.[35]

Wo sind sie geblieben, die Hauptpersonen aus den Ehedramen Elfeld/Haag? Sie alle, Elisabeth Haag, Alice Biermann, Henry Haag und Friedrich Mann, ru-

---

[34] Herbert Lehnert: Brief an Verf., o. D.
[35] Viktor Mann: Wir waren fünf. Bildnis der Familie Mann, Konstanz: Südverlag 1949, S. 39.

hen im Ehrengrab auf dem Lübecker Burgtorfriedhof,[36] wie Generationen von Manns und Buddenbrooks, darunter Hanno, „der kleine Johann [...] dort draußen am Rande des Gehölzes unter dem [...] Familienwappen" (1.1, 833), dort, wo Roman und Wirklichkeit endlich eins sind. Sogar Ernst Elfeld ist dort begraben, allerdings in 150 Metern Entfernung.[37]

Wie sagt es im Roman der Vorarbeiter Grobleben bei Hannos Taufe?:

‚... eenmal müssen All in de Gruw fahrn, Arm un Riek, [...] tau Moder müssen wi Alle warn, wi müssen all tau Moder warn, tau Moder ... tau Moder ...!' (1.1, 441)

---

[36] Michael Stübbe: Der „Allgemeine Gottesacker vor dem Burgtore", in: Lübecker Beiträge zur Familien- und Wappenkunde, hrsg. vom Arbeitskreis für Familienforschung e.V. Lübeck, H. 35 (1994), S. 61.

[37] Ahrens (zit. Anm. 10), S. 25.

Hans Wißkirchen

(K)ein Bruderstreit?

Das Bruderthema im Werk Thomas Manns

Man stelle sich folgendes vor: Lübeck im letzten Drittel des 19. Jahrhunderts. Eine Stadt, die ihre besten Tage hinter sich hat, die aber versucht, Anschluss an die durch die Reichsgründung von 1871 allerorten sich zeigende Dynamik zu gewinnen. Eine Stadt, die geprägt ist von der Spannung zwischen einer großen politisch-ökonomischen Vergangenheit und einer schwierigen Gegenwart. Eine Stadt, die versuchen muss, die Eigenständigkeiten aus ihrer großen geschichtlichen Vergangenheit mit den notwendigen Konzessionen an die Reichshauptstadt Berlin in einen Einklang zu bringen, der beides ermöglicht: das Retten der Vergangenheit und den Schritt in die Zukunft. Dabei spielt ein Mann eine ganz besondere Rolle: Thomas Heinrich Mann, der Vater von Thomas und Heinrich Mann. Er engagiert sich für die Stadt, reibt sich gleichsam im Dienst für das Gemeinwesen auf, indem er gegen manche Rückwärtsgewandten Neuerungen durchsetzt.[1] In dieses Umfeld hinein werden die Brüder Mann geboren.

Die Söhne des Senator Mann sind beide keine Kaufleute geworden. Ja, mehr noch, sie gingen fort aus Lübeck mit dem klaren Bewusstsein, Schriftsteller werden zu wollen. Das war für Lübeck etwas Außergewöhnliches, aber es war auch für die deutsche Literaturgeschichte etwas Besonderes, so viele Brüderpaare von Rang hatte es bis dahin nicht gegeben. Wir haben es mit einem Topos zu tun, der den Stoff für eine Legende abgibt, und die literarische Kritik hat an dieser Legende von Beginn an ihren Anteil gehabt. Und Thomas Mann hätte nicht der grandiose Rezeptionslenker sein müssen, der er war, um nicht bei diesem Spiel ebenfalls von Beginn an mitzutun. Denn das gilt es in aller Deutlichkeit zu sagen: Das Bruderthema in der Literatur Thomas Manns ist eine individuell gefärbte Projektion. Nicht nur, weil es von den persönlichen Ansichten Thomas Manns geprägt ist, sondern weil es grundsätzlich ein Konstrukt ist, das sich erst in der rezeptiven Leistung der Betrachtenden herausbildet.

---

[1] Vgl. dazu: Manfred Eickhölter: Senator Heinrich Mann und Thomas Buddenbrook als Lübecker Kaufleute. Historische Quellen und literarische Gestaltung, in: Manfred Eickhölter und Hans Wißkirchen (Hrsg.): „Buddenbrooks". Neue Blicke in ein altes Buch, Lübeck: Dräger 2000 (= Buddenbrookhaus-Kataloge), S. 74–99.

Vom Beginn an hat man sich dabei an bestimmten Mustern orientiert, und Thomas Mann ist beim Verfertigen dieser Muster entscheidend beteiligt gewesen.

Deshalb sind auch einige Worte nötig zu dem in meinem Vortrag benutzten Werkbegriff. Es wäre irrig zu glauben, da seien auf der einen Seite die im engeren Sinne als solche zu bezeichnenden Werke Thomas Manns, seine Romane und Erzählungen und sein *Fiorenza*-Drama, sowie die wenigen Gedichte und auf der anderen Seite die Essays, Tagebücher und Briefe, die das Biographische gleichsam in der objektiven Version bereithielten. Das ist eine falsche Vorstellung. Man muss alles als Werk nehmen und quer durch diese „Materialien" nach den Strategien, den Wahrheiten und Vertuschungsstrategien fragen.

Und noch etwas gilt es, in Erinnerung zu rufen: Wir haben es mit einer literarischen Familie zu tun, deren Familiengeschichte auch den ästhetischen und nicht nur den biographischen Gesetzen folgt. Dennoch wäre es falsch – gerade was das Bruderverhältnis angeht – davon zu sprechen, dass keine Wege von der Biographie ins Werk führen und umgekehrt. Hier hat meiner Meinung nach die Thomas-Mann-Forschung in den vergangenen Jahrzehnten zu sehr auf das Primat der Kunstautonomie gesetzt und ist zu vorschnell den geschickt ausgelegten Spuren der Selbstdeutung Thomas Manns gefolgt, der in der kleinen Schrift *Bilse und ich* gesagt hatte: „Schon als Kind hat die Publikumssitte, angesichts einer absoluten Leistung nach Persönlichem zu schnüffeln, mich rasend gemacht." (14.1, 104) Und dann hatte er ganz apodiktisch konstatiert:

Die Wirklichkeit, die ein Dichter seinen Zwecken dienstbar macht, mag seine tägliche Welt, mag als Person sein Nächstes und Liebstes sein; er mag dem durch die Wirklichkeit gegebenen Detail noch so untertan sich zeigen, mag ihr letztes Merkmal begierig und folgsam für sein Werk verwenden: dennoch wird für ihn – und sollte für alle Welt! – ein abgründiger Unterschied zwischen der Wirklichkeit und seinem Gebilde bestehen bleiben – der Wesensunterschied nämlich, welcher die Welt der Realität von derjenigen der Kunst auf immer scheidet. (14.1, 101)

Diese ontologische Differenz war uns allen auf solcherart glänzende Weise ins wissenschaftliche Stammbuch geschrieben worden und hatte als Warnung vor dem Überschreiten der Grenze hin zum Autobiographismus als dem verbotenen Land ihre Wirkung getan. Der ganze Komplex gerann zum unhinterfragbaren Diktum in der folgenden Aussage: „Wenn ich aus einer Sache einen Satz gemacht habe – was hat die Sache noch mit dem Satz zu tun?" (14.1, 101) So einfach kann man sich die „Sache" dann doch nicht machen. Literatur – auch und gerade die von Thomas Mann – hat immer etwas mit dem Autor zu tun, mit seinem Leben im Guten wie im Schlechten, in den grandiosen Erfolgen, aber auch in den bitteren Niederlagen. Das ist ein Grund, und beileibe nicht der schlechteste, der zum Lesen motiviert: Das Wiedererkennen des Eigenen im gestalteten Fremden. Aber wie muss man sich den Zusammenhang von Leben und Werk bei Thomas Mann vorstellen? Hermann Kurzke hat dafür eine ganz prägnante Formel gefunden:

Das literarische Werk ist nicht 1:1 ins Erlebte rückübersetzbar. Aber vielleicht 3:1. Als einfache Formel kann gelten: Es ist die Gestaltung erstens des Erlebten, zweitens des Ersehnten, drittens des Befürchteten.[2]

Hermann Kurzke bezieht diese eher an ein Fußballergebnis erinnernde Formel auf das Thema der Homosexualität. Als prägendes Erlebnis vom jungen Armin Martens bis zum Kellner Franzl immer präsent, wird es in zwei Richtungen hin weiterphantasiert: in die positive Variante der Erfüllung und in die zerstörerische Variante, wie etwa im *Tod in Venedig* in der Liebe zum Polenjungen Tadzio.

3:1 – so kann man aber auch die Spiegelung des Bruderverhältnisses im Werk Thomas Manns fassen. Die Brüderlichkeit ist neben der Homosexualität das zentrale Erlebnis bei ihm. Die lebenslang erlebte Brüderlichkeit – Heinrich Mann starb zwar 1950, fünf Jahre vor Thomas Mann, aber wir werden sehen, dass der Bruder auch im Tode präsent bleibt – wird von Thomas Mann in seinen Texten in *zwei* Richtungen hin weitergesponnen: in eine ersehnte Einigkeit und Erfüllung und in eine immer wieder befürchtete Konkurrenz und Unterlegenheit mit dem Bruder, in die Angst vor der Zerstörung der eigenen Produktivität durch die so ganz anders gearteten *Modi* der Produktivität bei Heinrich Mann. Die beiden Seiten des Bruderverhältnisses sollen im Folgenden in den Grundzügen dargestellt werden.

1. Die ersehnte Einigkeit

Beginnen wir mit der Einigkeit. Unterschiede waren da – darüber haben sich beide Seiten von Beginn an keine Illusionen gemacht. Die Brüder standen zeitlebens in einem labilen Verhältnis zueinander. Es mag nicht ganz falsch sein, von einer Art Haßliebe zu sprechen. Manches erklärt sich aus der Herkunft. Das Urmuster findet sich im Testament des Vaters: Der *Bohemien* Heinrich steht da gegen den guten Thomas. Der genialisch verbummelte und der arbeit-

---

[2] Hermann Kurzke: Zur Rolle des Biographen. Erfahrungen beim Schreiben einer Biographie, in: Christian Klein (Hrsg.): Grundlagen der Biographik. Theorie und Praxis des biographischen Schreibens, Stuttgart: Metzler 2002, S. 176.

same Bürger werden kontrastiv beschrieben. Der Vater trug den Vormündern seiner minderjährigen Kinder folgendes auf:

Soweit sie es können, ist den Neigungen meines ältesten Sohnes [Heinrich Mann] zu einer s. g. literarischen Thätigkeit entgegenzutreten. Zu gründlicher, erfolgreicher Thätigkeit in dieser Richtung fehlen ihm m. E. die Vorbedingnisse; genügendes Studium und umfassende Kenntnisse. Der Hintergrund seiner Neigungen ist träumerisches Sichgehenlassen und Rücksichtslosigkeit gegen andere, vielleicht aus Mangel am Nach*denken*.
Mein zweiter Sohn [Thomas Mann] ist ruhigen Vorstellungen zugänglich, er hat ein gutes Gemüth und wird sich in einen praktischen Beruf hineinfinden. Von ihm darf ich erwarten, daß er seiner Mutter eine Stütze sein wird. – [3]

Diese Stelle ist in der vergleichenden Bruderforschung sehr oft zitiert worden. Zu Recht, denn sie entwirft aus der wissenden Sicht des Vaters ein Bild der Brüder, das einen bedeutenden Unterschied klar in den Blick nimmt. Auf der einen Seite Heinrich Mann, der für viele Zeitgenossen (und auch für den Bruder) zeitlebens ein wirklichkeitsreiner Träumer blieb, der seinen Phantasien und Idealen nachhing und sich um ihre Verwirklichung in der Realität wenig kümmerte. Auf der anderen Seite Thomas Mann, der viel stärker an den bürgerlichen Verhältnissen und Umständen orientiert war, als der Bruder Heinrich. Man hat das bisher immer als partielles Fehlurteil des Vaters interpretiert, der zwar einen Gegensatz richtig gesehen, aber gerade bei seinem zweiten Sohn Thomas im Hinblick auf die bürgerliche Musterkarriere einer grandiosen Fehleinschätzung aufgesessen sei. Übersehen hat man dabei, dass hier, sicher unfreiwillig und verdeckt, zwei Typen von Schriftstellern gegeneinandergesetzt werden: der unbürgerliche „Vergeuder" und der bürgerliche „Sammler". Ja mehr noch. Man hat übersehen, dass Thomas Mann an einer Stelle seines Werkes eine zwar sehr indirekte, aber nachweisbare Anspielung an das Testament des Vaters macht. Darüber später mehr.

Thomas will nun, bei allem Trennenden, das Einheitliche im Bruderverhältnis betonen. Das zieht sich als ein Strang durch all die Jahre vom Beginn des 20. Jahrhunderts bis hin in das Jahr 1955. Lassen Sie mich einige Stationen dieser Apologie einer Bruderliebe nachzeichnen.

Lübeck, die Herkunft, ist immer wieder der Kitt, der das Trennende zusammenfügt. Dies kommt sehr schön in einem Brief zum Ausdruck, den Thomas Mann im Januar 1904 schreibt:

[3] Heinrich und Thomas Mann. Ihr Leben und Werk in Text und Bild. Katalog zur ständigen Ausstellung im Buddenbrookhaus der Hansestadt Lübeck, hrsg. von Eckhard Heftrich, Peter-Paul Schneider und Hans Wißkirchen, Lübeck: Dräger 1994, S. 88 f.

Du weißt nicht, wie hoch ich Dich stelle, weißt nicht, daß, wenn ich auf Dich schimpfe, ich es doch immer nur unter der stillschweigenden Voraussetzung thue, daß neben Dir so leicht nichts Anderes in Betracht kommt! Es ist ein altes Lübecker Senatorssohns-vorurtheil von mir, ein hochmüthiger Hanseateninstinkt, *mit dem ich mich, glaub' ich, schon manchmal komisch gemacht habe, daß im Vergleich mit uns eigentlich alles Übrige minderwerthig ist.* (21, 262)⁴

Bei der Interpretation dieser Äußerung ist Vorsicht geboten, denn man muss dieses Schreiben in den Kontext des Briefwerkes stellen. Nur einen Monat vorher, im Dezember 1903, hatte Thomas Mann in einem geradezu vernichtend argumentierenden Brief den neuen Roman Heinrich Manns, *Die Jagd nach Liebe*, und seine künstlerische Entwicklung überhaupt in Grund und Boden verdammt. Auch diese Kritik, der an Intensität in Thomas Manns Gesamtwerk nichts beiseite gestellt werden kann, kennt allerdings das Lob, die Anerkennung.

Ich habe mich mit dem Buche herumgezaust, es fortgeworfen und wieder aufgenommen, geächzt, geschimpft und dann auch wieder Thränen in den Augen gehabt ... [...]. Das Vortreffliche in diesem neuen Roman [...] das sind Dinge, die Dir in Deutschland niemand, ganz einfach überhaupt niemand nachmacht. (21, 242)

So der Bruder in immer noch nachwirkender Lektüre-Erregung.

In einem ersten Schritt kann man resümieren: Thomas Mann sieht die Differenz, will aber die Einheitlichkeit in der Öffentlichkeit und macht daraus eine modellhafte Bruderbeziehung. Beispielhaft geschieht das in seinem zweiten Roman, *Königliche Hoheit*, der 1909 erschienen ist und im Sinne der speziellen Brüderlichkeit zu sagen scheint: Streit ja, aber innerhalb der unverbrüchlich bestehenden und alles heilenden Bruderbeziehung.

Albrecht II., das ist im Roman der herrschende Fürst, Königliche Hoheit, Klaus Heinrich, das ist sein Bruder. Albrecht trägt unzweifelhaft Züge von Heinrich Mann. So beschreibt der Erzähler seinen Adel als „von allgemeiner Natur, überheimatlich und ohne das trauliche Gepräge der Echtheit". Und fährt dann fort: „Auch wußte er das; und das Bewußtsein seiner Hoheit zusammen mit dem seines Mangels an volkstümlicher Echtheit, das mochte wohl seine Scheu und seinen Hochmut ausmachen." (II, 127) Das ist eine unverhoh-

---

⁴ Wie sich dieses Denken auch im engeren literarischen Kontext niedergeschlagen hat und dass es sich um einen lebenslang gültigen Grundgedanken Thomas Manns handelt, zeigt die nachfolgende Stelle aus dem 1951 erschienenen Roman *Der Erwählte*. Dort sagt der Bruder zur Schwester: „Denn unser beider ist niemand wert, weder deiner noch meiner, sondern wert ist eines nur des anderen, da wir völlig exceptionelle Kinder sind, von Gebürte hoch, daß alle Welt sich lieblich dévotement gegen uns benehmen muß, und zusammen aus dem Tode geboren mit unseren vertieften Zeichen ein jedes auf seiner Stirn [...]." (VII, 28)

lene Anspielung auf den Liberalismus Heinrich Manns, auf seine nicht vorhandene Verankerung in der nationalen deutschen Tradition und auf seine Unnahbarkeit, die von fast allen Zeitgenossen berichtet wird. Auch das Aussehen Albrechts ist dem Heinrich Manns am Ende des ersten Jahrzehntes des vergangenen Jahrhunderts nachgebildet. „Seit seiner Thronbesteigung hatte er sich einen Spitzbart wachsen lassen. Sein kurzgeschnittenes blondes Haar trat in zwei Buchten von seinen feinen, eingedrückten Schläfen zurück." (II, 141)

Und auch bei den Lebensgewohnheiten gibt es klare Signale: „„Armer Albrecht', sagte Ditlinde. ,Um diese Jahreszeit warst du schon immer im Süden, solange Papa noch lebte. Du mußt Sehnsucht haben.'" (II, 142) Das ist eine unverhohlene Anspielung auf Heinrichs Italiensehnsucht.

Soweit das Äußerliche – kommen wir zu den Werkanspielungen.

Albrecht lehnt die Rolle des Schauspielers ab, die für ihn mit der Rolle des Fürsten in eins zu setzen ist. Auch das hat einen autobiographischen Hintergrund. Das Theater spielt in der Romankunst Heinrich Manns eine entscheidende Rolle, und Thomas Mann hat den Bruder oft in die Rolle des *boheme*haften Schauspielers gedrängt. Er wollte sich abgrenzen und wählte daher die Rolle des Bürgers, wenn auch, wie in *Tonio Kröger* gestaltet, mit schlechtem Gewissen.

Das führt unweigerlich zur Frage der Wirkung. Die auf diesem Feld mit dem Bruder geführten Debatten sind dem Roman auf einer geheimen Ebene eingeschrieben. Man schaue etwa auf die vom Anfang des Jahrhunderts stammende Diskussion über den literarischen Erfolg. Thomas Mann hatte dieses brüderliche Gespräch eröffnet. Es begann vor dem Erfolg von *Buddenbrooks*. Heinrich hatte mit seinem 1900 erschienenen Roman *Im Schlaraffenland* schnell eine zweite Auflage erreicht. Thomas Mann betont sehr einseitig diesen Wirkungsaspekt.

Lieber Heinrich:

Dies ist ein Gratulationsbrief. Es ist also wahr, man kann Erfolg haben! Mir wird eine zweite Auflage (und wer weiß, was in der Zeiten Hintergrunde schlummert) wohl niemals blühen, aber erquickend ist der Gedanke doch. Ich bekam wahrhaftig eine Art von Schreck, als ich die Kunde vernahm. In 1 1/2 oder 2 Wochen 2000 Exemplare! Herzlichen Glückwunsch und möge es so weiter gehen. (21, 129)

Kaum verhohlen scheint auch hier die Ambivalenz im Bruderverhältnis durch. Thomas Manns Freude über den Erfolg des Bruders wird durch den nicht minder großen Schreck – man kann sicher auch Neid sagen – begleitet. Heinrich betont in seiner Antwort die Tatsache, dass der Erfolg auf einem Missverständnis beruhe, weil nicht die eigentlichen Qualitäten seines Romans, sondern das

Heinrich Mann 1911

Grelle und Sexuelle bei den Lesern zum Erfolg geführt hätten. Thomas Mann gibt ihm recht und systematisiert:

Das, was Du über unser Verhältnis zum Publicum und unsere Erfolgsarten schriebst, stimmte mich sonderbar wehmüthig. Es ist wahr, alle Wirkungen sind im Grunde verfehlt, und befriedigen können Einen Erfolge eigentlich nur, wenn man eitel ist, was ich zum Glück ein bischen bin. (21, 133)

Wie ein später Widerhall dieses Bruderdialogs liest sich die nachfolgende Äußerung Albrechts in *Königliche Hoheit*, der die Rolle des Fürsten ablehnt, den er mit einem sich in fremde Rollen einfühlenden Schauspieler gleichsetzt:

‚Ich für mein Teil lehne es ab, irgend jemand anders auszudrücken und vorzustellen als mich selbst, – ich lehne es ab, sage ich, und ich stelle dir frei, zu denken, daß mir die Trauben zu hoch hängen. Die Wahrheit ist, daß mir am Juchhe der Leute so wenig liegt, als nur einer Seele daran liegen kann. Ich meine nicht meinen Körper. Man ist schwach, – irgend etwas in einem dehnt sich bei Applaus und krümmt sich bei kaltem Schweigen. Aber mit meiner Vernunft stehe ich über aller Beliebtheit und Unbeliebtheit. Ich weiß, was die Volkstümlichkeit wäre, wenn sie käme. Ein Irrtum über meine Person. Und damit zuckt man die Achseln bei dem Gedanken an das Händeklatschen fremder Leute. [...] Ich bevorzuge im ganzen nicht die starken Ausdrücke. Aber die Popularität ist eine Schweinerei.‘ (II, 146)

Die Drastik der Wortwahl ist hier ganz bewusstes Signal. Albrecht verleiht damit seinen Äußerungen die in seinen Augen notwendige Nachdrücklichkeit. Und er geht noch weiter, denn er wendet sich gegen die Bezeichnung „Aristokrat", die Klaus Heinrich auf ihn anwendet.

‚Ich bin kein Aristokrat, ich bin das Gegenteil, aus Vernunft und aus Geschmack. Du wirst zulassen müssen, daß ich das Juchhe der Menge nicht aus Dünkel verschmähe, sondern aus Neigung zur Menschlichkeit und zur Güte.‘ (II, 146 f.)

Das alles sind grundlegende Begrifflichkeiten aus dem *Repertoire* Heinrich Manns in den Jahren um 1910, als er sich, im Gegensatz zu seinem Bruder Thomas, hin zum Liberalismus und zur Demokratie entwickelt hatte.

Dann kommt der entscheidende Punkt: Albrecht will abdanken, das heißt, er will sich aus der Öffentlichkeit zurückziehen und fast alle Staatsaufgaben dem jüngeren Bruder übertragen. Die zentrale Stelle wird nicht zufällig aus der Sicht Klaus Heinrichs geschildert, wenn er in das Angebot einwilligt:

‚Du bist Papas ältester Sohn, und ich habe immer zu dir emporgeblickt, weil ich immer gefühlt und gewußt habe, daß du der Vornehmere und Höhere bist von uns beiden und ich nur ein Plebejer bin, im Vergleich mit dir. Aber wenn du mich würdigst, an deiner Seite zu stehen und deinen Titel zu führen und dich vorm Volk zu vertreten, obgleich ich mich gar nicht so präsentabel finde und diese Hemmung hier habe, mit meiner linken Hand, die ich immer verstecken muß, – dann danke ich dir und stehe dir zu Befehl.' (II, 158)

Schaut man genau hin, so ist in diesen Sätzen zum einen viel Wahrheit über das Bruderverhältnis enthalten, zum anderen aber auch eine ungeheure Zumutung. Dass er der Plebejer sei, der sich mit dem Aristokratismus Heinrichs nicht messen könne, das hatte Thomas Mann immer betont – auch im schlimmen Brief von 1903. Und die „Hemmung", die leicht verkrüppelte linke Hand, die Klaus Heinrich von Beginn seiner Fürstenkarriere an zu verstecken gelernt hat, ist eine unverhohlene autobiographische Anspielung Thomas Manns – auf seine latente Homosexualität, die es ebenfalls lebenslang zu verbergen galt.

Das alles ist aber nur ein laues Vorspiel gegen den eigentlichen Schlag, der hier gegen Heinrich Mann geführt wird. Die Erfolglosigkeit gegenüber dem Volk – gegenüber dem literarischen Publikum soll man mitlesen – wird als feste Tatsache konstatiert, und der erfolgreichere Fürsten/Künstler-Bruder maßt sich an, den Bruder vor dem Volk, das heißt in der Gleichung des Romans auch vor dem Publikum, mitzuvertreten. Dies alles muss man im Hintergrund mitdenken, wenn man Thomas Manns Angst vor der Lektüre des Romans durch Heinrich Mann verstehen will. Thomas hatte am 1. April 1909 geschrieben:

Mir ist nicht wohl bei der Nachricht, daß Du ‚K[önigliche] H[oheit]' in der Rundschau liest. Ich fürchte, Du bist nicht in der Verfassung, das Spiel, das ich dort, im Sinne meines Buches, mit unserem geschwisterlichen Verhältnis treibe, zu nehmen, wie es genommen werden muß. (21, 410 f.)

Wenn das als Spiel gedacht war, dann gehörte allerdings nicht viel Phantasie dazu, sich vorzustellen, dass Heinrich nicht in der Verfassung war, dieses Spiel mit dem „geschwisterlichen Verhältnis" positiv aufzunehmen. Und Thomas Mann belässt es nicht dabei. Er bleibt nicht auf der Wirkungsebene stehen, sondern bewegt sich in Richtung literarische Produktion. Es ist in der bisherigen Interpretation von *Königliche Hoheit* als Bruderwerk immer übersehen worden, dass im Roman den Brüdern zwei ganz unterschiedliche Autorbegriffe zugeordnet werden.

Klaus Heinrich nämlich nähert sich nach der Abdankung dem Leben durch Lektüre an, durch Finanzlektüre, die zu einem besseren Verständnis der ökonomischen Situation des Fürstentums führt. Die Rede ist von der ernsten „Wirklichkeit, an der er nun teilnahm" (II, 324). Aber dann folgt ein klarer Fingerzeig, wenn der Erzähler hinzufügt: „und zuweilen erhob er den Kopf vom Buche und träumte lächelnd von dem, was er gelesen, als sei es die bunteste Poesie".

Es folgt das entscheidende Treffen mit Imma Spoelmann, der Tochter des amerikanischen Großindustriellen, der einzig das Fürstentum vor dem Staatsbankrott retten kann. Imma hatte Klaus Heinrich bisher als einen der Wirklichkeit fernstehenden Repräsentanten einer überlebten Spezies angesehen. Das soll sich nun ändern. Der Prinz beginnt von „seinen unschönen Büchern, seinen finanzwissenschaftlichen Einsichten" so zu erzählen, „daß Imma Spoelmann ihn mit großen Augen betrachtete". (II, 325) Die Tochter des Eisenbahnmagnaten ist hingerissen und fasziniert von der Erzählung aus den unschönen Büchern. Sie „lauschte mit ganzer Seele, indes ihre Augen, so übergroß, so dunkel glänzend, in seiner Miene forschten". (II, 326) Zusätzlich zum Bruderthema gelangt hier noch eine zweite autobiographische Ebene in den Roman, die ebenfalls auf die Nähe Klaus Heinrichs zu Thomas Mann hindeutet. Gerade die Beschreibung der Augen Immas verweist, wie überhaupt die gesamte Grundierung der Figur, auf Katia Pringsheim, die spätere Katia Mann.

Soweit der auf eine ganz besondere Art zum Künstler gewordene Prinz Klaus Heinrich. Das Lesen, die Hinwendung zum Leben und das Erzählen münden hier in der Liebe zu Imma, die als strenges Glück am Ende zur Rettung des Fürstentums führt.

Der Schriftsteller wird hier im übertragenen Sinne als jemand angesehen, der sich nicht gegenüber den Niederungen des Alltags abschottet – ausdrücklich verweist Klaus Heinrich auf die „unterernährten Gestalten auf dem Lande" (ebd.) –, dessen Ziel aber die Literarisierung, das Poetischmachen dieser Wirklichkeit ist. Thomas Mann war sich der Problematik dieses Versöhnungsgedankens sehr wohl bewusst. In einem Brief an den damaligen Freund Ernst Bertram hat er diesen Schluss und die darin aufscheinende Ästhetik als „ein bischen demagogisch, ein bischen populär verlogen" (DüD I, 253) bezeichnet. Der Roman kennt daher auch den Einspruch gegen das allzu Harmonische. Denn die eben geschilderte Szene weist eine äußerst bizarre Begleitung auf.

Aber während er sprach, von Imma mit Mund und Augen befragt, sich mühte, sich ereiferte und sich ganz seinem Gegenstand hingab, fühlte Gräfin Löwenjoul sich nicht länger zu nüchterner Klarheit angehalten durch seine Gegenwart, sondern ließ sich gehen und erlaubte sich die Wohltat des Irreschwatzens. An allem Elend, erklärte sie mit vornehmen Bewegungen und seltsam gekniffenem Blicke, auch an der Mißernte, der Schuldenlast und der Geldteuerung, seien die schamlosen Weiber schuld, von welchen es überall wimmele und die leider auch den Weg durch den Fußboden zu finden wüßten, wie denn vergangene Nacht die Frau eines Feldwebels aus der Leibfüsilier-Kaserne ihr die Brust zerkratzt und sie mit abscheulichen Gebärden gemartert habe. [...] Imma Spoelmann und Klaus Heinrich gaben ihr hie und da ein gutes Wort, versprachen gern, sie vorderhand ‚Frau Meier' zu nennen und ließen sich übrigens von ihren Zwischenreden nicht stören. (II, 326 f.)

Katia Mann um 1905

Wie so oft in Thomas Manns Werk wird die Vernunft durch den Wahnsinn konterkariert. Man denke an den Schneetraum im *Zauberberg*, wenn das Bild von der Idealgesellschaft der Sonnenleute durch die zotteligen Weiber, die ein Kind über dem Feuer zerreißen, begleitet wird. So ist es auch hier. Die rational gegründete Seelenharmonie war für Thomas Mann nie die alleinige Basis der Kunst. Immer war es ihm daher darum zu tun, auch die dunklen und finsteren Seiten des Lebens, die irrationalen Elemente in sein Schreiben zu integrieren. Freilich auf eine genau umfriedete Art und Weise, die sicherstellte, dass sich das Irrationale mit gutem Zureden jederzeit still stellen ließ – so wie die Ungeheuerlichkeiten der Gräfin Löwenjoul. Soweit ein erster Interpretationsschritt. Aber es gibt noch eine weitere Ebene, die direkt auf das Bruderverhältnis verweist.

Klaus Heinrich spiegelt die Wendung Thomas Manns hin zur Wirklichkeit wieder, die weniger auf einer bestimmten Ideologie und Vorstellung von richtigem Leben beruht, sondern auf der Anerkennung des Faktischen. Noch in den *Betrachtungen eines Unpolitischen*, fast zehn Jahre nach dem Fürstenroman erschienen, wird Thomas Mann Nietzsches Kennzeichnung des 19. Jahrhunderts als *„vor der Wirklichkeit jeder Art unterwürfiger, wahrer"* (XII, 22) lobend erwähnen. Dagegen steht der Literaturbegriff Heinrich Manns, der in der Schilderung der Gräfin Löwenjoul parodiert wird. Deutlich wird dies im Rückgriff auf Äußerungen über die Brüder Mann im Testament des Vaters. Was anders ist das alles, als ein „träumerisches Sichgehenlassen", wie es der Vater konstatiert hatte, und sicher nicht zufällig bei einem so bewusst die Worte setzenden Schriftsteller wie Thomas Mann heißt es: *Sie ließ sich gehen.*

Was der Roman *Königliche Hoheit* als Modell entworfen hatte, prägte dann die Reaktion Thomas Manns bis ins hohe Alter hinein. Noch ganz am Lebensende, im Jahr 1955, greift er auf den Stellvertretergedanken zurück. Am 27.3.1955 heißt es im Tagebuch:

Frühlingsmorgen, doch leicht kann es regnen. – Golos (46.) Geburtstag. (Heinrichs auch; starb vor 5 Jahren. Ich bin es immer, mit dem sich die Literaturkritik beschäftigt. Vertrete Albrecht vor dem Volk.)

Als einen Monat später ein Buch des Italieners Guido Devescovi eintrifft, in dem es über den Bruder heißt: „La figura di Heinrich Mann, oscurata dalle grande ombra del fratello per tanto tempo, appare oggi sempre più nella sua giusta luce e grandezza" – ist Thomas Manns Kommentar so knapp wie eindeutig: „Albrecht und K.H." (Tb, 25.4.1955)

Mitdenken muss man auch hier das Narzisstische und das Altruistische dieser Konstruktion des Bruderverhältnisses. Eine Kombination, die bei Thomas Mann häufiger vorkommt – er schafft es eben, sich für andere und sich persönlich *zugleich* einzusetzen. Und dann sind da natürlich die spezifischen historischen Bedingungen im Nachkriegsdeutschland. Heinrich Mann ist 1955 weitgehend in Vergessenheit geraten. Die junge Bundesrepublik beginnt, in der Nachfolge des europäischen Auslandes, gerade Thomas Mann langsam als einen der großen Autoren des 20. Jahrhunderts zu entdecken. Von den Gemeinsamkeiten am Beginn des Jahrhunderts war nichts mehr zu spüren, als Gottfried Benn beide Brüder zusammengedacht und aus der Rückschau 1931 formuliert hatte:

Da kamen um 1900 die Brüder Mann und phosphoreszierten. Lehrten eine literarische Generation das Gefährliche, das Rauschhafte, den Verfall, der notorisch zu den Dingen der Kunst gehört, brachten aus ihrem gemischten Blut [...] die Artistik, ein für Deutschland nie wieder zum Erlöschen zu bringendes Phänomen.[5]

Die Rettung Heinrich Manns sollte nun im Werk des Bruders geschehen, der ihn vor dem Publikum und der Kritik mitvertritt. Thomas Manns Erfolg beim Publikum, der damals besonders auf der fulminanten Wirkung des *Felix Krull* gründete, soll zugleich zum Erfolg für Heinrich Mann werden. Eine seltsam anmutende Vorstellung, die nur aus dem inneren Bruder-Verhältnis und sicher auch aus Resten von „schlechtem Gewissen" bei Thomas Mann zu erklären ist.

Das zeigt sich auch bei einem anderen großen Erfolg, dem 1929 erhaltenen Literaturnobelpreis. Schon früh hatte er davon geträumt, dass er eigentlich den Brüdern gemeinsam zukommen müsse. Eine Tagebuchstelle vom 21.5.1921 enthält *in nuce* die auf der Einigkeit basierende Seite des Bruderverhältnisses. Auch hier gilt: Die große Auszeichnung wird in Stellvertretung für den Bruder mitgedacht:

Martens meldete brieflich einen schwedischen Besucher an, der mich als den nächsten Anwärter auf den Nobel-Preis designiert haben soll. Ich wollte, diesen Preis gäbe es nicht, denn wenn ich ihn erhalte, wird es heißen, daß er H. zugekommen wäre, und wenn dieser ihn erhält, werde ich darunter leiden. Das Wohltuendste wäre, wenn man ihn zwischen uns teilte. Aber dieser Gedanke ist, fürchte ich, zu fein für die Preisrichter.

Die Bemerkung steht durchaus nicht isoliert. Noch anlässlich des letzten Geburtstagsbriefes von Heinrich Mann im Juni 1949 liest man im Tagebuch den folgenden Eintrag:

Viel Post. Heinrich über ‚Mechanik der Materie' und die Gültigkeit der Festlichkeiten für ihn mit. Zuweilen unrichtige Satzbildung, seltsam, immer sehr gut. Wie glücklich wäre der gemeinsame Nobel-Preis! (Tb, 9.6.1949)

---

5 Heinrich Mann: Texte zu seiner Wirkungsgeschichte in Deutschland, hrsg. und mit einer Einleitung von Renate Werner, Tübingen: Niemeyer 1977, S. 139 f.

2. Konkurrenz und Angst

Das Modell war stark. So stark, dass sogar Heinrich Mann begann, es zu übernehmen, wie die von Thomas Mann im Tagebuch wiedergegebene Bemerkung
zeigt, die ja davon spricht, dass Heinrich die Geburtstagsfeiern für den
berühmten Bruder auch als Feier der eigenen Person betrachtet habe. Aber alle
Konstruktionsenergie Thomas Manns konnte nicht verhindern, dass sein Modell von der ersehnten Einheit in der Verschiedenheit vor der Wirklichkeit nur
partiell durchsetzbar war. Die Unterschiede und das Konkurrenzdenken waren so nicht vollständig zu bewältigen. Es gibt daher in seinem Werk auch eine
andere Seite des Bruderverhältnisses.

Wie groß die Konkurrenzsituation war, die Angst vor dem Bruder als
Schriftsteller, zeigt etwa die andere Seite der Nobelpreisfrage. Es war ein leich-
tes, dem Bruder den Preis *auch* zu wünschen, wenn man der fraglose Kandidat
war, wie 1921, oder den Preis schon vor zwei Jahrzehnten bekommen hatte,
wie 1949. Etwas anderes war es freilich, wenn die Verleihung an Heinrich
Mann ganz konkret anstand. Die Tagebuchquellen belegen, dass darüber
tatsächlich einmal spekuliert wurde, und Thomas Manns Reaktion ist sehr interessant. Weniger wohlgesonnene Interpreten würden sie verräterisch nennen. Unter dem 18.1.1937 findet sich die folgende Tagebuch-Eintragung:

Telephon-Gespräch mit W. Herzog-Basel über Heinrichs Ambition auf den Nobel-
preis, der zuliebe H. nach Prag fährt, um die Unterstützung Masaryks zu gewinnen.
Aussichtslos.

Tatsächlich gab es in deutschen Exilkreisen, unterstützt etwa durch den auch
von Thomas Mann geschätzten französischen Autor Romain Rolland, eine
starke Bewegung, Heinrich Mann den Nobelpreis für 1937 zu verleihen. Von
Thomas Mann ist in diesem Zusammenhang keinerlei Unterstützung gekommen. „Aussichtslos" – das bleibt der einzige Kommentar, obwohl er noch einmal im Tagebuch auf die Nobelpreisfrage zurückkommt.[6] Es ist die Angst vor
dem Erfolg des Bruders, die hier dominiert, obwohl die äußeren Fakten die
Rangfrage längst zugunsten des Jüngeren entschieden hatten. Darum ging es
freilich nicht alleine. Das wusste Thomas Mann genau. Wie mühsam die Abgrenzung gegen Heinrich, die schwierige Ordnung des Bruderverhältnisses
trotz allen Ruhms blieb, das zeigen die Tagebücher 1952, als zwei Jahre nach
dem Tod von Heinrich Mann zwei Lektüreerlebnisse schlaglichtartig die
ästhetische Kraft des verstorbenen Bruders erhellen.

---

[6] „Münzenberg über Heinrichs Nobel-Kandidatur, unterstützt von Rolland" (Tb, 22.10.1937).

Am 19.7.1952 heißt es:

Im ‚Merkur' Erinnerungen an Hofmannsthal von W. Haas. Hofmannsthals fast wüten-
de Abneigung gegen Heinrich – politisch *und* künstlerisch, da er in einem Brief z. B. die
Erzählung ‚Liane und Paul' als vollkommen miserabel heruntermacht. Empfand einen
gewissen Schrecken und eine gewisse Genugtuung; denn wie habe ich selbst unter alldem gelitten! Gewiß stand ich schlecht um 1914 und nachher. Aber H's ‚Aktivismus'
war ein Tiefstand, der nur schlechte Werke hervorbrachte – bis zum Henri IV.

Schrecken und Genugtuung angesichts eines radikalen Angriffs auf die politischen und künstlerischen Grundlagen Heinrich Manns – das beschreibt sehr
gut die beiden Pole des Bruderverhältnisses. „Nicht zu werden wie du", wie
Thomas in *Buddenbrooks* gegenüber dem Bruder Christian äußert, nicht zu
nahe an die Wirklichkeit herankommen, vielleicht sogar auf der politisch
falschen Seite sein („1914 stand ich schlecht"), aber auf gar keinen Fall aufgrund der fehlenden Wirklichkeitsdistanz zum schlechten Künstler werden.
Das waren die aus dem Bruderverhältnis resultierenden Lehren und Ängste.
Hofmannsthal bot hier Unterstützung und einen Halt.

   Weniger einfach war mit dem Diktum von Rainer Maria Rilke umzugehen,
dem mangelnde Kritikerqualitäten zu unterstellen sich seit seiner grandiosen
Buddenbrook-Kritik von 1902 schlichtweg verbot.

   Was war geschehen? Unter dem 21.6.1952 findet sich einer der längsten Ta-
gebucheinträge zum „Bruderproblem":

Abends widerwärtige Erfahrung mit dem bei Fischer erschienenen Buch einer Malerin
namens Lou Albert-Lasard, ‚Wege mit Rilke'. Unsinniges über ‚Vorträge' von mir in
München während des 1. Weltkrieges, bei deren einem Heinrich zu Rilke gesagt haben
soll: ‚Mein Bruder hat druckfähigere Gedanken als ich'. Habe überhaupt keine Vorträge
gehalten, sondern saß abgesondert und vergrub mich in das Problem des Deutschtums.
Hätte ich aber einen gehalten, so wären Heinrich und Rilke hineingegangen!! Meines
Wissens kannten sie einander garnicht. Ich hätte mich ‚von der patriotischen Welle fort-
reißen lassen'. Eine gute Kennzeichnung. Weiter reicht es dann nicht. Alles vom Zauberberg über die Emigration, den Joseph[,] den Faustus nicht[s] bekannt. Meine Gedanken waren 1918 so wenig ‚druckfähig', wie die Heinrichs 1914 waren. Er schrieb
übrigens den von Haß starrenden Zola-Aufsatz, der eigentlich die ‚Betrachtungen' hervorbrachte. Zuletzt schrieb er mir in die ostdeutsche Ausgabe seines ‚Untertan': ‚Meinem großen Bruder, der den Dr. Faustus schrieb.' Jene hysterische Gans weiß nichts
von alldem. – [...] Die Erinnerung wird wieder wach, wie Heinrich nach dem Zusam-
menbruch spazierend an meinem Hause, durch die Silberpappel-Allee, vorüberging
und voller Genugtuung vor sich hin lächelte. Er hatte ‚gesiegt'. Dabei soll er, nach allen
Haß-Entladungen viel über unser Zerwürfnis geweint haben. Und zuletzt: ‚Mein
großer Bruder'. – Rilke stellt ihn in einem Brief über Flaubert, der nur ein Sammler gewesen sei, H. dagegen ein Verschwender. Was an seinen Büchern Abneigung hervorrufe
sei dem Roman als Halbkunst-Form zur Last zu legen. – – –

Mehrere Dinge sind hier wichtig:

Zum einen die extreme Empfindlichkeit Thomas Manns, die auf die Zeit des intensivsten Bruderstreits hindeutet. Das ist nie ganz überwunden worden. Die Zeit um 1914, als Heinrich Mann, das bestreitet auch Thomas Mann später nicht mehr, auf der richtigen Seite war und er auf der falschen, als der Bruder „früher Bescheid wusste" – sie bleibt ein Stachel. Zumal sich die Konstellation in abgemilderter Form auch 1933 wiederholte, als der Bruder abermals voraus war, auf der ersten Ausbürgerungsliste zu finden war und Thomas Mann 3 Jahre und viel persönlichen Druck von den Kindern Klaus und vor allem Erika benötigte, um sich ebenfalls zum Exil zu bekennen. Noch 1936, als er der Tochter Erika gegenüber zu erklären versucht, warum er so lange gezögert hat, sich öffentlich zum Exil, zum besseren Deutschland zu bekennen, das er dann später beinahe gültig für die Nachwelt vertreten sollte, bildet das Bruderthema die Basis für die große Weltgeschichte.

Auch glaube ich an die natürliche Notwendigkeit einer gewissen Rollenverteilung: Heinrichs Sache war niemals genau auch meine, und warum sollte ich heute, was er unübertrefflich tut, daneben weniger gut noch einmal tun? Hier spielt das Bruderproblem in die Angelegenheit hinein, von dessen mühsam geordneter Schwierigkeit Du Dir kaum eine Vorstellung machst.[7]

Zum zweiten ist das Insistieren auf das Ende der Geschichte von Belang: „Meinem großen Bruder, der den Dr. Faustus schrieb". Diese Widmung Heinrich Manns war Thomas Mann sehr wichtig, sie figuriert gleichsam als Anerkennung der Abdankung, als Akzeptanz der Vertretung vor dem Volk durch Thomas Mann. Sehr oft wird sie dann auch in den späten Tagebüchern erwähnt, sie erhält dabei fast den Rang eines Bannspruches, der immer wieder gegen Kritisches in Anschlag gebracht wird. Aber damit war letztlich nichts Entscheidendes gewonnen, denn jenseits des äußeren Erfolges blieb die literarische Rangfrage, die auch Thomas Mann auf die Produktionsebene, auf die ästhetischen Qualitäten der Bücher bezog. Auch er wusste: Was zählte, war nicht alleine eine sehr stark von den Unwägbarkeiten des literarischen Marktes beeinflusste Rezeptionsgeschichte, sondern die Frage nach der literarischen Qualität der Werke selbst.

Fragen wir also: Was stand in dem Brief von Rainer Maria Rilke, auf den Thomas Mann so irritiert hinweist? Er stammt vom März 1916 und wird in

---

[7] Thomas Mann an Erika Mann (23.1.1936), in: Erika Mann: Briefe und Antworten, Band 1: 1922–1950, hrsg. von Anna Zanco Prestel, München: Deutscher Taschenbuch Verlag 1988, S. 83 f. – Vgl. zur Situation der Familie Mann im frühen Exil: Hans Wißkirchen: „Wo die Heimat zur Fremde wird...". Das Jahr 1933 bei der Familie Mann, in: Heinrich Mann Jahrbuch, hrsg. von Helmut Koopmann und Hans Wißkirchen, Bd. 18/2000, Lübeck: Schmidt-Römhild 2001, S. 241–261.

dem Buch ausführlich zitiert. So konnte Thomas Mann unter anderem die folgenden Sätze lesen:

Ich trage von allen Seiten Bücher zusammen [...]. Und da entdeck ich mir langsam
Heinrich Mann, was schon seine Wichtigkeit hat; wären wir voriges Jahr auf ‚Pippo
Spano' gekommen, wir hätten ganz anders gelesen und weiter gelesen. Kennst Du sie
denn? Bei den Romanen kommen Stellen, an denen man etwas ablehnen möchte, was
aber, wie es scheint, eher der Form des Romans, dem Roman als einem Grenzgebiet der
Kunst, vorzuwerfen wäre, als der außerordentlich beherrschten Kunst Heinrich
Manns. Die wunderbare Sättigung dieses ganz in die Sprache gelösten Lebens ist wohl
nie vorher im Deutschen dagewesen, es muß die jungen Leute, die von der Natur unab-
hängig werden wollen, hinreißen, in Manns Büchern alles Geschaute so längst geschaut
zu gewahren, so von jeher geschaut. Wann hat dieser große Künstler seine Lehrzeit gehabt? Darin übertrifft er selbst Flaubert: wenn der etwas vom Sammler hat, so ist Heinrich Mann schon wieder Ausgeber und Vergeuder – wer hat je Stücke Landschaft so
glänzend gebildet, um sie dann einfach auf das treibende Blut einer Geschichte zu werfen – ja, dies ist mir das Wunderbarste, daß hier ein unendlich Bildender zugleich die
Strömung schafft, die seine Dinge fortreißt von ihm.[8]

Das ist eine Äußerung über die genialischen und wunderbaren Seiten von
Heinrich Manns Schreiben, der Thomas Mann nicht widersprechen konnte
und wollte: Und sofort war die Bedrohung durch das Andere wieder da.

Rilke hatte eine der im Binnenverhältnis der Brüder verbotenen Fragen gestellt: Die nach den genuinen schriftstellerischen Qualitäten Heinrich Manns,
die nach seinen ganz eigenen, in der frühen Literatur des 20. Jahrhunderts ohne
Beispiel dastehenden Sprachbildern, Landschaftsbeschreibungen und – das
kann man in diesem Kontext nur positiv sehen – Romanexzessen. Er hatte auf
die literarische Modernität und Eigenständigkeit Heinrich Manns verwiesen.
Das war eine latente Bedrohung für Thomas Mann, der als Sprachmeister, aber
nicht als primär unter dem Signet der Moderne zu sehender Autor galt. Und in
genau diesem Sinne hatte Thomas Mann die beiden Begriffe vom Autor als
Sammler und Vergeuder registriert. Ich sage bewusst registriert, denn man hätte eigentlich einen Einspruch erwarten müssen, dass hier jemand über Flaubert
gesetzt wurde, den Thomas Mann zu den größten Schriftstellern des 19. Jahrhunderts zählte. Aber nein: Dass jemand wie Rilke eine solche Messlatte an das
Werk des Bruders herantrug, konnte ihn letztlich dann doch nicht verwun-
dern.

Denn ihm war sicher klar, dass in dieser Autoren-Gleichung die Rolle des
Sammlers ihm zukam; dass er den Künstlertypus verkörperte, der in „kleinen
Tagewerken aus aberhundert Einzelinspirationen" (VIII, 452), wie es im *Tod in*

<hr>

8 Lou Albert-Lasard: Wege mit Rilke, Frankfurt: S. Fischer 1952, S. 129 f. Zitiert nach Tb 1951–
1952, S. 669.

Venedig über das *Alter Ego* Gustav von Aschenbach heißt, und durch das Sammeln von unzähligen Materialien und Quellen, wie die Forschung inzwischen nachgewiesen hat, zum Werk gelangte.

Heinrich Mann, der „Ausgeber und Vergeuder", war sicher der Formlosere, der sich oft, wahrscheinlich allzu oft, in den erzählerischen Randbezirken und Seichtheiten verlor, der aber dafür „Stellen" von unverwechselbarer Eigenheit und Schönheit geschaffen hatte, von denen sich Rilke so erschüttert-berührt zeigt.

Auch in den Reden zu den „runden" Geburtstagen Heinrichs entdeckt man hinter aller Formelhaftigkeit, die ein solcher Anlass fordert, immer wieder den Blick auf die Modernität und Genialität des Bruders. Dabei blickt Thomas Mann genau auf die Anfänge.

„Brüder sein, daß heißt: Zusammen in einem würdig provinziellen Winkel des Vaterlandes kleine Jungen sein" –, so hebt die Rede zum 60. Geburtstag an, um dann die „absolute Boheme der Jugend" zu betonen. Auf diesem Anderssein, auf diesem Außenseitertum baut er dann die Doppelkarriere der Brüder Mann auf. Man könnte auch drastischer formulieren: Er schließt sich als Bruder eng an Heinrich Mann an, um von dessen Modernität und ästhetischer Radikalität zu profitieren. Brüder sein, das heißt für Thomas Mann dann:

... einzeln, aber immer in organischer Verbundenheit und im Gedanken aneinander, hineinwachsen, hineinaltern ins eben noch radikal ironisierte ‚Leben', hineinwachsen vor allem durch das Werk, das als Erzeugnis absoluter Boheme gemeint war, aber sich als eingegeben vom Leben, als in seinem Dienste getan und damit als sittlich verwirklichend erweist. Brüder sein, wie wir es sind, das heißt aber auch: gemeinsam dem wirklichkeitsreinen Unernst von einst im tiefsten die Treue halten; es heißt: mit jener halb geistigen, halb kindheitsprovinziellen Erregung und Schüchternheit, welche die große Welt der Wirklichkeit uns einflößt, die Ironie der Frühzeit verbinden (X, 306 f.).

Die Göttinnen werden als „kunstglühende, gestaltenschäumende, rausch- und farbenvolle, zugleich barocke und strenge Romantrilogie" bezeichnet. (X, 307) So 1931. 1941, zum 70. Geburtstag, definiert Thomas Mann das Prophetische und Vorwegnehmende in der Kunst Heinrich Manns als deren zentrale Basis. „Wenn Genie Vorwegnahme ist," so heißt es dort, „Vorgesicht, die leidenschaftliche Gestaltung kommender Dinge, dann trägt dein Werk den Stempel des Genialen". (XIII, 856) Hier wird die Strategie deutlich, mit der Thomas Mann diese Konkurrenz mit dem Bruder, die Angst vor der avancierteren Schreibstrategie des älteren, stillzustellen versuchte. Er schiebt Heinrich Manns Wirkung in die Zukunft, erklärt seinen mangelnden Erfolg damit, dass sein „Genie" auf der „Vorwegnahme" basiert, auf einer noch kommenden Rezeptionsmöglichkeit.

3. Resümee

(K)ein Bruderstreit? – Die Doppeldeutigkeit meines Titels, sie bleibt bestehen. Eine Auflösung der Gegensätze war nicht möglich, sondern einzig das Nachzeichnen eines schwierigen und uneindeutigen Verhältnisses zweier berühmter Schriftstellerbrüder zueinander. Das „Ersehnte", nämlich die Einigkeit mit dem Bruder, wie es sich gehörte, und das „Befürchtete", die Bedrohung durch den anders lebenden und schreibenden Heinrich Mann – beides zusammen erst macht die Brüderlichkeit im Werk Thomas Manns aus.

Dabei war es von entscheidender Bedeutung, die Balance zu halten. Als jemand, der im *Tod in Venedig* die zerstörerischen Folgen der Triebunterdrückung auf ein Schriftstellerleben bis hin zu den finalen Folgen in aller Drastik beschrieben hatte, wusste Thomas Mann, wie es nicht gehen konnte. Nämlich so, wie es an einer Stelle in *Buddenbrooks* aufscheint:

Es gibt viele häßliche Dinge auf Erden, dachte die Konsulin Buddenbrook, geborene Kröger. Auch Brüder können sich hassen oder verachten; das kommt vor, so schauerlich es klingt. Aber man spricht nicht davon. Man vertuscht es. Man braucht nichts davon zu wissen. (1.1, 299 f.)

Das war nicht der Weg, den Thomas Mann eingeschlagen hatte, er wollte die Einheit in der Verschiedenheit, das war sicher schwerer, wenn nicht oft sogar unmöglich – aber sicher ehrlicher. Getragen war dieser Versuch von dem unverbrüchlichen Bewusstsein, dass Brüderlichkeit als humane Kategorie über die Streitigkeiten des Alltages eine nicht aufzuhebende Verbindung legte. Oder wie es, – viel schöner und daher zum Abschluss zitiert – in einem Brief an den Bruder heißt:

Ich finde immer, Geschwister sollten sich garnicht überwerfen können. Sie lachen sich aus oder schreien sich an, aber sie nehmen nicht schaudernd von einander Abschied. (21, 411)

Astrid Lange-Kirchheim

‚Gefall-Tochter'? ‚Leistungs-Tochter'? ‚Trotz-Tochter'?

Überlegungen zu Erika Mann

Dies ist der Versuch, aus der Richtung der Psychoanalyse und der Geschlechterforschung einen Blick auf Erika Mann zu werfen, der vielleicht für eine noch zu schreibende Psychobiographie hilfreich sein könnte. Seit dem Erscheinen der beiden Aufsatzsammlungen von Luise Pusch zu den *Schwestern* bzw. den *Töchtern* berühmter Männer[1] mehren sich die Publikationen zu den *Frauen der Genies*, welche die Auswirkungen der Geschicke des „ersten Geschlechts" auf die Beziehungen zum „zweiten", d. h. zu den weiblichen Familienmitgliedern diskutieren; als solche werden nun auch vermehrt die Ehefrauen thematisiert, wie jetzt die beiden Biographien zu Katia Mann oder auch die zu Martha Freud zeigen.[2] Dadurch ergibt sich die Chance, die Mütter der Töchter genauer in Augenschein zu nehmen.

Unter patriarchalischen gesellschaftlichen Bedingungen ist das Vater-Tochter-Verhältnis dasjenige, welches innerhalb familiärer und zwischenmenschlicher Beziehungen das extremste Machtgefälle aufweist: Die Generationendifferenz addiert sich der Geschlechterdifferenz, wodurch die Tochter in eine doppelt abhängige Position gerät. Insofern verwundert es nicht, daß für die psychoanalytische Konzeption des Geschlechterverhältnisses die Vater-Tochter-Beziehung Modell gestanden hat. Das hat Christa Rohde-Dachser am Hauptwerk der „Lieblingstochter" Freuds, Helene Deutsch, über *Die Psychologie der Frau*, herausgearbeitet: Der Frau generell wird hier eine „töchterliche Existenz" zugeschrieben.[3]

Inwiefern die individuelle Tochtervita der scheinbar so unvergleichlichen Künstler-*family*, Erika Mann, solche allgemeinen Züge aufweist, soll an exemplarischen Stationen ihrer Biographie aufgezeigt werden. Dabei lehne ich mich

---

[1] Luise F. Pusch (Hrsg.): Schwestern berühmter Männer. Zwölf biographische Portraits, Frankfurt/Main: Insel 1985; dies. (Hrsg.): Töchter berühmter Männer. Neun biographische Portraits, Frankfurt/Main: Insel 1988.

[2] Katja Behling: Martha Freud. Die Frau des Genies, mit einem Vorwort von Anton W. Freud, Berlin: Aufbau 2002; Inge und Walter Jens: Frau Thomas Mann. Das Leben der Katharina Pringsheim, Reinbek bei Hamburg: Rowohlt 2003; Kirsten Jüngling/Brigitte Roßbeck: Katia Mann. Die Frau des Zauberers. Biographie, München: Propyläen 2003.

[3] Christa Rohde-Dachser: Expedition in den dunklen Kontinent. Weiblichkeit im Diskurs der Psychoanalyse, Berlin/Heidelberg/New York: Springer 1991, S. 81.

mit den Begriffen ‚Gefall-Tochter‘, ‚Trotz-Tochter‘, ‚Leistungs-Tochter‘ heuristisch an das Büchlein über *Vatermänner* der Psychologin und Schriftstellerin Julia Onken an.[4] Ich fokussiere also zunächst die Vaterbeziehung (I.), um in einem zweiten Schritt nach dem Anteil der Mutter an der Entwicklung Erikas zu fragen sowie nach der Funktion der Geschwisterbindung, insbesondere des engen Verhältnisses zu Klaus (II.); ein Blick auf Erikas Liebesbeziehungen rundet Teil II ab. In einem dritten Teil möchte ich versuchen, von der Psychotraumatologie her einen Zugang zu Erikas autobiographischem Fragment *Ausgerechnet Ich* sowie ihrem Kinderbuch *Stoffel fliegt übers Meer* zu eröffnen (III.).

I.

Doch beginnen wir mit dem Beginn, mit der Geburt. Bekanntlich erfüllte das Mädchen Erika als Erstgeborene nicht die Erwartungen *beider* Eltern, die sich einen Sohn gewünscht hatten. Der Vater ist „enttäuscht", die Mutter sogar „sehr verärgert". Beide stellen sich die Frage nach dem Warum des Ärgers, die nur der Vater, allerdings mit naiver Preisgabe seines Narzißmus, zu beantworten versucht:

Es ist also ein Mädchen: eine Enttäuschung für mich, wie ich unter uns zugeben will, denn ich hatte mir sehr einen Sohn gewünscht und höre nicht auf, es zu thun. Warum? ist schwer zu sagen. Ich empfinde einen Sohn als poesievoller, mehr als Fortsetzung und Wiederbeginn meinerselbst unter neuen Bedingungen. (21, 332 f., 20.11.1905 an Heinrich Mann)

In Katias Kommentar finden wir statt einer Antwort die Drohung eines Affektausbruchs:

Es war also ein Mädchen, Erika. Ich war sehr verärgert. Ich war immer verärgert, wenn ich ein Mädchen bekam, warum, weiß ich nicht. Wir hatten ja im ganzen drei Buben und drei Mädchen, dadurch war Gleichgewicht. Wenn es vier Mädchen und zwei Buben gewesen wären, wäre ich außer mich geraten [wohlgemerkt: ‚wäre ich außer mich geraten‘]. Aber so ging's. Mein Mann war viel mehr für die Mädchen. Obgleich er ein Mädchen für nichts Ernsthaftes hielt, war Erika immer sein Liebling [...].[5]

---

[4] Julia Onken: Vatermänner. Ein Bericht über die Vater-Tochter-Beziehung und ihren Einfluß auf die Partnerschaft, München: Beck 1994 (= Beck'sche Reihe, Bd. 1037).
[5] Katia Mann: Meine ungeschriebenen Memoiren, hrsg. von Elisabeth Plessen und Michael Mann, Frankfurt/Main: S. Fischer 1974, S. 29.

Ein Mädchen – nichts Ernsthaftes! Das spiegelt die gängige kulturelle Entwertung der Frau, die noch 1929 den Titel eines Romans von Mela Hartwig abgibt: *Das Weib ist ein Nichts*.[6] In der philosophischen Dissertation von Otto Weininger über *Geschlecht und Charakter* von 1903 findet sich als Gliederungspunkt die Formulierung: „Der Mann als das Etwas, die Frau als das Nichts."[7] Auch bei dem Elternpaar Mann hat sich nach zwölf Jahren, als die Tochter Elisabeth 1918 geboren wird, an diesem patriarchalischen Vorurteil, trotz jubilatorischer Begrüßung des „Kindchens", nichts geändert. Das physiognomische Merkmal „Ernsthaftigkeit" avanciert sogar zum Lackmus-Test auf die Geschlechterdifferenz: Als Katia Mann das Geschwisterpärchen Medi und Bibi in ihren identischen Russenkittelchen dem Ehepaar Rolland vorführt, ist die Frage, wer denn wohl der Bub, wer das Mädchen sei. Die Antwort, die die Mutter erwartete, bekam sie: Mme. Rolland zeigte sofort auf Michael. „„Das ist der Junge. Er schaut ernster.'" Das erboste Elisabeth so sehr, daß sie von da an immer eine Grabesmiene aufsetzte, sobald sie vorgestellt oder fotografiert wurde.[8] An diesem Erlebnis wurde Elisabeth zur Feministin. Sie wollte ernst genommen werden, auch als Mädchen. Die Eltern dagegen teilten die kulturellen Vorurteile, u.a. daß es Mädchen in der Musikausübung nie so weit bringen könnten wie Jungen; die Eltern hätten die „Mädchen immer als gute zweite Klasse" bezeichnet. In den Augen Elisabeths waren *beide* Eltern „„male chauvinists'".[9] Ich rekurriere so ausführlich auf diese Parallel- und Kontrastgeschichte zu Erika, weil sie veranschaulicht, wie die elterlichen Überzeugungen vom „Wesen der Geschlechter" eine „feindliche Umwelt" erzeugen können, in die das weibliche Kind hineinwächst. Es ist bekannt, daß bewußte und unbewußte Phantasien der Eltern eine prägende Kraft auf deren Interaktionsstil und die Entwicklung des Kindes haben.[10] Wenn also bereits Säuglinge auf die Phantasien ihrer Eltern reagieren, so ist ihre ganze Kompetenz vonnöten, die Verhaltensweisen dieser Eltern so zu beeinflussen, daß diese trotz ihrer eigenen Vorurteile ein Optimum an förderlichen Umweltbedingungen für das sich entwickelnde Kind bereitstellen.

Dürfen wir also annehmen, daß Erikas jungenhaftes Aussehen und Verhalten, wie es so oft beschrieben wurde, auf die Phantasien *beider* Eltern antwortete? „Sie konnte wie zwei Buben turnen und raufen, und sah aus wie ein ma-

---

6 Mit einem Nachwort von Bettina Fraisl, Graz/Wien: Droschl 2002.

7 Otto Weininger: Geschlecht und Charakter. Eine prinzipielle Untersuchung, München: Matthes & Seitz 1980, S. XXI.

8 So der Bericht bei Kerstin Holzer: Elisabeth Mann Borgese. Ein Lebensportrait, Berlin: Kindler 2001, S. 41.

9 Zitiert nach Holzer, ebd.

10 Vgl. hierzu Martin Dornes: Der kompetente Säugling. Die präverbale Entwicklung des Menschen, Frankfurt/Main: S. Fischer 1994, bes. S. 217 ff. über: „Die determinierende Kraft der Initialphantasie".

gerer, dunkel hübscher Zigeunerjunge, dessen braune Stirn sich manchmal trotzig verfinstert."[11] Zu dieser männlichen Ausrichtung könnte auch eine beängstigende Stellvertreterfunktion beigetragen haben, die Erika mittels des Namens zugeteilt wurde: ‚Erika' ist bewußt in Anlehnung an ‚Erik', den Namen des ältesten Bruders von Katia, gewählt, der 1905, also in Erikas Geburtsjahr, nach Südamerika in die elterliche Verbannung geschickt wurde und dort 1909 starb. Das Mädchen Erika wird also mit der Aufgabe belastet, einen abwesenden „Bruder" und einen „verlorenen Sohn" zu repräsentieren. Welcher Raum bleibt da für eine weibliche Identität? Auch die Paarbildung mit dem nur ein Jahr jüngeren Bruder Klaus – dieser geringe Altersunterschied nivelliert bei Geschwistern die Geschlechterdifferenz[12] – arbeitet einer ausgeprägten Weiblichkeit entgegen. Erika entwickelt sich also, mehrfach bedingt, zum (weiblichen) Spiegel der problematischen Geschlechtsidentität ihres Vaters. Diese Uneindeutigkeit wiederholt sich in der Rolle des Clowns – er überspielt die Grenze zwischen den Geschlechtern und Generationen –, die Erika in der Familie schon früh, vor allem aber dem Vater gegenüber, einnimmt. Die Kultivierung „eines ausgesprochenen und sehr amüsanten parodistischen Talentes" – um im Vokabular von *Unordnung und frühes Leid* zu reden (VIII, 618) – ist die Art und Weise, in der es Erika gelingt, sich einen wohlwollenden, ihr zugewandten, eben einen sie „spiegelnden" Vater zu erschaffen, ja zur Lieblingstochter aufzusteigen.

Die gewisse Vorliebe, die er für mich hatte, lag daran, daß ich ein so großer Aff' war. Ich habe alle Leute nachgemacht, und nichts hatte er lieber als Darbietungen; ich konnte nach Hause kommen mit welchen Noten auch immer, wenn ich die Lehrer nachgemacht habe und offenbar gut nachgemacht habe, war er vollkommen versöhnt und die Sache war erledigt.[13]

Der Hofnarr markiert aber nicht nur die Nähe, sondern auch die äußerste Distanz zum König: Der Narr, der die Welt auf den Kopf stellt, ist im christlich-hierarchischen Weltbild von Mittelalter und Renaissance eine Figur des Wahnsinns. Entsprechend ergeht an die *Gefall-Tochter,* die dem Amüsement des Vaters dient und seine Depressionen vertreibt, der Imperativ: „Sei nicht du selbst!" Wer sich zum „großen Affen" machen muß, um geliebt zu werden, geht sich selbst verloren. Und wer spendete dem kleinen Mädchen Trost, das durch die schlechten Noten doch sicher auch bekümmert war?

---

[11] Klaus Mann: Kind dieser Zeit, Reinbek bei Hamburg: Rowohlt Taschenbuch 1989 (= rororo, Bd. 22703), S. 15.

[12] Vgl. Hartmut Kasten: Geschwister. Vorbilder, Rivalen, Vertraute, 2., aktualisierte Aufl., München/Basel: Reinhardt 1998, S. 65, 80, 83.

[13] Erika Mann: Mein Vater, der Zauberer, hrsg. von Irmela von der Lühe und Uwe Naumann, Reinbek bei Hamburg: Rowohlt 1996, S. 18.

Daß „ich ein wenig sunshine spreade"[14] wird zu Erikas zweiter Natur, eine Dienstfertigkeit, die sie auch Bruno Walter angedeihen läßt und hinter der sie in einem Brief an den Vater ihre wahren Gefühle für diesen Vater-Geliebten versteckt. Die Kontamination der beiden sprachlichen Idiome wird hier, wie in so vielen anderen Briefen Erikas, selbst zu einer Quelle der Lustbarkeit: Ein Überspielen von Differenzen, welches die Aufmerksamkeit dissoziativ vom Inhalt auf das Medium des Gesagten lenkt, was bei der intimen Mitteilungsfunktion des Briefes nicht immer angemessen ist. So wirkt es geradezu unheimlich, daß auch Erikas letzter Brief an den Bruder vor dessen Selbstmord in diesem polyglotten, spielerischen Idiom verfaßt ist.[15]

Erikas Charme und ihr Hofnarrentum wird zur Form des *handelns* eines schwierigen Vaters, eine Strategie, mit der sie das Verdikt, ein Mädchen und damit „nichts Ernsthaftes" zu sein, sowohl bestätigt, wie außer Kraft setzt: Sie macht sich ihrem Vater unentbehrlich. Die Clownsfigur, mit der das Kind sein bedrohtes Selbstgefühl repariert, folgt der magischen Formel von der „Größe des Kleinen bzw. Unwerten" und ist eine Allmachtsphantasie. Man findet sie wieder in den Figuren der Zwerge, Alraunen, Däumelinchen, Talismanen aller Art und – in „rettenden kleinen Mädchen". Das hat Otto Fenichel gezeigt und von „Phallus-Mädchen" gesprochen; er verweist auf die Beispiele Mignons, der Ottogebe aus dem *Armen Heinrich* oder auf Cordelia, die jüngste Tochter König Lears. Die durch die Entdeckung, nicht der erwünschte Knabe zu sein, bedrohte infantile Allmacht des Mädchens werde durch die Identifizierung mit dem Penis selbst wiederhergestellt. Das „Phallus-Mädchen" ist aber auch – und vor allem – eine männliche Phantasie: In ihr verdichtet sich, laut Fenichel, der Penisstolz mit der Kastrationsangst. Indem sich Erika zum „Phallus-Mädchen" macht, materialisiert sie als Tochter die Selbst-Rettungsphantasien des Vaters, entmächtigt das Weibliche und bestätigt „die latente Homosexualität aller Männer".[16]

„Gefallen", „Trotz und Kampf", „Leistung und Erfolg", diese drei hat Julia Onken als Strategien vorgestellt, mit deren Hilfe die übersehenen patriarchatsgeschädigten Töchter ihre Väter zwingen wollen, sie wahrzunehmen, mit ihnen zu rechnen, ja stolz auf sie zu sein. Sie zeigt zugleich, daß das Übermaß an Strategiearbeit dazu führt, daß diese Töchter sich zunehmend von ihren eige-

---

14 Ebd., S. 200 (Brief Erikas an Thomas Mann vom 26.8.1948).

15 Erika Mann: Briefe und Antworten, hrsg. von Anna Zanco Prestel, Bd. 1: 1922–1950, Bd. 2: 1951–1969, München: edition spangenberg im Ellermann Verlag 1984, Bd. 1, S. 255 ff. (15.5.1949 an Klaus).

16 Vgl. Otto Fenichel: Die symbolische Gleichung: Mädchen = Phallus (1936), in: ders.: Aufsätze, hrsg. von Klaus Laermann, 2 Bde., Frankfurt am Main/Berlin/Wien: Ullstein 1985, Bd. 2, S. 9–25, 23.

nen Bedürfnissen, Wünschen, Zielen entfremden. Das hängt mit der unaufgelösten Abhängigkeitsbeziehung und der persistierenden (Selbst-)Entwertung
zusammen. Beides läßt sich auch bei Erikas großartigem Sieg 1936 über die politische Zurückhaltung des Vaters erkennen: Sie erreichte, daß er sich öffentlich
zu den Emigranten bekannte und als Gegner des Dritten Reiches *outete*. In der
Schwarzschild-Bermann Fischer-Affäre gelingt es Erika zwar, den Vater zur
Solidarität mit Bruder und Schwester zu bewegen, die Formulierungen ihres
Briefwechsels zeigen aber, daß die wiederhergestellte Harmonie zwischen Vater und Tochter der Restauration eines Abhängigkeitsverhältnisses gleichkommt. Nicht nur bricht es ihrem Widerstand die Spitze, daß sie ihre Briefe
des Dissenses und des angedrohten Bruches demonstrativ unterzeichnet mit
„Kind E." oder „Ich bin Dein Kind E.", oder „Ganz und gar: Kind E." Nicht
einmal „Deine Tochter" heißt es, sondern „Kind E."[17] – eine fortgesetzte Erge-
benheitsadresse an den großen Vater! Wohlgemerkt: Die Unterschriften der
Briefe an die Mutter weisen nicht diese Betonung des Kindschaftsverhältnisses
auf. Im Zusammenspiel mit dieser – wie immer auch inszenierten – Ergeben-
heit schafft der Vater sodann die konträre Auffassung der Tochter samt ihrem
Zorn aus der Welt, indem er sie zu einem Teil seiner selbst erklärt:

Du bist viel zu sehr mein Kind Eri, auch noch in Deinem Zorn auf mich, als daß sie sich
so recht erfüllen könnte [Deine Ankündigung, mit mir zu brechen]. Meine Ergriffenheit bei Deiner Pfeffermühlen-Produktion beruht immer zum guten Teil auf dem väterlichen Gefühl, daß das alles eine kindliche Verlängerung meines eigenen Wesens ist, –
ich bin es nicht gerade selbst, es ist nicht meine Sache, das zu machen, aber es kommt
von mir her. So kommt im Grunde auch Dein Zorn auf mich kindlich von mir her; er ist
sozusagen die Objektivierung meiner eigenen Skrupel und Zweifel.[18]

Hier wird nichts weniger als die gesamte Existenz der Tochter, ihre irreduzible
Andersheit, geleugnet: Was sie auch tut ist ein Teil des großen Thomas Mann.

Dieser usurpatorische Akt entspricht genau der patriarchalischen Ge-
schlechterkonzeption, in welcher die Frau als Projektionsschirm und Reprä-
sentation des Mannes fungiert. Die lebendige Frau wird getötet, um in ihr, als
schöner Leiche, die „Skrupel und Zweifel", Ängste und Wünsche des Mannes
zu *objektivieren*: ‚Konserve' und ‚Container' in einem.[19] In der Briefrede des
Vaters an die Tochter setzt sich also eine patriarchalische Entmächtigungsspra-
che durch. Die gelungene Zurichtung Erikas zur „töchterlichen Existenz" be-

---

[17] Erika Mann: Mein Vater, der Zauberer, S. 84, 93, 114. Die Vermeidung, Töchterliches auch
nur zu benennen, dient freilich auch der Strategie, Weiblichkeit zu verleugnen. Als Kind wie als
Pierrot stilisiert sich Erika zum *Alter-Ego* des Vaters.
[18] Ebd., S. 102 (Brief Thomas Manns vom 23.1.1936).
[19] Vgl. hierzu ergänzend Rohde-Dachser (zit. Anm. 3), S. 121.

stätigt ihr Antwortschreiben: „Du hast recht: dies alles tut meiner Zugehörigkeit zu Dir im Grunde keinen Abbruch [...]."[20]

Daß auch die vielfache *Leistungstochter* sich nicht aus der Abhängigkeit vom Vater lösen können wird, auch das hat Thomas Mann im eben zitierten Brief bereits festgehalten: „Darin bist Du auch mein Kind, daß Du Dich auf Erholung nicht sehr verstehst."[21] Der Leistungsethiker Thomas Mann sieht also die Tochter ganz auf seiner Linie. Und in der Tat kann man die Fülle der Tätigkeiten der Erika Mann nur bewundernd aufzählen: Schauspielerin, Rennfahrerin, Publizistin, Schriftstellerin, Kabarettistin und Theaterdirektorin, *lecturer*, Kriegsberichterstatterin, Rundfunkjournalistin, Editorin, Nachlaßverwalterin, Drehbuchschreiberin. Alles das wurde mit hohem persönlichem Einsatz, zum großen Teil unter Lebensgefahr, d. h. fast immer gegen widrige, feindliche Umstände durchgeführt: Von den Qualen und Torturen, der Riesenanstrengung, dem Schuften und Hetzen von Termin zu Termin, Bahnhof, Flugplatz, Schiff ist immer wieder die Rede. Spätestens seit den 30er Jahren ist Erika Mann die Getriebene. Während ihrer *lecturer*-Tätigkeit wird der „Pullman-Wagen" ihr Zuhause („My Fatherland, the Pullman").[22] Man hat ausgerechnet, daß sie zeitweilig während einer Woche 90 Stunden nur im Zug verbrachte.[23]

Es muß die herausragende, sensationelle, die grenzenüberschreitende Leistung sein. Dazu gehört auch die Grenze des Geschlechts. Joseph Roth, der in Amsterdam eine Aufführung der *Pfeffermühle* gesehen hatte, schreibt der „sehr verehrten gnädigen Frau", „ich danke Ihnen für den schönen Abend in Ihrem Theater. Ich habe die Empfindung, daß ich Ihnen sagen muß: Sie machen zehnmal mehr gegen die Barbarei, als wir alle Schriftsteller zusammen."[24] 1945 verfolgte Erika als Journalistin die Nürnberger Kriegsverbrecherprozesse. Zuvor hatte sie sich sogar – was noch keiner Frau gelungen war – Zutritt zu den „52 Großen des 3. Reiches" („the Big 52") verschafft, die im luxemburgischen Mondorf-les-Bains in einem zum Gefängnis umfunktionierten Hotel streng bewacht und abgeschirmt einsaßen. Dieses gespenstische Abenteuer muß zu den höchsten Befriedigungserlebnissen der Erika Mann gehört haben: „ich (die erste und einzige Frau, die je den Ort betreten hat) [...]. Ich kabelte all

---

20 Erika Mann: Mein Vater, der Zauberer, S. 107 (Brief Erikas vom 26.1.1936).

21 Ebd., S. 104 (Brief Thomas Manns vom 23.1.1936).

22 Erika Mann: Blitze überm Ozean. Aufsätze, Reden, Reportagen, hrsg. von Irmela von der Lühe und Uwe Naumann, Reinbek bei Hamburg: Rowohlt Taschenbuch 2000 (= rororo, Bd. 23107), *Mein Vaterland, der Pullman-Wagen*, S. 261–265.

23 Vgl. hierzu Irmela von der Lühe: Erika Mann. Eine Biographie, von der Autorin überarbeitete Ausg., 5. Aufl., Frankfurt/Main: Fischer Taschenbuch 2001 (= Fischer Taschenbuch, Bd. 12598), S. 211 f.

24 Erika Mann: Briefe, Bd. 1, S. 66 (Brief Joseph Roths, Frühjahr 1935).

dies und vieles mehr an den *London Evening Standard,* der es auf der Titelseite groß herausbrachte."[25] In ihrem üblichen männlichen, militärischen Aufzug mit Hemd, Krawatte und Zigarette stellte sie eine Provokation der männlichen Geschlechterordnung dar, was Streicher, der sie als einziger erkannte, damit beantwortete, daß er vor ihr exhibierte.

Trotz ihrer so um Aufklärung und Kampf gegen das Unrecht bemühten politischen Vorträge und journalistischen Berichte hat man gelegentlich den Eindruck, daß es Erika nicht so sehr um die Sache geht, sondern um die exzeptionelle Situation, in der sie *sichtbar* wird, um die auch physisch anstrengende Tätigkeit, in der sie sich als Körper *fühlbar* wird, um die ausgefüllte Zeit, in der sie gehetzt, attackiert zwar, aber auch *lebendig* gehalten wird. Das Wofür und Wozu der Qualen, Torturen, Anstrengungen scheint austauschbar – es ist der narzißtische Gewinn, d. h. das Gefühl, sich ganz und groß und gebraucht empfinden zu können, was zählt. So verwundert es nicht, daß ihre Aktivitäten oft über das Ziel hinausschießen – ihre Berichte für die Zeitungen werden z.T. nicht oder nur mit großen Kürzungen gedruckt – und vor allem, wie im Falle Mondorf, nach politischen Gesichtspunkten entschärft. Vermutlich dienen auch die zahlreichen juristischen Fehden, in die sich Erika vor allem als Nachlaßverwalterin begibt, zu einem großen Teil der Reparation eines Mangels in der psychischen Struktur: Die Selbstpsychologie spricht hier von ‚Plomben‘,[26] die Lücken ausfüllen, welche eine gestörte psychische Entwicklung hinterließ. Die Streit*sucht* der Erika Mann vertreibt das quälende Gefühl der Leere, vermittelt die Erfahrung, lebendig zu sein, kurz, sie stärkt die Erfahrung des eigenen Selbst. Es ist erschreckend zu sehen, wie das narzißtische Streben, bewundernswert und mächtig zu sein, auch vor der Lüge nicht Halt macht: Die Aufklärerin und große Verfechterin der Wahrheit zensiert die Briefe und manipuliert die Schriften ihres Vaters, um das Bild des „originell[en]“ Autors und des „inhaltlich und stilistisch Gerundeten“[27] von Mensch und Werk für alle Zeiten zu etablieren. Ist in diesem Tun der Wunsch wirksam, an der Größe des Vaters zu partizipieren, ja, vielleicht sogar die Kinderwut, die, erfahrene Entmächtigung rächend, nun den Vater der eigenen Kontrolle zu unterstellen? Zumindest ist ihr nicht möglich, den anderen als anderen stehen zu lassen. Das Manipulatorische zeigt das Abhängigkeitsverhältnis an, den Zwang, alte Rech-

---

25 Zitiert nach von der Lühe: Erika Mann, S. 279.
26 Zur Verwendung dieses von Fritz Morgenthaler eingeführten Bildes im Rahmen des Selbstsystems vgl. Stavros Mentzos: Neurotische Konfliktverarbeitung. Einführung in die psychoanalytische Neurosenlehre unter Berücksichtigung neuer Perspektiven, Frankfurt/Main: Fischer Taschenbuch 1984 (= Fischer Taschenbuch, Bd. 42239), S. 207.
27 Siehe Nachwort der Herausgeberin: Erika Mann: Mein Vater, der Zauberer (zit. Anm. 13), S. 478 f.

nungen zu begleichen, eben die narzißtische Wunde. Unter dieser Voraussetzung konnten auch die Einzelbestätigungen ihrer Leistung, die Erika in weit größerer Zahl von ihrem Vater erhielt als etwa Klaus, nicht den Hunger nach Anerkennung stillen. Es ist sicher bedeutsam, daß in Klaus Manns *Kindernovelle* die Figur der Renate (sie entspricht Erika) das Gesicht des Vaters „über die Maßen" liebt, daß dieses Gesicht aber, wie gütig auch immer, eine Totenmaske ist.[28]

Kann es als Erfolg der Leistungs-, Trotz- und Gefall-Tochter gewertet werden, daß der Vater dem „kühnen, herrlichen Kind"[29] 1948 das Amt eines „weiblichen Eckermann" anträgt? „Sekretärin, Biographin, Nachlaßhüterin, Tochter-Adjutantin" soll sie werden (Tb, 1.2.1948), welcher Reihung von Funktionen Golo sarkastisch die „Unterhalterin und Hofnärrin" hinzufügte.[30] Einen männlichen Bewerber für dieses Amt, den Literaturwissenschaftler Joachim Maaß, hatte Erika somit ausgestochen. Was aber sagte die Mutter dazu? „Mit K. über das gestrige Gespräch mit Erika", vermerkt das Tagebuch kurz. (Tb, 2.2.1948) Wurde ihr nur das *Ergebnis* der „bewegenden Unterredung" mit Erika mitgeteilt? Das Tagebuch setzt lakonisch fort: „[Brief] an J. Maaß. Bei diesem abgewiegelt wegen [...] des Eckermann-Planes." Hätte die Mutter zu diesem Plan nicht energisch Stellung beziehen müssen? Sie, der die „maßlose, zerstörerische Bitterkeit" Erikas in den Nachkriegsjahren nicht verborgen blieb und die der Tochter „eine wirklich befriedigende, ihren Gaben entsprechende Tätigkeit" so dringend wünschte,[31] hätte sie nicht wenigstens eine Auseinandersetzung über die Richtigkeit dieses Planes initiieren müssen? Schließlich war sie selbst betroffen, ging es doch um nichts anderes als ihre allmähliche Verdrängung durch die Tochter.[32] Erika war damals 42 Jahre alt, und eine auf das Tochterwohl ausgerichtete Mutter hätte das Kind, auch zu ei-

---

[28] Klaus Mann: Kindernovelle, München: Nymphenburger 1964, S. 106.

[29] Vgl. zu dieser Titulierung Erikas in Analogie zur Bezeichnung Brünhildes durch Wotan: Erika Mann: Mein Vater, der Zauberer (zit. Anm. 13), S. 196, 530.

[30] Golo Mann: Erinnerungen an meinen Bruder Klaus, in: Klaus Mann: Briefe und Antworten 1922–1949, hrsg. und mit einem Vorwort von Martin Gregor-Dellin, München: edition spangenberg im Ellermann Verlag 1987, S. 629–661, 656.

[31] So Katia in einem Brief an Martin Gumpert vom 8.7.1949, bisher unpubliziert, zitiert nach von der Lühe, Erika Mann, S. 309, 411.

[32] Jüngling und Roßbeck (zit. Anm. 2) weisen auf einen bisher unpublizierten Brief Erikas an Katia hin, in dem sie sich bereits 1940 als potentielle Frau Thomas Manns imaginiert: Als Katia „Erika von ihrer Überlegung erzählt hatte, ungeachtet der Kriegsgefahren in die Schweiz zu fliegen, um dort ihre Eltern zu treffen – [sei die Tochter] mit dem Vorschlag gemeinsamen Reisens gekommen [...], verbunden mit der Einschränkung allerdings, dass es für Thomas Mann zu ärgerlich wäre, sie beide gleichzeitig einzubüßen, könnte er doch sie, die Tochter, leicht als, wortwörtlich, Frau benutzen nach der eigentlichen Gattin Hingang" (S. 309, gemäss Brief an Katia vom 10.3.1940).

nem so späten Zeitpunkt noch, aus dem Nest geworfen. Stattdessen machte sie das Domizil Thomas Manns weiterhin, und in Kilchberg erneut, zum vielzimmrigen „Kinderhaus", ließ zu, daß Erika in die Familie, aus der sie sich auch mit noch soviel Reisen nicht gelöst hatte, sichtbar unwiderruflich zurückkehrte. Was wäre gewesen, wenn Katia Widerstand geleistet hätte? Hätte Klaus' Weg eine andere Wendung nehmen können, wenn wenigstens eine der beiden Frauen, die ihm am meisten bedeuteten, sich dem Vaterplan widersetzt hätte? Ich denke, Katia hätte gegenüber dem Ehemann und den anderen Kindern eine erkennbar eigene Position vertreten müssen, im Sinne der Triangulierung und Respektierung der Generationengrenze. Stattdessen lebte sie mit dem Ehemann, was Paartherapeuten eine „narzißtische" bzw. eine „orale Kollusion" nennen würden. Die Motti dieses Ehearrangements heißen „Liebe als Einssein" und „Liebe als Einander-Umsorgen."[33] In dieser dyadischen Beziehung, die selber nach dem Mutter-Kind-Modell strukturiert ist, haben Dritte, wie die Kinder, keinen Platz, es sei denn, sie übernehmen selbst Aufgaben des Bewunderns und Umsorgens. So erwuchs dem „Narzißten" und „Pflegling" Thomas Mann in Erika, die sich in der *amazing family* bereits vielfach – besonders aber im Häuserbeschaffen und Umzugbewältigen – organisatorisch bewährt hatte, eine zweite Pflegerin, die mehr und mehr von dem übernahm, was Katia zuvor erledigt hatte.

II.

Für diese Aufgabe war Erika – und das hat beste patriarchalische Familientradition – frühzeitig konditioniert worden. Fällt die Mutter durch Tod oder Krankheit aus, hat die älteste Tochter die Haushaltspflichten zu übernehmen, den jüngeren Kindern Mutter, dem Vater Beistand zu sein: Dafür gibt es literarische und biographische Zeugnisse zu Hauf. Das Autorenpaar Jens hat ausgerechnet, daß Katia in der Zeit, als die vier erstgeborenen Kinder klein waren (1912–1914), mehr als ein Jahr lang abwesend war, weil sie sich wegen Erschöpfung und Tbc-Gefährdung in Sanatorien aufhielt, in Ebenhausen bei München, Davos, Meran, Arosa, die Reihe ist lang; dazu kamen zwischen 1920 und 1926 noch einmal 6 ½ Monate Kuraufenthalte.[34] Da hatte Erika einzuspringen und wurde zu diesem Zweck sogar zeitweilig aus der Schule genom-

---

[33] Vgl. Jürg Willi: Die Zweierbeziehung. Spannungsursachen, Störungsmuster, Klärungsprozesse, Lösungsmodelle, Reinbek bei Hamburg: Rowohlt 1994, S. 61 ff.
[34] Jens und Jens (zit. Anm. 2), S. 89 und 131.

men. Von der Mutter erhielt sie brieflich detaillierte Anweisungen für die Organisation des Haushalts, die Beaufsichtigung der Dienstboten usw., wie aus dem jetzt von Jens publizierten Briefmaterial hervorgeht.[35]
Ich halte dies für eine unzulässige Instrumentalisierung der damals 15jährigen, denn einerseits wird die Tochter vorzeitig in die Mutter- und Hausherrin-Position katapultiert: Ein enormer Zuwachs an Macht und Ansehen (Erikas Arroganz und Herrschsucht mögen hier eine Wurzel haben). Andererseits wird sie den Geschwistern entfremdet (später werden sie sie *unisono* hassen),[36] so daß die älteste Tochter zwar zur Ausgezeichneten, aber auch zur Stigmatisierten wird. Man ist eifersüchtig, beutet sie aber auch aus. Ihr soziales Engagement wird von allen gepriesen. Vor allem Elisabeth rühmt die Qualitäten der wunderbaren älteren Schwester, ideale Kinderfrau und Geschichtenerzählerin in einem.[37] Auf das „Haustochterwesen" Erikas hat der Vater schon früh ein Auge geworfen: „Buk uns heute Eierkuchen zum Abendessen. Sympathisch in ihrer Wirtschaftsschürze und oft von aparter Schönheit." (Tb, 29.9.1918) – „Erika als stellvertr. Hausfrau, brav." (Tb, 21.4.1919) Hinzu kommen im Tagebuch aber auch befremdliche Sätze wie: „Verliebt in Erika, die mich offenbar liebt und sich meiner Zärtlichkeit freut." (Tb, 9.6.1920) Deutet sich hier eine Verwechslung von Leidenschaft und Zärtlichkeit an?[38]
Wie sehr die Mutter-Entbehrung und die Stellvertreterfunktion der Tochter die Entwicklung der Kinder gefährden kann, zeigt ein Blick auf Thomas Manns Erzählung *Unordnung und frühes Leid* sowie auf Klaus Manns *Kindernovelle*. Zwischen dem Geschichtsprofessor-Vater Cornelius und der Ältesten, der 17jährigen Ingrid, gibt es eine intime Kommunikation: „[Ingrid] nickt und lächelt mit ihren schönen Zähnen zu ihm herauf. ‚Ausgeruht?' fragt sie leise, unter vier Augen" (VIII, 635). Die Mutter hingegen erhält in dieser Erzählung kein einziges Mal die direkte Rede zugeteilt; sie steht wortlos am Rande, während die Tochter Ingrid die Organisation des Festes im Griff hat. Die scherzhafte Anrede durch einen Freund mit „Cornelia" (VIII, 636) erhebt sie deutlich zur Partnerin des Vaters, des Professors Cornelius. Durch diverse literarische Techniken rückt dieser schließlich in die Reihe der Kinder- und Bruderschar ein – fällt damit aber in seiner Vaterfunktion aus, ebenso wie die „mürbe und matte" Hausfrau in ihrer Mutterfunktion (VIII, 622). Die prakti-

---

[35] Ebd., S. 114 ff.
[36] Ebd., S. 283.
[37] Holzer (zit. Anm. 8), S. 45.
[38] Vgl. Sandor Ferenczi: Sprachverwirrung zwischen den Erwachsenen und dem Kind. Die Sprache der Zärtlichkeit und der Leidenschaft (1932), in: ders.: Schriften zur Psychoanalyse. Auswahl in zwei Bänden, hrsg. von Michael Balint, Frankfurt/M.: S. Fischer 1972, Bd. 2, S. 303–313.

sche Ingrid/Cornelia dagegen scheint die doppelte Elternrolle auszufüllen. Damit aber besteht das „frühe Leid" der Kinder darin, daß sie kompetente Eltern entbehren müssen. Solcher Elternverlust ist eine traumatische Erfahrung und mit ‚Frühreife' nur unzulänglich metaphorisiert.[39] Die Psychologie spricht von Orphanisierung und Parentifizierung. Diese Prozesse sehe ich bei der ältesten Tochter, Ingrid, angedeutet. Das Traumatische besteht darin, daß sie um ihre Jugend gebracht wird: Diese Beraubung zeigt die Erzählung mit dem „Bettlerlied" an.[40] Der Verlusterfahrung – „Tröste dich, mein schönes Kind" erhält leitmotivische Qualität (VIII, 647) – korrespondiert die melancholische Gestimmtheit und die unterdrückte Aggression. „Fürsorgliche Geschwister sind unbewußt immer wütend, fühlen sich vernachlässigt und bitter, weil niemand für sie gesorgt hat."[41] In diesen Kontext gehören – biographisch – auch die Streiche der Herzogparkbande. In diesen Formen von Verwahrlosung und Delinquenz kann man mit dem Kinderanalytiker Winnicott den Hilferuf der Heranwachsenden nach Zuwendung, Schutz und Grenzziehung vernehmen.[42] Erika selbst hat übrigens, stellvertretend für die beiden Großen, den Parentifizierungsvorgang so treffend wie frech ausgesprochen: „Uns ist bei unserer Jugend eine große Verantwortung aufgeladen in Gestalt unseres unmündigen Vaters."[43]

Den Aspekt der Orphanisierung ergänzt die *Kindernovelle*. Auch hier ist die Mutter „müde" und „betrübt", sogar „stumpf", ihre Augen, ihre Stimme sind leer, ihr Lächeln sonderbar tot.[44] Immer wieder wird an dieser Mutter die Depressivität akzentuiert, welche die Fremdheit gegenüber den Kindern konstituiert. Die Schar der Kinder schließt sich zusammen und schließt sich ab, nach außen gegenüber den anderen Kindern, den Gassenjungen, und nach innen gegenüber der Mutter, die vor den Kindern mit ihren sonderbaren Spielen erschrickt. Sie errichten kraft ihrer Phantasie einen eigenen Kosmos, den sie vor jeder Bedrohung schützen. Es stellt sich daher die Frage, ob diese Phantasiewelten vielleicht auch Folge von Mangelerfahrungen sein könnten, Folge

[39] So Jens und Jens, S. 111.

[40] „Bettelweibel" und „Bettelmandl" (VIII, 642) lassen sich als Metaphern für Erika und Klaus lesen. Als „Betteljunge" sieht auch Klaus die Schwester in seiner *Kindernovelle*, siehe unten Anm. 59.

[41] Vgl. die sehr erhellenden Ausführungen über das Leid der ‚versorgenden', aber auch der ‚versorgten Geschwister' bei Stephen P. Bank/Michael D. Kahn: Geschwister-Bindung, aus dem Amerikanischen von Irmgard Hölscher, Paderborn: Jungfermann 1990, S. 128–134, 131. Hierzu ergänzend die Beschreibung Erikas als Renate in der *Kindernovelle*, siehe Anm. 61.

[42] Donald W. Winnicott: Die antisoziale Tendenz, in: ders.: Von der Kinderheilkunde zur Psychoanalyse, München: Kindler 1976, S. 224–237.

[43] Brief Erikas an Klaus vom 10./11.8.1933, bisher unpubliziert, zitiert nach von der Lühe: Erika Mann (zit. Anm. 23), S. 149 und 390.

[44] Klaus Mann: Kindernovelle, S. 9, 13–16, 18.

von Vaterentbehrung und Mutterfremdheit. Aus der Beobachtung von Ge-
schwistergruppen ist bekannt, daß der enge Zusammenschluß bis hin zur Entwicklung von Geheimsprachen in der Gruppe bei Elternverlust auftritt bzw.
der Kompensation des Mangels an adäquater Bemutterung und Bevaterung
dient.[45] Je enger die Geschwisterbindung, desto stärker scheint ihre Abwehr-
und Schutzfunktion zu sein. In der Erzählung ist das sogar ausformuliert, da
die Kindergruppe an der Beziehung der Mutter zu ihrem Bruder gespiegelt
wird: „Zwischen ihnen war die stille und geheimnisvolle Verbundenheit, die es
allein zwischen Geschwistern gibt. Einer verstand und wußte, was der andere
gelitten hatte."[46] Es geht ausdrücklich um das, was erlitten wurde. Zum Schluß
spielen die Kinder Hochzeit, wobei als Aufgipfelung der Gemeinsamkeit die
beiden Ältesten, alias Erika und Klaus, sich einander auf unendliche Dauer
verbinden: „das Brautpaar blieb innig umschlungen".[47] Dieses Verhalten
weicht also von der Regel ab, daß Geschwister, besonders wenn sie einen geringen Altersabstand aufweisen, dazu neigen, sich vom andern deutlich abzu-
grenzen und eigene Wege zu gehen.[48]

Die enge Bruder-Schwesterbeziehung, von der Klaus allerdings stärker abhängig war als Erika, werte ich als Indiz einer frühen Mangelerfahrung. Im
Umgang mit den ersten Bezugspersonen konnten möglicherweise nicht genügend gute Erfahrungen gemacht werden, die zur Verinnerlichung eines guten
Objekts hätten führen können.[49] Deshalb bleibt das Selbst – und das muß man
wohl bei Klaus und Erika annehmen – auf die Stützung von außen angewiesen.
Das, was die psychoanalytisch orientierte Säuglingsforschung am frühen Dialog zwischen Mutter und Kind beobachtet hat, nämlich Reziprozität, Mutua-
lität, Responsivität[50] – das versuchten Erika und Klaus offenbar aneinander als
Geschwisterpaar zu finden. Mit dieser Eltern-Ersatz-Versorgung ist zugleich
die Tragik der Geschwisterbeziehung benannt. Da beide Partner in hohem
Maße bedürftig sind, Kindstruktur haben, ist die Entwicklung hin zu einer
Trennung des Paares auf dem Wege optimaler Frustration nicht möglich. In
der Mutter-Kind-Dyade dagegen ist die Trennung von Anfang an gegeben und

---

[45] Vgl. Bank/Kahn (zit. Anm. 41), S. 34, 36, 47 f.

[46] Klaus Mann, Kindernovelle, S. 83.

[47] Ebd., S. 100.

[48] Kasten (zit. Anm. 12), S. 35.

[49] Hier gewinnt Golos Urteil über die Mutter besondere Bedeutung: „Sie war gescheit, aber
überaus – ich wiederhole: überaus – naiv und völlig unfähig, sich in Andere zu versetzen. Auf diese
Weise ist sie auch mir oft tief lästig gefallen." Ich neige dazu, diese Äußerung als Zeugnis für einen
Empathiemangel auf Seiten Katias zu werten. – Golo Mann/Marcel Reich-Ranicki: Enthusiasten
der Literatur. Ein Briefwechsel, Aufsätze und Portraits, hrsg. von Volker Hage, Frankfurt/Main: S.
Fischer 2000, S. 112 (1.2.1988 an Marcel Reich-Ranicki).

[50] Vgl. Dornes (zit. Anm. 10), S. 66.

durch die Generationendifferenz installiert. Die Erfahrung des Zueinanderpassens – das „fitting together"[51] – entsteht durch die Empathie, die Einstellung des in seinen Ich-Strukturen konsolidierten, nicht-abhängigen erwachsenen Partners. Da aber in der Geschwister- als Eltern-Ersatz-Beziehung der andere vor allem stützende Funktion hat, ist die Relation ambivalent und störbar, denn das Anders-Sein des anderen findet keine Bestätigung: Der andere ist zum Hilfs-, d. h. zum Selbst-Objekt reduziert.[52] In dieser Selbst-Objektfunktion wiederum ist er ersetzbar, z. B. durch die Droge. Zwar haben die Geschwister gemeinsam Drogen genommen, in Klaus Manns Tagebuch steht aber E sowohl für die Schwester wie für das Morphium-Derivat Eukodal.[53] Die Geschwisterbindung ist also durch ihre Abhängigkeitsstruktur bestimmt, aus der sich weder sie noch er ohne Schaden für sich selbst und den anderen herausentwickeln konnte. Klaus stirbt 42jährig ebenso an der Droge wie an dem Verlust von Erika, die immer mehr eigene Wege geht und – besonders kränkend – sich dem Vater zugewendet hat. Erika stirbt mit einer Fristverlängerung von zwanzig Jahren, ebenfalls begleitet von der Droge und vielen drogeninduzierten Krankheitserscheinungen[54] sowie geschwächt durch den Selbstmord des Bruders, mit dem die Hälfte ihres Lebens dahingegangen war: „[Ich] bin doch gar nicht zu denken, ohne ihn."[55]

Ich vermute, das Bild von Erika als starker Persönlichkeit, die auch ihren Drogenkonsum im Griff hat, ist unrichtig. In interpersonaler Perspektive wird Erikas Abhängigkeit sogar zu einer Gefahr für die anderen. Wenn sie den Bruder ermahnt, von dem Laster zu lassen, erteilt sie eine *double-bind*-Botschaft, da sie selber nicht entschieden abstinent ist und durch den gouvernantenhaften Ton[56] – hier zeigt sich die Hypothek der Lehrerinnenrolle der Erstgeborenen – das

---

[51] Ebd., S. 104.

[52] Mit den Begriffen Selbst-Objekt, Empathie, optimale Frustration, Spiegelung, Verinnerlichung folge ich hier dem narzißmustheoretischen Ansatz von Heinz Kohut; vgl. dazu jetzt die umfassende Darstellung durch Wolfgang Milch: Lehrbuch der Selbstpsychologie, unter Mitarbeit von Hans-Peter Hartmann, Siegbert Kratzsch und Klaus Seiler, Stuttgart/Berlin/Köln: Kohlhammer 2001.

[53] So Armin Strohmeyr: Traum und Trauma. Der androgyne Geschwisterkomplex im Werk Klaus Manns, Augsburg: Roter Milan 1997, S. 81 und 83, sowie ders.: Klaus und Erika Mann. Les enfants terribles, Berlin: Rowohlt 2000, S. 99: „Schwesterchen Euka" (leider ohne genaue Quellenangabe).

[54] Die Gespräche Breloers mit Hilde Kahn liefern jetzt die Information, daß z. B. die orthopädischen Probleme Erikas (mehrere Unfälle und Operationen) mit dem Abusus der Schlafdroge Paraldehyd ursächlich zusammenhängen, zu deren Nebenwirkungen Knochenerweichung gehört. Heinrich Breloer: Unterwegs zur Familie Mann. Begegnungen, Gespräche, Interviews, Frankfurt/Main: S. Fischer 2001, S. 400.

[55] Erika Mann: Briefe, Bd. 1, S. 260 (16.6.1949 an Pamela Wedekind). Dem entspricht die früh geäußerte Überzeugung von Klaus, daß Erikas „Tod sofort meinen nach sich zöge", zitiert bei Strohmeyr: Klaus und Erika Mann, S. 98.

[56] Belege für peinlich-bevormundende Äußerungen Erikas und Klaus' Kränkungsreaktionen bei Strohmeyr, ebd., S. 86, 97, 100, 104 f., 109, 129 f.

Machtgefälle zwischen sich und dem Bruder verstärkt, also eine Beschämungssituation herstellt, die, so kann man folgern, erneut durch Drogen kompensiert werden muß. Ein „direkter Zusammenhang zwischen dem Konsumverhalten des älteren Geschwisters und der Verwendungshäufigkeit von Drogen beim jüngeren Geschwister [ist] nachgewiesen".[57] Von hier aus fällt auch ein kritischer Blick auf Erikas so imponierendes soziales Engagement. Bekannt ist ihr hoher Einsatz für Friedrich Landshoff, den sie von der Gefährdung durch die Droge und den Selbstmord befreien möchte. Als dies gelungen war, soll sie aber, so berichtet Elisabeth Mann, versucht haben, Landshoff wieder zum Drogenkonsum zu verleiten.[58]

Aus den Verstrickungen der Abhängigkeit hätte sich Erika vermutlich nur mit professioneller Hilfe herausarbeiten können. Dazu hätte sie diese aber erst einmal zugeben müssen. Die Männerphantasien von Bruder und Vater zeichnen sie aber konstant als die Starke und Trotzige, als energisch auf sich gestellt, tüchtig und brauchbar, als tapfer, kampfeslustig und unerbittlich, ganz Anspannung, ganz Wille zur Tat:

... Renate [war] vor allen anderen tüchtig und brauchbar. Mit ganz zerkratzten Beinen stieg sie rüstig umher und ließ sich kein Bücken gereuen. Um ihr finsteres Knabengesicht hing verwildert das dunkle Haar, sie sah wie ein entschlossener, strenger Betteljunge [!] aus, wie sie so schmal und wortkarg ihre Arbeit tat.[59]

Sie wird – mit zischender Gerte und amazonenhafter Grausamkeit – in die männliche Position gerückt, damit der Bruder ihr gegenüber die passive, weiche, weibliche einnehmen kann: Heiner/Klaus spielt mit Grashalmen, also Poesie.[60] Weder der Bruder noch der Vater können eine glückliche, gar mit Mann und Kind ausgestattete Tochter/Schwester imaginieren, d. h. die Rolle der tatkräftigen, trotzig-aggressiven – dabei aber melancholischen – Erika, „selbständig [und] allein",[61] geht nicht nur in Rollenumkehr aus ihren eigenen frühen Verletzungen hervor, sondern wird durch die literarischen Zurichtungen und die familiäre Instrumentalisierung – die tüchtige Erika, „das Salz in der Suppe"[62] – immer wieder festgeschrieben.

Auch mit Hilfe der psychosomatisch bedingten Krankheit als Lehrmeisterin

---

[57] Siehe Kasten (zit. Anm. 12), S. 116.
[58] Breloer (zit. Anm. 54), S. 170.
[59] Klaus Mann: Kindernovelle, S. 16 f.
[60] Ebd., S. 17. Ich sehe hier eine Anspielung auf Walt Whitmans Gedichtsammlung *Leaves of Grass* (1855). Der bei den Kindern besonders beliebte Freund der Familie Mann, Hans Reisiger, übersetzte Whitman und verfaßte eine Biographie über ihn.
[61] So die Charakterisierung der Renate-Figur in der *Kindernovelle*, S. 96; vgl. zu ihrer Melancholie: S. 17.
[62] Siehe von der Lühe, Erika Mann, S. 240 ff.

lernte sie das Schwachsein kaum. An einer Stelle des Briefwechsels jedoch kommt „die arme kleine E.-Maus" zum Vorschein.[63] 1945 führen sie die schwierigen Korrespondenz- und die belastenden Arbeitsbedingungen auf einen emotionalen Tiefpunkt, auf dem sie sich sehr nahe kommt. „Mich *quält* der Gedanke, ich könnte von meinen Liebsten fallengelassen, verbannt und VERGESSEN worden sein", schreibt sie an die Mutter, als die Nabelschnur der hin und her eilenden Briefe länger als üblich unterbrochen ist, und erwägt sogar, therapeutische Hilfe in Anspruch zu nehmen: „vielleicht sollte ich mein Psycherl mal psychoanalysieren lassen oder so."[64] Als schließlich der ersehnte Brief ankommt, muß sie sich von der Mutter zu Unrecht beschuldigt sehen, sich nicht um Golo gekümmert zu haben. Sie kann sich verteidigen, es ist aber erschreckend zu erkennen, wie die Verurteilung und Abwertung durch die anderen längst zum Selbstbild geworden sind, auch wenn sie sprachspielerisch heruntergespielt werden. „Lebt wohl, meine sehr Lieben", schließt sie ihren Verteidigungsbrief, „und seid – darum bitte ich Euch – NICHT so brutal zum armen kleinen Aschenputtl. Mag ihr Bestes auch schlecht sein, so tut sie es doch tapfer."[65] „Mag ihr Bestes auch schlecht sein, so tut sie es doch tapfer" – das, denke ich, könnte als tragisches Motto über Erikas Leben stehen.

Was ihre Liebesbeziehungen betrifft,[66] so scheint Erika durch die Pierrot-Rolle gegenüber dem Vater und die narzißtische *Alter-Ego*-Beziehung zum Bruder auf die nicht-weibliche Position festgelegt. Eine Fotographie Erikas im Pierrot-Kostüm zierte das Bücherregal Thomas Manns in Pacific Palisades.[67] Es steht deutlich in Korrespondenz zum Bild Katias als Pierrette auf dem Gemälde der Pringsheim-Kinder von Friedrich Kaulbach – „Kinderkarneval" (1892)[68] –, welches bekanntlich Thomas Mann schon als Schuljunge faszinierte. Im Selbstbild Erikas als Pierrot findet also gleichsam eine Identifikation sowohl mit dem Vater wie mit (dem Wunschbild des Vaters von) der Mutter statt, wodurch sich erklären mag, daß die heterosexuelle Verkehrsordnung für sie kein Hindernis bei der Wahl ihrer Liebesobjekte darstellte. Wie wir den weni-

[63] Erika Mann: Briefe, Bd. 1, S. 209 (20.9.1945 an Katia Mann).

[64] Ebd., S. 206 (22.8.1945 an Katia Mann).

[65] Ebd., S. 211 (20.9.1945 an Katia Mann).

[66] Von diesen kann hier nur im eingeschränktesten Sinne gehandelt werden, da das entsprechende autobiographische Material in Archiven ruht (u.a. Nachlaß Martin Gumpert) bzw. noch nicht publiziert ist, wie z.B. der Briefwechsel mit Pamela Wedekind (vgl. die Übersicht zu den Archiven in von der Lühe, Erika Mann, S. 420). Einige Briefe Erikas an Pamela sind jetzt auszugsweise veröffentlicht in Anatol Regnier: Du auf deinem höchsten Dach. Tilly Wedekind und ihre Töchter. Eine Familienbiographie, München: Knaus 2003, vgl. S. 179–208.

[67] Thomas Mann. Ein Leben in Bildern, hrsg. von Hans Wysling und Yvonne Schmidlin, Frankfurt/Main: Fischer Taschenbuch 1997 (= Fischer Taschenbuch, Bd. 13885), S. 326, 382.

[68] Ebd., S. 161.

gen neu zugänglich gemachten Briefen Erikas entnehmen können, umwarb sie
leidenschaftlich Pamela Wedekind.[69] Und während der Arbeit mit der *Pfeffermühle* wurde Erika eifersüchtig von Therese Giehse begehrt. In der Emigration
wiederum, während ihrer sehr erfolgreichen Tätigkeit als *lecturer*, ist Erika von
männlichen Bewerbern umschwärmt. Wenn man ihre Geschlechtspartnerorien-
tierung nicht kurz und bündig, wie das Elisabeth getan hat, mit „bisexuell" bezeichnen will,[70] gewinnt man eher den Eindruck, daß Erika in den Beziehungen
zu den Frauen etwas an Nähe, Weiblichkeit, Mütterlichkeit nachzuerfahren und
sich anzueignen versucht, was sie zuvor in der Beziehung zur Mutter entbehren
mußte. Ob schließlich ihre Weigerung, eine heterosexuelle Dauerbeziehung, etwa mit Martin Gumpert, einzugehen, auf ein ausgeprägtes Autonomiestreben,
auf die unbewußte Loyalität gegenüber dem Vater, auf die Ablehnung der weiblichen Rolle oder auf eine Unsicherheit hinsichtlich ihrer sexuellen Wünsche
zurückzuführen ist, bleibt zu entscheiden. Ihre späte leidenschaftliche, aber unglückliche Liebe zu dem vaterähnlichen Bruno Walter läßt vermuten, daß Erika
durch ihre frühe Instrumentalisierung als Selbst-Objekt sowohl für den Vater
(„Hofnärrin") wie für die Mutter („Dienst an der Familie") unfähig gemacht
worden ist, *eigenes* Liebesglück zu suchen und zu *finden*. Bei Bruno Walter wird
– in sexualisierter Form – wahrscheinlich die entbehrte väterliche Nähe gesucht
(und bezeichnenderweise vor dem eigenen Vater verheimlicht). Das Unsicher-
heitsmoment gibt sich daran zu erkennen, daß Erika, die große Schwester, quasi
nachmacht, was die kleine Schwester, nämlich Elisabeth, ihr vorgemacht hat: die
Liebe zu einem Mann im Alter des eigenen Vaters.[71] Mit Bruno Walter wiederholt Erika wohl ihr Kindheitstrauma: Sie bekommt von ihm, was sie sich er-
sehnt, so wenig wie vom eigenen Vater. Bruno Walter gebraucht sie eine Weile,
um dann nach einigen Jahren das Verhältnis wieder auf eine „natürliche, d. h. väterliche Basis"[72] zu stellen. Der Zynismus dieser Formulierung ist kaum zu
überbieten. Das Maß an Ambivalenz, das hier freilich auch von Seiten Erikas im
Spiel gewesen sein mag, läßt sich nicht nur an der Wahl des ehelich gebundenen
Geliebten, sondern auch an der Inszenierung ablesen, mit der sie die Liebesaffä-
re begleitet. Im Gegensatz zum – nur scheinbar? – ahnungslosen Vater[73] wissen

---

[69] Die Nachricht von ihrer Eheschließung mit Gustaf Gründgens – wohl ein karrierebezogenes
Zweckbündnis auf beiden Seiten – verbindet Erika mit dem intensiven Bekenntnis ihrer Liebe zu
Pamela, vgl. Erika Mann: Briefe, Bd. 1, S. 13 (Juni 1926 an Pamela Wedekind).

[70] Interview Elisabeth Manns durch Anja Maria Dohrmann, in: dies.: Erika Mann – Einblicke in
ihr Leben, Dissertation Freiburg im Breisgau 2003 (im Druck), S. 196.

[71] Elisabeth hatte 1939 den 36 Jahre älteren Giuseppe Antonio Borgese geheiratet.

[72] Zitiert nach von der Lühe, Erika Mann, S. 287.

[73] Die Tagebücher verraten an keiner Stelle, daß er von der Beziehung wußte, siehe dagegen die
Äußerung Elisabeths: „[W]ir haben es alle gewußt. [...] Er [Thomas Mann] verlor kein Wort darüber. Ich denke aus Respekt vor Bruno Walter." Interview-Zitat bei Dohrmann, S. 195 f. – Wo aber
blieb der Respekt vor der Tochter?

neben der Mutter die Geschwister sämtlich Bescheid, ja werden zum Publikum für eine von Erika mit Hilfe „drolliger" anonymer Briefchen in Gang gesetzte Komödie, welche die „geschädigte Dritte", Bruno Walters Ehefrau, zum Gegenstand hat: „diese Briefe", so Elisabeth, „waren irrsinnig komisch".[74] Der Drang zur applaudierten Inszenierung wird zum selbstzerstörerischen Zwang, der den Wunsch nach Intimität und Geborgenheit schon *in statu nascendi* sabotiert. Hier zeigt sich m.E. die traumatische Nicht-Beantwortung des Kinderwunsches, geliebt und anerkannt zu werden. Als Folge geht die Komödie in Tragödie über, manifestiert sich in Erikas Verhalten mehr und mehr der schon früh von anderen beobachtete – vor allem aufs politische Feld verschobene – Haß.[75] Elisabeth hat in der Schwester „eine ganz unglückliche Person" gesehen.[76]

Die Vater- *und* Mutterbedürftigkeit der Erika Mann wird sichtbar, wenn man sich vergegenwärtigt, daß sie ein Foto auf ihrem Nachttisch stehen hatte, auf dem der Vater und Bruno Walter, einander umarmend anläßlich des 80. Geburtstags von Thomas Mann, abgebildet sind:[77] Das männliche Paar repräsentiert eine ideale Liebesgemeinschaft, überlagert sich dem Paar der ersehnt-entbehrten idealen Eltern und formuliert den Ausschluß der Tochter, den sie vergeblich mittels ihrer Phallizität zu durchbrechen versuchte. Die unglücklich satellitengleich um den Vater kreisende Tochter, die in der Mutter offenbar niemanden fand, der ihr eigenes Geschlecht validierte oder ihr ödipalen Schutz gewährte gegenüber der hegemonialen Männlichkeit der Väter und Künstlergenies, repräsentiert dennoch nichts anderes als die phallisch-monistische Geschlechterordnung, in der es – um sarkastisch mit Freud zu reden – nur *ein* Geschlecht gibt, das männliche.[78]

---

[74] Breloer (zit. Anm. 54), S. 506, Anm. 147.

[75] Vgl. Klaus' Notat von „Erikas Haß" am 22. Mai 1934 (zitiert nach Strohmeyr: Klaus und Erika Mann, S. 90) und Audens Aufforderung: „Tu nicht zuviel, und [...] hasse nicht zuviel" (in: Erika Mann: Briefe, Bd. 1, S. 131 [Ende Mai 1939 von Wystan Hugh Auden]). Elisabeth (Breloer, S. 168 f.) sieht Erikas „wahnsinnig ungerecht[e]" Urteile und ihre Neigung zum Fanatismus. Zu dessen Psychodynamik führt die Selbstpsychologie aus, daß die Entwicklung überwertiger Ideen und deren Verfolgung mit Aggressivität und Intoleranz die Funktion erfüllen kann, hochempfindliche – d. h. narzißtische – Persönlichkeiten zu stabilisieren. Auch dem Fanatismus käme somit die Funktion einer „Plombe" zu (siehe oben Anm. 26 und Mentzos, Neurotische Konfliktverarbeitung, S. 204).

[76] Breloer, S. 168.

[77] Siehe von der Lühe, Erika Mann, S. 288.

[78] Vgl. Rohde-Dachser (zit. Anm. 3), S. 58 ff.

III.

„Sie hat sich selber nie so ganz ernst genommen; andere viel ernster", so Golo über Erika.[79] Sollte dies der Grund sein, daß sie nur gelegentlich von sich selbst erzählte und auch kein Tagebuch führte? Ihr Gebiet waren die auf die aktuelle Situation bezogenen journalistischen Arbeiten. Den Versuch einer Autobiographie brach sie 1943 ab. Sie hat aber kontinuierlich Kinderbücher geschrieben. Könnte es sein, daß diese die Stelle der Autobiographie einnehmen? Ich möchte hier eine Verknüpfung herstellen und deshalb einen Blick auf das autobiographische Fragment *Ausgerechnet Ich* und das Kinderbuch *Stoffel fliegt übers Meer* werfen. Ich beziehe mich zunächst auf eine autobiographische Passage, *Alptraum* überschrieben, in der sie sich an einen Fahrradunfall erinnert, den sie 14jährig auf einer Radtour in den Dolomiten zusammen mit dem Bruder erlitt.

Wir hatten unsere Räder hinaufschieben müssen – es hatte uns viele Stunden und viel Schweiß gekostet. Selig sahen wir der Fahrt bergab entgegen. Wir würden unsere Füße nicht bewegen müssen; über unsere Lenker gebeugt – halb auf ihnen liegend – würden wir um die Kurven rasen, lautlos, federleicht, nichts fühlend als Geschwindigkeit, Wind und Kühle. ‚Großartig!' riefen wir einander zu, als der Flug begann [...]. Klaus, etwas schwerer als ich, fuhr ein bißchen schneller und war hinter einer Kurve verschwunden, als ich plötzlich merkte, daß mein Rad außer Kontrolle geriet. Meine Bremsen schienen nicht zu funktionieren.[80]

Kurz, Erika stürzt, liegt eininhalb Stunden bewußtlos, bis der Bruder wieder bei ihr ist. Sie weiß nicht, was mit ihr geschehen ist, versucht es aber dem Bruder begreiflich zu machen.

Etwas Furchtbares war passiert – etwas, das ich nicht hatte verhindern können [...] etwas war nicht in Ordnung, ganz und gar nicht in Ordnung mit mir, und nicht nur mit mir. Die Landschaft um uns herum hatte sich verändert; da war etwas Giftiges im Grün der Wälder, und die goldenen Wolkenränder sahen bösartig und nach Schwefel aus. [...] Aber Klaus konnte es nicht verstehen. Er wollte nicht einmal *mir* glauben, der das Unaussprechliche tatsächlich passiert war [...].[81]

Was Erika hier schildert, kann man sicher eine traumatische Erfahrung nennen. Es geht um ein schockartiges, hilflos machendes Ereignis, das den Selbst- und Weltbezug total verändert. Hinzu kommt die Folgetraumatisierung, daß die

---

[79] Erika Mann: Briefe, Bd. 2, S. 245.
[80] Erika Mann: Ausgerechnet Ich. Fragment einer Autobiographie (1943), in: Blitze überm Ozean (zit. Anm. 22), S. 9–51, 19 f.
[81] Ebd., S. 21.

engste Bezugsperson in dieser Situation ihr nicht glaubt. Klaus nimmt geradezu Züge eines ‚bösen Objekts' an, so abweisend verhält er sich. Er verübelt ihr die Störung, geht nur zum Schein auf sie ein: „Klaus lachte böse, [...] Klaus zuckte die Achseln. [...] Ich hätte heulen können."[82] An das Ereignistrauma ist ein Beziehungstrauma gekoppelt, welches ein Außer-Kraft-Setzen des kommunikativen Realitätsprinzips bedingt: Der Bruder versteht nicht mehr. Da Erika dieses Erlebnis 1933, nach der gelungenen Flucht in die Schweiz, wieder einfällt, als sie ihr Verständnis der faschistischen Machthaber den Schweizern nicht begreifbar machen kann, also in einer ähnlich traumatischen Situation, kann man vermuten, daß das Erlebnis der 14Jährigen die narrative Version des Grundtraumas von Erika enthält. Das liegt vor allem an der Koppelung des Beziehungstraumas an die Qualität des Erlebens, das mit dem Unfall zerbricht. Es geht um das Erlebnis eines Fliegens, „lautlos, federleicht, nichts fühlend als Geschwindigkeit, Wind und Kühle". Diese Erlebnisqualität bezeichnet Michael Balint mit philobatisch, als Liebe zum Fliegen.[83] Sie steht in Analogie zur primären Liebe, die Mutter und Kind gleichermaßen Befriedigung bringt: Im Liebkosen und Liebkostwerden verschränken sich die Interessen beider zum Erleben der „freundlichen Weiten". Diese Harmonie muß entwicklungsbedingt aufgegeben werden zugunsten der Anerkennung fester und unabhängiger Objekte im Raum. Je unvermittelter dieser Zustandswechsel erfolgt, desto eher wird das Kind eine Grundstörung, einen Bruch des Urvertrauens erleiden. Das Fahrraderlebnis steht m.E. sowohl für den abrupten ursprünglichen Verlust der „freundlichen Weiten" wie für den regressiven Versuch, sie wiederzugewinnen.

Es ist das Risikoverhalten Erikas, welches die Balintsche Beschreibung des Philobatismus so treffend erscheinen läßt. Das bestätigt ein Zitat aus dem wichtigen Brief Erikas von 1941 an Thomas Mann, in dem sie gegen seinen Widerstand ihre Entscheidung verteidigt, auf die Kriegsschauplätze Europas zu gehen und für die BBC zu berichten:

Für den Fall, daß ich fahre, ist noch zu sagen, was im vorigen Jahr schon gesagt wurde: daß ich nämlich *alles andere* bin als ein *Pechvogel*, daß die Chance, heil davonzukommen, für jedermann beträchtlich und für mich recht sehr beträchtlich ist, daß ich nicht die *Absicht* habe, mir etwas zustoßen zu lassen, daß auf der *Reise* noch *nie* einem ein Haar gekrümmt worden ist, und daß ich, sogar im Falle der ‚Invasion', *gewiß* Mittel und Wege finden würde, zu entkommen.[84]

---

[82] Ebd., S. 21.

[83] Michael Balint: Angstlust und Regression. Beitrag zur psychologischen Typenlehre, Reinbek bei Hamburg: Rowohlt 1972, bes. S. 17–90.

[84] Erika Mann: Briefe, Bd. 1, S. 174 (8.6.1941).

Ein Optimismus, der die Gefahren kleinredet! – Das Erklärungsmodell des Philobatismus überkreuzt sich mit dem des Traumas und dem von ihm ausgehenden Wiederholungszwang. Die traumaträchtige Situation wird immer wieder aufgesucht, um, im Sinne der „control-mastery-Theorie", den Bruch, das Diskrepanzerlebnis zu überwinden bzw. zu integrieren. Ein weiterer Grund für die Wiederholung kann ein hedonistischer Faktor sein: Bei der Wiederbegegnung mit traumatischen Situationselementen kommt es, so nimmt man heute an, zu einer Ausschüttung endogener Opiate, was die Lust des ,danger-thrill' begründet: Traumaphilie oder Traumasucht können die Folge sein.[85] Erikas Risikoverhalten also – eine andere Form von Sucht? – Wir wissen nicht, worin das ursprüngliche traumatische Erleben bestand. Erikas betont forsches Verhalten erweckt jedoch den Eindruck einer Pseudoautonomie, hinter der sich Abhängigkeitsgefühle und Anlehnungsbedürfnisse verbergen. In dieser Weise können ältere Geschwister reagieren, wenn nachfolgende mit einem Abstand von weniger als drei Jahren geboren werden. Denn bis zum dritten Lebensjahr finden grundlegende Identitätsbildungs- und Abnabelungsprozesse statt, die durch die Geburt eines Geschwisters – hier noch dazu eines vom bevorzugten männlichen Geschlecht – und den damit verbundenen Entzug der elterlichen Zuwendung gestört werden. Dieser Liebesverlust, der in diesem Alter nicht betrauerbar ist, könnte u. a. zu Erikas Melancholie und ihrer progressiven Selbstzerstörung beigetragen haben.

Welche alternativen Lebensanfänge wären denkbar? Die Antwort geben Erika Manns Kinderbücher. Sie handeln auffällig vom Fliegen. Noch 1953 arbeitet Erika Mann an einer Kinderbuchserie mit dem Titel *Die Zugvögel*.[86] In *Stoffel fliegt übers Meer* signalisieren schon die Kapitelüberschriften Aufbruch, Reise, Risiko, Höhe, Fliegen. Der 10jährige Christoph Bartel versucht, seinen Eltern, die nur kümmerlich von Fischfang, Bootsverleih und Badeanstaltsbetreuung am Blaubergsee, sprich: Bodensee existieren, ein besseres Leben zu verschaffen, indem er sich nach Amerika aufmacht, um dort den reichen Onkel, den Bruder der Mutter, zu suchen und um Hilfe zu bitten. Er faßt die Idee, sich mit den Postsäcken eines Luftschiffs nach Amerika verfrachten zu lassen. Dazu muß er zunächst eine Fahrt über den stürmischen See meistern und dann noch das Luftschiff selbst vor der Gefahr des Absturzes retten. Dort hat sich nämlich das Höhensteuer durch eine Leine verklemmt. Nur eine klei-

---

85 Vgl. hierzu Gottfried Fischer/Peter Riedesser: Lehrbuch der Psychotraumatologie, München/Basel: Reinhardt 1998, S. 355.
86 Erika Mann: Die Zugvögel. Sängerknaben auf abenteuerlicher Fahrt, Bern: Scherz 1959. Zur neuen Würdigung Erika Manns als Kinderbuchautorin siehe Gundel Mattenklott: Eigensinn und moralisches Engagement. Über Erika Manns Kinderbücher, in: Zeitschrift für Germanistik, Neue Folge, Jg. 11, H. 1, Berlin u.a.: Lang 2001, S. 131–141.

ne, leichte Person kann während des Fluges auf die Stabilisationsfläche hinausklettern, um die Leine zu lösen. Das nun wird Stoffels Aufgabe. Er bekennt
sich als blinder Passagier und bietet dem Kapitän seine Dienste an. Detailliert
wird das philobatische Abenteuer beschrieben: das Hinausklettern, der Blick
in die Tiefe, die kipplige Fläche – und dann – der Unfall, der Sturz, die Verkeh-
rung der Ordnung: das Kind unten, das Luftschiff oben. Aber, und das ist zen-
tral, das Kind wird gehalten, vom Kapitän persönlich, mittels der Sicherheits-
leine, die er ihm zuvor um den Bauch gebunden hat. Das Kind wie „ein
Glockenschwengel" an der Leine am Luftschiff hängend – das ist auch das Motiv, das Ricki Hallgarten als Illustrator genau in die Mitte des Buches plaziert.
Im zweiten Anlauf glückt „die gefährliche Operation [...] – das Höhensteuer
war frei. Nun noch zurück, Stoffel, dann wollen wir sehen, ob dich noch einer
einen Lausbuben nennt. Ihm war als könnte er fliegen, auch ohne das Luftschiff, so leicht und schnell kam er an der Luke wieder an."[87] Lob und Preis
durch die anderen folgen: „,Junge', riefen sie, ,Prachtjunge – er hat uns alle gerettet! Wie klein er noch ist!'" Die Stimmen verdichten sich zu einer einzigen,
die sagt: „Du bist ein *mutiger* Zwerg.'"[88]

Nach seinem Soloflug, wie der Kapitän seine Rettungstat nennt, gelingt
Stoffel natürlich auch, seinen reichen Onkel zu finden. Vor der Heimreise erscheint Stoffels Tat mit Foto groß in allen amerikanischen Zeitungen. „Christoph entdeckt Amerika zum zweitenmal ... Tapferer kleiner Deutscher rettet
Luftschiff aus schwerer Gefahr ... Des kleinen Christoph Bartel Todesritt ...
Stoffel überm Meer!"[89] Stoffel ist nicht nur ein zweiter Kolumbus, sondern,
mythologisch, der Anti-Typus zu Phaëthon und Ikarus: Exzeptionell also in
jeder Hinsicht, verbrennt er weder in der Nähe der Sonne, noch stürzt er ins
Meer, trotz seiner hochfliegenden Träume: „er träumte, er flöge allein zur Sonne, um die Erde zu retten, und seine Mutter säße unten und winkte ihm zu".[90]

Die Gestalt des Stoffel ist deutlich eine Übertragungsfigur, die Geschichte
selbst der Familienroman der Erika Mann. In der Figur des „kleinen Stoffel
[als kleine E. Maus]" vollbringt sie eine Heldentat, sucht sich als Stoffel eine
neue mächtige Vaterfigur, den dicken freundlichen Kapitän, und im reichen
Onkel eine Komplettierung der traurigen, im Unglück ausharrenden Mutter.
Zugleich übernimmt sie als kleiner Stoffel die Elternfunktion für die Eltern:
„ich will ihnen helfen".[91] Das ist eine Rettungsphantasie, die natürlich auch

---

[87] Erika Mann: Stoffel fliegt übers Meer. Bilder und Ausstattung von Richard Hallgarten, hrsg.
von Dirk Heißerer nach der Originalausgabe von 1932, 2. Aufl., München: Kirchheim 2002, S. 74 f.

[88] Ebd., S. 76.

[89] Ebd., S. 103.

[90] Ebd., S. 77.

[91] Ebd., S. 17 und 26.

heißt, sich „neue Eltern" zu erschaffen für einen eigenen „Neubeginn" als Kind. Wenn das der Wunsch der „Luftschifferin" Erika Mann gewesen ist, dann wird klar, warum sie kein eigenes Kind haben konnte. Elisabeth Mann hat bestätigt, daß Erika eine Abtreibung vornehmen ließ, als sie 1937 ein Kind von Martin Gumpert erwartete. Erikas entsprechender Brief an die Eltern verleugnet diese Tatsache, in Thomas Manns Tagebüchern findet die Abtreibung keine Erwähnung.[92] Daß es im *Stoffel* um die fiktionale Heilung einer traumatischen Erfahrung geht, hat Erika Mann gewissermaßen selbst bestätigt. Auf die Frage, warum sie Kinderbücher schreibe, antwortete sie:

Weil es mir Freude macht. Und warum macht es mir Freude? Weil ich selbst ziemlich kindisch bin. Will sagen: was ich als Kind getan und erfahren, was mich damals beschäftigt, bewegt, belustigt, bezaubert, berührt und geärgert hat, ist mir heute noch nah und verständlich. Ich kann es mir nachfühlen – manchmal besser und genauer als Erlebnisse, die ich gestern gehabt habe.[93]

✳✳✳

2003 erschienen zwei Biographien zu Katia Mann, die vor allem durch die Erstpublikation bisher unbekannten dokumentarischen Materials faszinieren. Wenn aber etwas an Katia Mann selbst, dieser in vielem so großartigen Frau, bestürzt, dann ist es ihre ausschließliche, wenn auch geschlechtsrollenbedingte, Ausrichtung auf die Bedürfnisse ihres Ehemanns, völlig im Einklang mit der kulturellen und gesellschaftlichen Idolatrie von Männlichkeit und Künstlertum. So mag man es vielleicht billigen, daß eine Frau ihr „Leben mit beispielloser Radikalität auf den einen [ausrichtet]", so die Autoren Jens,[94] solange sie nur für das eigene Leben, nicht aber das von Kindern verantwortlich ist. In *ihrem* Dienst am männlichen anderen kamen aber die Kinder erkennbar zu kurz, war Katia kein Vorbild für Erika, ja neigte sie sogar dazu, die Älteste – *die* Position in der Geschwisterreihe, die der Macht der Eltern am schutzlosesten ausgesetzt ist! – ins Dienen miteinzubeziehen. Der Dienst, wenn auch ein „Sich-Widmen", kein „Sich-Opfern", wie Katia Mann betont hat,[95] macht dennoch aus dem anderen das Super-Hätschelkind, nimmt den realen Kindern den Vater und die Mutter, fördert in der Tochter den unbewußten Haß auf den Pflegling und nach dessen Ausscheiden den Haß auf die mit ihm identifizierte Pflegerin. Es mutet wie eine Vergeltung des Unbewußten an, wenn Erika am

---

[92] Erika Mann: Briefe, Bd. 1, S. 120 (1.5.1937 an Katia Mann).
[93] Unveröffentlichte Niederschrift im Erika-Mann-Nachlaß, Stadtbibliothek München, Monacensia, zitiert nach Dohrmann (zit. Anm. 70), S. 68.
[94] Jens und Jens (zit. Anm. 2), S. 268.
[95] Siehe ebd., S. 292.

Schluß ihres Lebens bettlägerig und pflegebedürftig bei der Mutter den Platz des Pfleglings einnimmt, der nach dem Tode des Ehemanns bei ihr vakant geworden ist. In der Form der Wiederkehr des Verdrängten zahlt Erika der Mutter die Mängel heim, die sie als Kind auf Grund des Dienstes der Mutter am Vater erlitten haben mag. Zum Schluß ist Katia in der Tat wegen der kleinkindhaft sie terrorisierenden Erika ans Haus gebunden, so daß sie z. B. Reisen, die ihr viel bedeutet hätten, nicht unternehmen konnte.[96]

Katia Pringsheim, die sich immer nur in Relation zu Thomas Mann sah, hat sich in der Selbstbenennung als „Frau Thomas Mann" in die männliche Genealogie eingeschrieben. Man könnte dem Autorenpaar Jens zu bedenken geben, daß sie mit der Wahl dieses – gewiß vieldeutig gesetzten – Buchtitels dennoch jene Auslöschung der Frau betreiben, die der phallische Monismus impliziert. Selbständig, d. h. nicht im Dienste eines anderen, zu sein, wird von Katia in redensartlicher Weise merkwürdig abgewertet.

Es läßt sich nicht leugnen, daß ein Leben, das man so ausschließlich in den Dienst eines anderen gestellt hat, nach dessen Erlöschen nicht mehr recht sinnvoll erscheint. Selbst ein Schnaps zu sein, war nie meine Sache, und auf meine alten Tage werde ich wohl nie einer werden.[97]

Hätte Erika, wenn sie sich nicht dem Vater „gewidmet" hätte, diese abgewertete Position einnehmen müssen, „selbst ein Schnaps zu sein"? Die Mutter formuliert also ganz im Einklang mit der herrschenden Geschlechterordnung zwei Alternativen, die jedoch für eine Tochter, die sich als Subjekt versteht, gleich unannehmbar sind: entweder ein Dasein als Dienst oder als entwertete, stigmatisierte Existenz. Es ist bedauerlich, daß die Autoren Jens nicht deutlicher die *Gravamina* des Mannschen Ehebündnisses, gerade im Blick auf die Kinder, herausstellen. Sie wiederholen zwar Katias kokette Äußerung, sie habe ihre „Kinder eben nicht gut erzogen"[98], stellen sie aber nicht in den kaum zur Belustigung Anlaß gebenden Kontext der herrschenden Geschlechterordnung.

Von hier aus fällt es auch schwer, Irmela von der Lühe und Uwe Naumann zu folgen, die in der Entscheidung Erikas für den Dienst am Vater keinerlei „Heteronomie"[99] entdecken wollen, obwohl sie andererseits feststellen, daß Erika an Thomas Mann und sein Werk „bedingungslos gebunden" war. Es sei vielmehr „eine von Souveränität und Leidenschaft bestimmte Entscheidung" gewesen: „Erika Manns eigenwilligem Naturell waren Unterwerfung und An-

---

96 Ebd., S. 283.
97 Ebd., S. 270.
98 Ebd., S. 279.
99 Nachwort der Herausgeber in: Erika Mann: Mein Vater, der Zauberer (zit. Anm. 13), alle folgenden Zitate dieses Absatzes auf S. 463 und 479.

passung zutiefst fremd – dies galt uneingeschränkt auch für ihr Verhältnis zum eigenen Vater, so daß von Fremdbestimmung schwerlich die Rede sein kann." Dieser mit der Temperamentenlehre argumentierenden Psychologie scheinen ihrerseits unbewußte Motivationen „fremd" zu sein, deshalb fallen ihr auch die eigenen Widersprüche nicht auf. Erika habe der Nachwelt ein Bild Thomas Manns entworfen, das „der Zustimmung des Vaters, der Übereinstimmung mit [seinem] der Welt gezeigte[n] Selbstbild sicher sein" konnte. „Und auch das Bild, das Erika als Tochter und Editorin durch ihre Arbeit von sich entwarf, stimmte mit dem überein, das der Vater von ihr zu zeichnen pflegte." Also vollkommene Identität und Differenzlosigkeit von Selbst und anderem?[100] Nach dieser Auffassung bestätigt und komplettiert Erika die Bilder, die der Vater zuvor von sich und von ihr erstellt hat. Das aber ist Unterwerfung unter diese Bilder und deren Urheber, gleichwohl freilich auch eine – verquere – Form von Kontrolle: nichts darf sich verändern. Hier gibt sich die Ambivalenz, die mit dem „Dienen" und „Sich-Widmen" verbunden ist, zu erkennen. Damit mag schließlich auch zusammenhängen, daß Erika Mann offenbar nicht beanspruchte, als Co-Autorin genannt zu werden, obwohl sie es für zahlreiche Schriften Thomas Manns *de facto* war, unübersehbar etwa ihre Mitarbeit am *Felix Krull*. Es ist zu wünschen, daß die *Große kommentierte Frankfurter Ausgabe* den Anteil Erika Manns am Werk Thomas Manns angemessen im einzelnen herausstellt und diskutiert.

---

[100] Kritisch gegenüber von der Lühe und Naumann auch Kimiko Murakami: Erika Mann – die treue Tochter Thomas Manns?, in: Kritische Revisionen – Gender und Mythos im literarischen Diskurs. Beiträge der Tateshina-Symposien 1996 und 1997, hrsg. von der Japanischen Gesellschaft für Germanistik, München: Judicium-Verlag 1998, S. 123–144, 143 f.

Rosemarie Nave-Herz

Die Entstehung und Verbreitung des bürgerlichen Familienideals in Deutschland

Ziel meines Vortrages ist es, in kurzen Umrissen den Wandel von Familienidealen in Deutschland – von der großen Haushaltsfamilie zur großbürgerlichen Familie – zu skizzieren, um diese mit den realen familialen Verhältnissen in ihrer Zeit zu konfrontieren.[1]

Familienideale und Familienrealitäten werden häufig nicht klar genug unterschieden, bzw. zuweilen werden sogar gesellschaftlich besonders anerkannte Familienmodelle als die in ihrer Zeit „normalen", als die am häufigsten vertretenen Lebensformen angesehen.

Selbst in der Familiensoziologie wurde in sozialhistorischen Analysen lange Zeit Familienideal und Familienrealität verwechselt. So wurde z. B. das sogenannte Kontraktionsgesetz von Durkheim, einem Klassiker der Soziologie, bis in die 1970er Jahre hinein unangefochten vertreten, das besagte, dass sich aus der Großfamilie im Zeitablauf – durch Kontraktionen – stufenweise die moderne Kleinfamilie entwickelt hätte. Dieses Kontraktionsgesetz ist inzwischen durch die bessere historische Datenlage widerlegt worden.

Immer haben – wie heutzutage – verschiedene Familienformen nebeneinander existiert, von denen zwar nur eine einzige als Ideal galt; und nur wenige Menschen konnten dieses als Lebensform für sich wählen.

Im ersten Teil meines Vortrages möchte ich auf die „Vorläuferin" des bürgerlichen Familienideals eingehen. Ich widme der Darstellung dieses Familienmodells so viel Zeit, weil nur hierdurch der Wandel und das Besondere des sich damals anschließend ausprägenden neuen „bürgerlichen Familientyps" deutlich werden kann, was ich in meinem zweiten Teil des Vortrages darstellen werde.

---

[1] Vgl. dazu auch Rosemarie Nave-Herz: Familie heute. Wandel der Familienstrukturen und Folgen für die Erziehung, 2. Aufl., Darmstadt: Primus 2002; dies.: Ehe- und Familiensoziologie. Eine Einführung in Geschichte, theoretische Ansätze und empirische Befunde, Weinheim: Juventa 2004.

1.

Als Familienideal galt bis ins 18. Jahrhundert hinein der Typ des „ganzen Hauses" – eine von Otto Brunner (1966) geprägte Bezeichnung[2] – oder wie diese Familienform soziologisch gleichfalls bezeichnet wird: „die Haushaltsfamilie mit Produktionsfunktion".

In Alltagsvorstellungen werden mit dieser Familienform häufig nicht nur das Zusammenfallen von Wohnen und Arbeiten assoziiert, sondern auch eine hohe Personenzahl. Diese wäre bestimmt worden durch die dort arbeitenden Knechte bzw. Gesellen, Lehrlinge sowie Mägde, durch eine hohe Kinderschar und durch das Vorherrschen der Drei-Generationen-Familie.

Selbstverständlich hat es derartige Haushalte gegeben, aber sie waren sehr selten. Sie bildeten eine Minorität; und es handelte sich hierbei um sehr wohlhabende Familien, weswegen ihre Lebensform auch eine besondere öffentliche Anerkennung genoss.

Die soziale Realität betreffend, muss zunächst betont werden, dass es im Mittelalter bis in die vorindustrielle Zeit hinein neben den Haushaltsfamilien *mit* Produktionsfunktion auch jene *ohne* Produktionsfunktion gegeben hat. Innerhalb dieser beiden Gruppen war zudem die Variabilität in der Haushaltszusammensetzung groß.

So gab es Familien *mit* Produktionsfunktion, die dem oben skizzierten Bild entsprachen, weil zum Haushalt bis zu zwölf und mehr familienfremde Personen zählten: Aber nur dann, wenn der Betrieb auf Gesinde oder auf Gesellen und Mägde angewiesen war und v.a. sich diese leisten konnte. Die Mehrzahl der Familien mit Produktionsfunktion dagegen bestand lediglich aus den Familienmitgliedern, evtl. zählten höchstens noch ein weiterer Knecht oder Geselle zum Haushalt. Neben der Variabilität in Bezug auf die personale Zusammensetzung bedingte die jeweilige Produktionsweise (Landwirtschaft/Handwerk/Handel) unterschiedliche Lebensweisen.

Die Haushaltsfamilien *ohne* Produktionsfunktion waren eigentumslos und zählten somit zu den unteren Schichten. Ihnen wurde nur der Status eines „minderen Rechts" zugebilligt, bezogen z.B. auf Schutz- und Bürgerrechte. Ihre Familienmitglieder gingen einer außerhäuslichen Erwerbstätigkeit nach. Denn außerhalb des Hauses geleistete Lohnarbeit ist nicht irgendeine neuartige, sondern eine sehr alte Erscheinung.

Auf dem Lande zählten zu ihnen die Häusler-, Inwohner- und Tagelöhnerfamilien. Ihre Kinder wurden so früh als möglich, mindestens mit 10 Jahren, in

---

[2] Otto Brunner: Das „ganze Haus" und die alte europäische „Ökonomik", in: Familie und Gesellschaft, hrsg. von Ferdinand Oeter, Tübingen: Mohr 1966, S. 23–56.

„fremde" Dienste geschickt: zum Vieh hüten, Wasser tragen, zur Hilfe in fremde Haushalte usw. Die Frauen und Mütter halfen ebenso in „fremden" Haushalten aus und verdingten sich z. B. als Wasch- und Nähfrauen oder als Küchenhilfe bei bestimmten Anlässen (Hochzeiten, Taufen, bei Ernten usw.). Ihre Mithilfe wurde häufig spontan abgerufen. Auch die Frauen und Mütter in den Familien *mit* Produktionsfunktion waren zu jener Zeit an der Erwerbsarbeit mitbeteiligt, zumal es damals nirgends eine strikte Trennung zwischen Familien- und Erwerbstätigkeiten gab.

Zwischen den Haushaltsmitgliedern bestanden in jener Zeit wie heute individuelle/persönliche Beziehungen, die Nähe, Intimität und Geborgenheit vermittelten, aber diese waren nicht zwischen bestimmten Personengruppen festgeschrieben, wie z. B. heute zwischen den Ehepartnern, zwischen den Eltern und ihren Kindern. Die Liebe zwischen den Ehepartnern war zwar ein altes biblisches Gebot, spielte aber jahrhundertelang für die Eheschließung eine untergeordnete Rolle. Das eheliche Bündnis sollte vor allem nicht auf Leidenschaft beruhen, sondern auf Zuverlässigkeit, Nüchternheit und Achtung des Partners, und deshalb galten damals auch völlig andere Partnerwahlkriterien als heute. In vermögenden Familien spielte der Besitz, den die Partnerin als „Mitgift" in die Ehe einbrachte, eine bedeutende Rolle. Aber darüber hinaus waren für die Auswahl ebenso das Arbeitsvermögen eines Partners bzw. einer Partnerin und vor allem die Gesundheit ausschlaggebend, was gleichermaßen für die vermögenden und für die nicht vermögenden Familien galt.

Die Kinderzahl war in den vorindustriellen Familien, entgegen weit verbreiteter Meinungen, gering. Zwar hatten die verheirateten Frauen in ihrem Leben, wie Nachberechnungen aus Kirchenbüchern zeigen, durchschnittlich acht bis zwölf Geburten zu überleben bzw. alle 1,5 bis 2 Jahre eine. Die Zahl war abhängig von dem Heiratsalter und der Lebenszeit der Mütter. Doch weit über die Hälfte der Kinder starb im Säuglings- und Kleinkinderalter, viele an Epidemien, durch Kriege, Hunger und an speziellen Kinderkrankheiten (z. B. an Masern, Scharlach, Diphtherie, Pocken). In Bezug auf die vorindustrielle Zeit ist es deshalb besonders wichtig, zwischen der Geburten- und der Kinderzahl explizit zu unterscheiden; die Geburtenzahl war hoch, die Kinderzahl pro Familie dagegen gering, nämlich durchschnittlich drei bis vier.

Aus der Diskrepanz zwischen hoher Geburtenzahl bei gleichzeitiger hoher Säuglingssterblichkeit leitet z. B. Shorter die sachlichere Beziehung zwischen Müttern und ihren Säuglingen in der vorindustriellen Zeit ab;[3] ein Sachverhalt, der uns heute unverständlich erscheint. Die emotionslosere Zuwendung der Mutter zu ihren Kindern wurde zudem dadurch bedingt, dass die Schwanger-

---

3 Edward Shorter: Die Geburt der modernen Familie, Hamburg: Rowohlt 1977.

schaft, die Geburt und das „Wochenbett" durch das sogenannte Kindbettfieber für die Frauen aller sozialen Schichten, aber überproportional für die unteren, mit einem Lebensrisiko verbunden war. Zum Beispiel geht aus einer Untersuchung der Todesursachen von verheirateten Frauen in Florenz im 16. Jahrhundert hervor, dass eine von drei Frauen bei der Geburt oder an den unmittelbaren Folgen ihrer Niederkunft gestorben ist. Auch diese „Aussicht" ließ die Erwartung eines Kindes für die Mutter nicht nur als „freudiges Ereignis" erscheinen, zumal wenn andere Kinder bereits vorhanden waren.

Was die Drei-Generationen-Familie anbetrifft, so war diese in unserem Kulturkreis sehr selten gegeben wegen der geringen Lebenswahrscheinlichkeit und einem relativ späten Heiratsalter, dem sogenannten „european marriage pattern", d. h. man heiratete – von epochalen Schwankungen abgesehen – Mitte bis Ende des 20. Lebensjahres (ähnlich wie heute). In den besitzenden Schichten wurde vor allem die Hof- und Betriebsübergabe möglichst lange hinausgeschoben, insbesondere aus wirtschaftlichen Gründen oder infolge geltender Erbschaftsregeln (z. B. bei Jüngsten-Erbrecht).

Nicht nur die Haushaltsfamilie mit Produktionsfunktion allgemein, sondern insbesondere auch die in der Form der Drei-Generationen-Familie galt über Jahrhunderte als Ideal. Das hat dazu geführt, dass viele ihrer Schattenseiten nicht gesehen wurden und werden. Vor allem war die Betriebs- bzw. Hofübergabe häufig mit Vater-Sohn-Konflikten und Rechtsstreitigkeiten um den Abschluss des Vertrages und seiner Einhaltung verknüpft. Auch psychisch war für die ältere Generation oft der Verlust ihrer vorherrschenden Stellung belastend. Die vielfach sehr kleinlichen Regelungen in den Übergabeverträgen lassen jedenfalls keinesfalls auf ein harmonisches Zusammenleben der Generationen schließen: Wenn z. B. dem alten Bauern schriftlich zugestanden werden musste, dass er weiterhin durch den Vordereingang gehen und welchen Sessel er benutzen dürfe, wie viele Eier er am Tag oder in der Woche bekäme usw.

Die vorindustrielle Familie war also – entgegen den eingangs dargestellten Alltagsvorstellungen und ihrer Leitbildfunktion – nicht immer gekoppelt mit einer Produktionsfunktion; zu ihr zählten vielfach keine familienfremden Personen, und ihre Kinderzahl war gering. Die Drei-Generationen-Familie war eine Seltenheit. Die innerfamilialen Beziehungen waren überwiegend geprägt durch Sachlichkeit, aber auch Solidarität im Hinblick auf das gemeinsam zu erhaltende Vermögen oder wegen des gemeinsamen Kampfes um das Überleben aufgrund der Armut.

Darüber hinaus waren die vorindustriellen Familien dadurch gekennzeichnet, was für die folgende Darstellung des bürgerlichen Familienideals zu betonen besonders wichtig ist, dass es keine Trennung zwischen Familie und familienfremden Personen und keine Ausprägung einer familialen Intimsphäre gab und aufgrund der Wohnverhältnisse auch nicht geben konnte. Schon rein räumlich war dieses nicht möglich. Man lebte nämlich in Allzweckräumen. So schreibt z. B. Ariès:

Alles wurde in demselben Zimmer abgewickelt, in dem man mit der Familie lebte. Dort aß man, schlief, arbeitete und empfing die Besucher, pflegte Kranke, versorgte Säuglinge und Alte, gleichzeitig spielten hier die Kinder. Die Zimmer waren öffentliche Räume, nicht Zufluchtstätten vor der Öffentlichkeit. Je nach Ansehen der Familie waren sie Brennpunkte eines intensiven gesellschaftlichen Lebens [...];[4]

und das bedeutete aber auch, dass es für den Einzelnen keine Möglichkeit des Rückzugs aus der Gruppenöffentlichkeit in der vorindustriellen Zeit gegeben hat.

Erst allmählich verlor das Haus den Charakter eines öffentlichen Versammlungsortes, was Kennzeichen der vorindustriellen Familie war. Der Prozess der Trennung des Familien- und des Erwerbsbereichs begann, und zwar zunächst erst in einer kleinen Gruppe vermögender Familien. Mit dieser Differenzierung veränderten sich die Beziehungen zwischen den Familienmitgliedern qualitativ, so wie sie für die heutige Ehe und Familie bestimmend sind. „Die Individualisierung der Ehe" gegenüber der Herkunftsfamilie bzw. dem erweiterten Familienverband – wie René König diesen Sachverhalt nannte[5] – setzte sich erst langsam mit Aufkommen des bürgerlichen Familienideals durch.

Betont sei, dass alle mit Ehe und Familie zusammenhängenden Veränderungen unendlich langsam vor sich gingen. Viele Prozesse des familialen Wandels verliefen keineswegs unilinear oder betrafen häufig zunächst nur eine bestimmte Bevölkerungsgruppe und eine bestimmte soziale Schicht. Manche Prozesse wirkten in verschiedenen Räumen und sozialen Milieus stark phasenverschoben. Insgesamt aber hat sich im Laufe der Zeit ein neues Familienideal durchgesetzt, obwohl auch dieses zunächst nur von einer quantitativ unbedeutenden Gruppe praktiziert bzw. vorgelebt werden konnte.

Vor allem wurde es auch keineswegs von allen begrüßt. Insbesondere erhoben zunächst viele Philosophen und Rechtswissenschaftler Einwände gegen diese familialen Veränderungen; beschrieben die Gefahren für den Bestand von Ehe und Familie; ihre Autoren sprachen auch damals vom Zerfall bzw. der zunehmenden Auflösung *der* Familie (statt von der Haushaltsfamilie!). Selbst

---

4 Philippe Ariès: Geschichte der Kindheit, München/Wien: Hanser 1975, S. 541.
5 Handbuch der empirischen Sozialforschung, hrsg. von René König, Bd. 7: Soziologie der Familie (1969); Wiederabdruck in: René König: Familiensoziologie, neu hrsg. und mit einem Nachwort vers. von Rosemarie Nave-Herz, Opladen: Leske & Budrich 2002 (= Schriften, Bd. 14).

noch 1855, als die ersten familiensoziologischen Bücher erschienen, nämlich das von Riehl[6] in Deutschland und von LePlay[7] in Frankreich (von den „Gründungsvätern" der Familiensoziologie) waren ihre Ausführungen bestimmt von der Sorge des Verfalls der Familie, weil das Ideal des „ganzen Hauses" immer seltener – gerade von der damaligen Oberschicht – eingelöst wurde.

Familiale *Veränderungen*, speziell der Wandel von Familienidealen, werden in ihrer Zeit – und das gilt auch für die Gegenwart – häufig als Zeichen des Verfalls, des Unterganges gedeutet statt als Wandel.

Im übrigen hat es mehr als 200 Jahre gedauert, bis sich dieses Familienideal als allgemein praktizierte Lebensform durchsetzte, also die verschiedensten Bevölkerungsgruppen umfasste (nie alle), und das quantitativ dominierende Familienmodell in Deutschland wurde. Das war Ende der 1950er Jahre, dann 1960 und 1970, also während einer sehr kurzen Zeitepoche. Seitdem ist ein erneuter Wandel in Bezug auf Ehe und Familie zu konstatieren. Aber dennoch haben manche Aspekte des bürgerlichen Familienideals bis heute nicht an Attraktivität verloren.

2.

In den städtischen Beamten- und besitzenden Bürgerfamilien, den reichen Kaufmanns- und Handelshäusern bildete sich als erstes – und zwar zeitlich vor der Industrialisierung – die Emotionalisierung und Intimisierung der familialen Binnenstruktur heraus und ließ die Familie zu einer geschlossenen Gemeinschaft mit exklusivem Charakter werden. Diese Entwicklung wurde einerseits durch die Aufklärung mit ihrer Anerkennung des Individuums und ihrer Diesseitsbejahung gefördert, andererseits durch das Bestreben der Bürger, den Adel im Lebensstil nachahmen, aber sich gleichzeitig von ihm in moralischer Hinsicht distanzieren zu wollen (insbesondere im Hinblick auf das Konkubinat). Auf die vielen Fakten, die an diesem Veränderungsprozess mitgewirkt haben, kann in diesem Vortrag nur hingewiesen werden; infolge ihrer gegenseitigen Verflechtung ist ferner kaum auszumachen, welche als verursachende, auslösende oder bedingende Faktoren anzusehen sind.

Rein äußerlich, genauer: rein räumlich, signalisierte ein neuer Wohnstil den Beginn dieses Intimisierungs- und Emotionalisierungsprozesses. Er bot die Chance der Isolierung und damit der Ausbildung einer Intimsphäre. Nach

---

6 Wilhelm Heinrich Riehl: Die Familie, Stuttgart: Cotta 1855.
7 Frédéric LePlay: Les Ouvriers Européen, 2. Aufl., Paris: Mame 1877.

Häußermann und Siebel gab es Ansätze des Wohnungswandels in den Städten bereits ab dem 16. Jahrhundert;[8] er setzte dann aber verstärkt ab dem 18. Jahrhundert ein, als vermögende Familien – wie es Nahrstedt beschrieben hat – „vor die Stadt zu ziehen" begannen,[9] d. h. die Kontore und Büros vieler wohlhabender Handels- und Bankbetriebe verblieben im Stadtzentrum, die Familie zog aus und in eine extra für das Familienleben bestimmte, vom Stadtzentrum etwas entfernte, neu erbaute Villa. Besondere Auswirkungen hatte die Entwicklung der Trennung von Arbeits- und Familienstätte für die Frauen, weil sie gleichzeitig die hauswirtschaftlichen von den erwerbswirtschaftlichen Tätigkeiten schied und damit eine Gruppe von Frauen *erstmalig allein auf den Innenbereich des Hauses* verwiesen wurde.

Kennzeichen dieser modernen Häuser war die Unabhängigkeit und Vereinzelung der Zimmer, was durch die Einrichtung von Fluren, die bis dahin unbekannt waren, gewährleistet wurde. Es entstand das Esszimmer (getrennt von der Küche), das Wohnzimmer, das „Herrenzimmer", der „Damensalon", das Kinderzimmer usw. Mit dieser räumlichen Separierung und der damit verbundenen Absonderungsmöglichkeit wurde die bis dahin immer gegebene gegenseitige totale soziale Kontrolle aller Haushaltsmitglieder aufgegeben. Eine Differenzierung der nächsten Umgebung (z. B. die Trennung zwischen Familienangehörigen und familienfremden Personen) setzte sich durch und ermöglichte erst die Ausprägung von intimen Beziehungen zwischen den Familienmitgliedern. Laut Ariès hat die Spezialisierung der Wohnräume die größte Veränderung des täglichen Lebens gebracht und ist auf das neue Bedürfnis zurückzuführen, „die Dienerschaft sich fern zu halten und sich gegen Eindringlinge zu schützen".[10] Der weitere Distanzierungsprozess wurde unterstützt durch die Ausprägung bestimmter neuartiger Umgangsformen: durch die Veränderung der Anredeformen zwischen den Eheleuten und den Dienstboten, die Einführung der Visitenkarte, des Empfangstages, der Klingelschnur im Wohnzimmer, mit der die Herrschaft ihre Dienstboten herbeirief, usw. Auch diese neuen Umgangsformen hatten allein differenzierende Funktionen, nämlich die Familienangehörigen gegenüber anderen Personen aufzuwerten und die Vertrautheit innerhalb der Familie zu betonen.

Gleichzeitig setzte sich in jener Zeit – und zunächst in der bürgerlichen Schicht – die Auffassung durch, Kindern eine eigenständige Entwicklungsphase zuzubilligen; sie nicht nur als kleine Erwachsene zu betrachten. Das fand

8 Hartmut Häußermann/Walter Siebel: Soziologie des Wohnens, 2. Aufl., Weinheim: Juventa 2000.

9 Wolfgang Nahrstedt: Die Entstehung der Freizeit, Göttingen: Vandenhoeck & Ruprecht 1972.

10 Ariès (1975), S. 548.

durch die Entstehung einer eigenen Kinderkleidung äußerlich sichtbaren Ausdruck.

Nunmehr begann ferner der Prozess zunehmender emotionaler Zuwendung zum Kind – und vor allem zum Säugling – seitens ihrer Mütter. Schließlich wurde – auch in der Wissenschaft – die Auffassung stärker vertreten, dass nur die biologischen Eltern, insbesondere die Mütter, die besten Erzieher ihrer Kinder seien, was immer man unter dem Begriff ‚beste' verstand. Die Emotionalisierung der Familie trug ihren endgültigen Sieg davon, als die „romantische Liebe" und nicht mehr das Vermögen oder die Arbeitskraft zum einzig legitimen Heiratsgrund wurde. Damit setzte sich die romantisch-idealistische Interpretation der Ehe als „Bund verwandter Seelen" – eine gebräuchliche Formulierung in jener Zeit – durch.

Dennoch muss betont werden, dass lange Zeit in jenen bürgerlichen Familien, in denen dieses Partnerschaftsideal als erstes postuliert wurde, die autonome Willenserklärung beider Partner und ihre romantische Zuneigung als Grund der Eheschließung vielfach nur Fiktion war. Vor allem, wenn die Familie Trägerin von Vermögen und/oder eines wirtschaftlichen Unternehmens war, hatte sie Rücksicht auf Erhalt und Mehrung dieses Kapitals auch durch Eheschließung zu nehmen.

Je mehr sich jedoch im Laufe der Zeit die sogenannte romantische Liebe zum einzig legitimen Heiratsgrund durchsetzte, wurde der Anspruch betont, den instrumentellen Charakter gegen das Ideal der Partnerschaft gegenseitiger emotionaler Unterstützung einzutauschen, und damit erhielt die Ehe eine historisch neue eigene Sinnzuschreibung. Durch diese Sinnzuschreibung konnten erst Systemgrenzen zwischen der Ehe und der Familie und zu den Kindern und anderen Haushaltsmitgliedern, z. B. dem Hauspersonal, entstehen und wurden diese begründbar. Hierdurch wurde ebenfalls der Prozess der Entstehung eines relativ eigenständigen Ehesystems gegenüber der erweiterten Familie und der Öffentlichkeit unterstützt (siehe Abbildung nächste Seite).

Ferner wurde nunmehr der Familie die Spezialisierung der frühkindlichen Sozialisation, d. h. die soziokulturelle Nachwuchssicherung der Gesellschaft, allein zuerkannt. Wie bereits betont, waren zuvor Kinder (auch Kleinstkinder) nicht allein von den eigenen Eltern und auch nicht an erster Stelle von ihren Müttern betreut und erzogen worden, sondern von Geschwistern, Großeltern, unverheirateten Verwandten oder Bediensteten. Erst als sich die „Gatten-Familie" ab dem 18./19. Jahrhundert immer stärker durchsetzte, ging die Alleinverantwortung und -erziehung an die Mutter über.

Die Herausbildung dieser Gatten-Familie (also die Eltern-Kind-Einheit) war zudem verbunden mit der gleichzeitig sich in jener Zeit ausprägenden

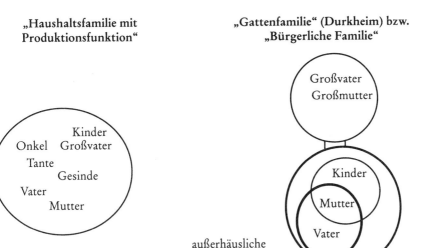

"Haushaltsfamilie mit Produktionsfunktion"

"Gattenfamilie" (Durkheim) bzw. "Bürgerliche Familie"

Vorindustrielle Zeit

Ab dem 18./19. Jahrhundert

Der Wandel der Familienmodelle

Ideologie des „Ergänzungstheorems der Geschlechter", d. h. dass Mann und Frau, Vater und Mutter von Natur aus und wesensmäßig als unterschiedlich und als sich ergänzende Teile eines Ganzen angesehen wurden. Die logische Folge dieser Ideologie war, dass den Eineltern-Familien, die es historisch gesehen immer gegeben hat, also den Familien mit allein erziehender Mutter oder allein erziehendem Vater, ein notwendiger Teil fehlen musste und sie somit als defizitär galten (eine Vermutung, die zuweilen heute noch geäußert wird). Mit der Idee des Ergänzungstheorems der Geschlechter wurde das – damals für dieses Familienmodell geltende – strukturelle Tauschverhältnis zwischen den Ehepartnern legitimiert und damit ein besonders starkes Abhängigkeitsverhältnis einerseits zwischen den Ehepartnern und andererseits zwischen dem Verdienst bzw. der beruflichen Leistung allein des Ehemannes begründet.

Der Mann sollte das „Haupt", die Frau die „Seele der Familie" sein, wodurch beide ihre unterschiedlichen Pflichten zu erfüllen hätten. Die Ehefrau hatte ferner dafür zu sorgen, dass der Ehemann durch die Kinder nicht gestört würde, auch wenn er in Erziehungsfragen die bestimmende Instanz war. In einem 1780 erschienenen, sehr verbreiteten *Lehrbuch der Erziehungskunst* von Bock hieß es: Die Hausfrau sollte „als Freundin, als Ratgeberin, Gesellschafterin und Regentin des Hauswesens ihm [dem Ehemann] mancher kleiner Übel und Verdrießlichkeiten zu überheben versuchen".[11] Der Mutterrolle wurde damit gleichzeitig eine Vermittlerfunktion zwischen dem Vater und den Kindern zugewiesen. Mutter und Kinder bildeten so ein eigenes System, und sie, die Mutter/Ehefrau, hatte stärker als der Vater/Ehemann unter Umständen Ausbalancierungsprozesse zwischen der familialen und der ehelichen Rolle zu bewältigen.

Das geschilderte bürgerliche Familienideal als Lebensform konnte sich jedoch im 18. und 19. Jahrhundert nur eine kleine Schicht von vermögenden bzw. von einem gewissen Einkommen lebenden Familien leisten. Dazu zählten vornehmlich das Besitzbürgertum oder/und das Bildungsbürgertum, nicht das Kleinbürgertum, die Arbeiter, die Bauern usw.

Mit anderen Worten: Die Lebensrealität der überwiegenden Bevölkerung entsprach in jener Zeit (18./19. Jahrhundert) keineswegs dem bürgerlichen Familienideal. Denn noch lange Zeit klafften Familienideal (= bürgerliches Familienmodell) und Familienrealität für weite Kreise der Bevölkerung auseinander.

Allein schon die Wohnverhältnisse boten diesen Familien keinen „abgeschlossenen Raum", z. B. mussten innerhalb der Arbeiterschaft aus ökonomischen Gründen sogenannte „Schlafstellen" untervermietet werden. Die Erwerbstätigkeit von Müttern und diejenige von Kindern war die Regel. Die Kinderarbeit nahm insbesondere in der Zeit der Heimindustrie und im 19. Jahrhundert in Form der Fabrikarbeit sowie ihr Einsatz in den Berg- und Hüttenwerken zu. Die Arbeitsbedingungen waren schlecht, die Tätigkeiten monoton und z. T. gefährlich. Aus einem Bericht eines Prüfungsausschusses von 1833 geht hervor, dass die Kinder selten mit fünf, häufig aber mit sechs und sehr häufig mit sieben, meist mit acht bis neun Jahren zu arbeiten begannen, dass ihre tägliche Arbeitszeit oft 14 bis 16 Stunden dauerte.[12] Gesetze zur Beschränkung der Kinderarbeit wurden 1839 erlassen. Für diese ersten Arbeitsschutzmaßnahmen gaben militärische Erwägungen den Anlass. Vornehmlich die militärischen Rekrutierungsstellen drängten auf eine staatliche Gesetzgebung in der Arbeiterfrage, da die Kinder durch die übermäßige körperliche Beanspruchung der Fabrikarbeit physisch und psychisch unterentwickelt und für den Militärdienst untauglich waren. In Preußen wurde 1889 durch ein „Fabrik-

[11] Friedrich Samuel Bock: Lehrbuch der Erziehungskunst, Leipzig: Hartung 1780, zit. bei Gertrud Bäumer: Die Geschichte der Frauenbewegung in Deutschland, in: Handbuch der Frauenbewegung, 1. Teil, hrsg. von Helene Lange und Gertrud Bäumer, Nachdruck der Original-Ausg. (Berlin 1901), Weinheim: Beltz 1980, S. 15.

[12] Albrecht Peiper: Chronik der Kinderheilkunde, 4. Aufl., Leipzig: Thieme 1966, S. 372; Klaus Neumann: Zum Wandel der Kindheit vom Anfang des Mittelalters bis an die Schwelle des 20. Jahrhunderts, in: Handbuch der Kindheitsforschung, hrsg. von Manfred Markefka und Bernhard Nauck, Neuwied: Luchterhand 1993, S. 191–206, 197.

regulativ" die Industriearbeit für Kinder unter neun Jahren verboten, für Kinder von neun bis sechzehn Jahren auf zehn Stunden täglich begrenzt und Nacht-, Sonn- und Feiertagsarbeit untersagt. Ab 1870 galt der Zwölf-Stunden-Takt. Das Arbeitsschutzgesetz von 1891 legte die tägliche Höchstgrenze für Frauen auf zehn Stunden und an den Tagen vor Sonn- und Feiertagen auf acht Stunden fest.

Was die Erwerbstätigkeit von Frauen und Müttern anbetraf, waren die Unterschiede in jener Zeit besonders ausgeprägt. Es gab im 19. Jahrhundert vornehmlich vier verschiedene Gruppen von Frauen, die sich in ihrer Daseinsform stark unterschieden: 1. die Frauen und Töchter der bürgerlichen Mittel- und Oberschicht ohne Recht auf Arbeit (mit Ausnahme des Gouvernanten-, Lehrerinnen- oder Gesellschafterinnen-Berufs bei Ledigbleibenden; aus ihren Reihen gingen die ersten Vertreterinnen der Frauenbewegung hervor), 2. die in der Landwirtschaft, im Handel und im Gewerbe tätigen Frauen und Mütter, 3. die Fabrikarbeiterinnen (ledig oder verheiratet mit Kindern) und 4. die unverheirateten Dienstmädchen sowie die verheirateten Hilfskräfte (wie Wäscherinnen, Köchinnen, zuweilen nur für besondere Anlässe). Nur für die erste kleine Gruppe der bürgerlichen Ehefrauen galt das „Privileg", allein Hausfrau und Mutter zu sein; die weit überwiegende Mehrzahl der Mütter war im 19. Jahrhundert gezwungen, einer Erwerbstätigkeit mit hohen Arbeitszeiten nachzugehen.

Obwohl also die Mehrzahl der Menschen in ihrer Lebensform nicht dem bürgerlichen Familienideal entsprach, hatte dieses dennoch eine sehr starke Anerkennung in jener Zeit, was ablesbar ist an den damaligen Forderungen der Arbeitervereine. Sie wollten mehr Lohn, und zwar mit dem Argument, dass ihre Ehefrauen dann nicht mehr erwerbstätig zu sein brauchten und sich ganz um das Haus, den Haushalt und die Familie kümmern könnten; sie forderten letztlich das bürgerliche Familienmodell als Lebensform ebenso für sich.

Seine stärkste Verbreitung fand das bürgerliche Familienmodell jedoch – wie bereits erwähnt – erst Mitte des 20. Jahrhunderts in der (alten) Bundesrepublik.

Im Übrigen hatte auch der Nationalsozialismus mit seiner Mutter- und Bevölkerungsideologie ebenso dieses Familienmodell proklamiert; er geriet jedoch mit der Favorisierung dieses Ideals während des Zweiten Weltkriegs und der hierdurch fehlenden Arbeitskräfte in politische, ökonomische und argumentative Bedrängnis.

Ich komme zum Schluss meines Vortrages:

Seit Ende der 1970er Jahre sind nunmehr strukturelle familiale Veränderungen zu konstatieren, die bis heute andauern. Das Ergänzungstheorem hat seine Legitimationskraft eingebüßt und an Anerkennung verloren. Eine Entdifferenzierung zwischen Vater- und Mutterrolle zeichnet sich ab. Die sich erst

langsam herausgebildete relative Eigenständigkeit der Ehe gegenüber der Herkunftsfamilie ist geblieben; aber die starke Eigenständigkeit des Ehesystems
gegenüber den Kindern, was vor allem auch auf der Anerkennung des Ergänzungstheorems basierte, scheint demgegenüber in den letzten Jahren abzuneh-
men.

Mit dem bürgerlichen Familienideal wurde vor allem auch die Zuständigkeit
der Mütter für den familialen Innenbereich und ihr Ausschluss von den erwerbswirtschaftlichen Tätigkeiten verbunden, was nie zuvor weder dem vorindustriellen Familienideal noch der familialen Realität entsprach. In dieser
Hinsicht wirkt in Deutschland das bürgerliche Familienideal – jedenfalls in
Bezug auf die Kleinstkindphase, wie jüngste empirische Erhebungen erneut
belegen – weiterhin bis in die Gegenwart hinein, führt aber – durch die inzwischen erfolgte Veränderung anderer gesellschaftlicher Teilbereiche in unserer
Gesellschaft – zu erheblichen sozialen Spannungen im Familienbereich und in
der Arbeitswelt.

Friedhelm Marx

Väter und Söhne

Literarische Familienentwürfe in Thomas Manns *Unordnung und frühes Leid* und Klaus Manns *Kindernovelle*

Wenn man als junger Mensch zum erstenmal in berühmte Städte kommt und Gothik sieht und Barock und was immer es gibt, das zu bewundern man anscheinend ins Leben gesetzt worden ist, so hat man das sehr deutliche Gefühl, daß einen das alles im Grunde nichts angeht. Nicht, als ob das nicht schön wäre; aber Schönheit ist offenbar etwas sehr Umständliches, mit sehr viel Überflüssigem, Zufälligem, ja Groteskem verbunden. Man mißtraut den Entzückungen der Erwachsenen daran [...], man wittert irgend eine Verlogenheit, Verlegenheit, Rederei. In der Tat ist es durchaus nicht die ursprüngliche Reaktion, eine alte Schönheit schön zu finden, sondern das eingeborene und natürliche Verhalten, sie alt zu finden.[1]

Diese Bemerkungen stammen von Robert Musil. In einem kleinen Essay aus dem Jahr 1921, im Alter von 41 Jahren also, stellt er sich der Frage, wie sich die Jugend zur Tradition verhält: Zuallererst und zu allen Zeiten, so seine Einschätzung, verhält sie sich ablehnend:

Wenn man mit einem talentierten jungen Römer spricht, so kann man sicher sein, daß er für Amerika oder Berlin schwärmen wird, und das antike wie das barocke Rom erscheint ihm als eine Unaufgeräumtheit, eine skandalöse Rückständigkeit der Straßenreinigung, welche palastgroße Trümmer hinterlassen hat. Die Städte, die die Jugend bauen möchte, solange sie ganz auf sich vertraut, müßten ganz anders sein als alle Städte, die es gibt, um dem Weltgefühl zu entsprechen, das sie in ihrem Innern fühlt. Jugend beginnt mit einem Urwiderstand gegen jede Tradition.[2]

Aber dieser Widerstand steht auf unsicheren Beinen. Anständige Jugend, so Robert Musil, ist hilflos:

... vor ihr liegt das ungeheure Gebiet der Gedanken, sie weiß nicht, von welcher Seite sie es betreten soll, um am raschesten tief hinein zu kommen; die Hilfen, welche ihr unsere Erziehung und Schule bieten, sind meist verkehrt oder ihren Bedürfnissen nicht angemessen.[3]

---

[1] Robert Musil: Stilgeneration oder Generationsstil, 14. Mai 1921, in: ders.: Gesammelte Werke, hrsg. von Adolf Frisé, Reinbek bei Hamburg: Rowohlt 1978, Bd. 2, S. 661 ff., 661.

[2] Ebd.

[3] Ebd., S. 661 f.

In der Verlegenheit, die persönliche Einzelseele nicht finden zu können, adoptiere sie die nächste, einigermaßen passende Gruppenseele, aber die gäbe es im Grunde nicht:

Wir haben die Sache ja mehrmals mitgemacht. Jedesmal war eine neue Generation da, behauptete eine neue Seele zu haben und erklärte, für diese Seele nun auch den gehörigen Stil finden zu wollen. Sie hatte aber keine neue Seele, sondern nur so etwas wie ein ewiges Weichtier in sich, dem keine Schale paßt, auch die zuletzt ausgebildete nicht. Das zeigt sich immer 10 Jahre später.[4]

Dann seien „von der ganzen Generationsseele nichts als ein paar Einzelseelen übrig geblieben".[5] Musils Entlarvung jeder künstlerischen Jugendbewegung, die im Namen einer neuen Generation und einer neuen, kollektiven Generationsseele einen neuen Stil etablieren will, ist offenbar eigenen Erfahrungen mit den rasch wechselnden Trends der Moderne geschuldet: Innerhalb von weniger als zwei Jahrzehnten konkurrieren so divergente Bewegungen wie Naturalismus, Symbolismus, Décadence, Neuromantik, Futurismus und Expressionismus.

Aber offenbar gibt es zu Beginn der zwanziger Jahre auch besonderen Anlaß, sich als Schriftsteller über das Verhältnis der Generationen Gedanken zu machen. Präsent ist immer noch die (ein wenig ins Alter gekommene) Jugendbewegung des Expressionismus, die unter anderem Traditionsbruch und „Vatermord" auf ihre Fahnen geschrieben hat. Robert Musil, der zu diesem Zeitpunkt bereits zu den Alten gehört, vermag mit ihr nicht viel anzufangen.

Zugleich sind die bereits etablierten Schriftsteller jenseits der Vierzig durch die Erfahrung des Weltkriegs elementar verunsichert. Dieser Epochenbruch läßt Vorkriegswerke mit einem Schlag veraltet erscheinen und verlangt nach einer Neuorientierung, nach neuen literarischen Ausdrucksmitteln. Ein Blick in die Tagebücher Thomas Manns aus diesen Jahren macht die Ausmaße der Verunsicherung und der Selbstzweifel sichtbar.

Und schließlich formiert sich in den frühen 20er Jahren bereits eine neue Schriftstellergeneration, die in dem gesellschaftlichen und politischen Chaos der Nachkriegszeit aufgewachsen ist und sich auf ihre Weise dieser Wirklichkeit stellt: „Neue Sachlichkeit" wird wenig später eine Formel ihres Generationsstils.[6]

Für die Zeitgenossen vollzieht sich so etwas wie eine radikale Neuordnung des literarischen Felds, an der sich die Alten wie die Jungen beteiligen. Aus so-

---

[4] Ebd., S. 662.
[5] Ebd.
[6] Vgl. hierzu Sabina Becker: Neue Sachlichkeit, Bd. 1: Die Ästhetik der neusachlichen Literatur, Bd. 2: Quellen und Dokumente, Köln/Weimar/Wien: Böhlau 2000.

ziologischer Perspektive handelt es sich um Verteilungskämpfe um die Aufmerksamkeit der literarischen Szene, um ein Aushandeln der Generationsverhältnisse, eine Neubestimmung dessen, was nun an der Zeit ist, und eine Nominierung *derjenigen*, die nun an der Zeit sind. Robert Musil ist denn auch nicht der einzige, der sich in den zwanziger Jahren der Frage nach dem Verhältnis von Jung und Alt, von Tradition und Innovation stellt.

*

Thomas und Klaus Mann spielen in dieser Debatte eine wichtige Rolle, der eine als arrivierter alter, der andere als ambitionierter junger Schriftsteller. Die zwei Familiennovellen, von denen hier die Rede sein soll, Thomas Manns *Unordnung und frühes Leid* (1925) und Klaus Manns *Kindernovelle* (1926) stehen und entstehen vor diesem Hintergrund. Beide vergegenwärtigen die eigene Familie in recht durchsichtiger literarischer Verschleierung, freilich aus diametral entgegengesetzten Perspektiven. Man kann die Novellen als Schlüsseltexte lesen, man kann hinweisen auf die jeweiligen Vorbilder der Figuren, auf authentisch beschriebene Details aus dem Familienleben, auf das (ödipale) Psychodrama zwischen Vater und Sohn.[7]

Aber dabei bleibt in der Regel unberücksichtigt, daß Vater und Sohn mit ihren Novellen von vornherein auf einen größeren Adressatenkreis zielen. Sie richten sich nicht nur an diejenigen, die mit den innerfamiliären Details vertraut sind, die Vorbilder der Figuren kennen und aus dem Vergleich zwischen Wirklichkeit und Fiktion ihre Schlüsse ziehen. Beide Novellen vergegenwärtigen nicht nur die Spannung zwischen den Generationen der eigenen Familie, sie stehen zugleich im Kontext zahlreicher rivalisierender Neubestimmungen von Jugend und Alter, von Avantgarde und Tradition, von Ordnung und Unordnung in der Weimarer Republik. Für beide Seiten geht es um Selbstbehauptung: weniger innerhalb der eigenen Familie als innerhalb des literarischen Feldes. Und als Sujet für eine solche Selbstbehauptung der jungen bzw. der älteren Generation bieten sich seit jeher Familienkonflikte an.

Einige Schlaglichter auf die öffentliche Debatte über die Jungen und die Alten, die in den Feuilletons der 20er Jahre ausgetragen wurde und an der sich

---

7 Das ist längst geschehen: Vgl. etwa Gerhard Härle: Männerweiblichkeit. Zur Homosexualität bei Klaus und Thomas Mann, Frankfurt/Main: Athenäum 1988, S. 53, 87 u. 262 f.; Marianne Krüll: Im Netz der Zauberer. Eine andere Geschichte der Familie Mann, Frankfurt/Main: Fischer Taschenbuch 1993 (= Fischer Taschenbuch, Bd. 11381), S. 243, 247, 251 f., 306 u. 328–334; James Robert Keller: The role of political and sexual identity in the works of Klaus Mann, New York: Lang 2001 (= studies on themes and motifs in literature, vol. 56); zuletzt Sascha Kiefer: Gesellschaftlicher Umbruch und literarisierte Familiengeschichte. Thomas Manns „Unordnung und frühes Leid" und Klaus Manns „Kindernovelle", in: Wirkendes Wort, Bd. 49 (1999), S. 355–371.

Thomas und Klaus Mann maßgeblich beteiligten, sollen das verdeutlichen.[8] Unter dem Titel *Die Alten und die Jungen* notiert das Berliner Tageblatt in der Weihnachtsausgabe des Jahres 1922:

Das Vater-und-Sohn-Problem, der tiefe Gegensatz und die ewige Auseinandersetzung zwischen den beiden Generationen, den Alten und den Jungen, tritt heute in einer Übergangszeit, einer Zeit, in der allzu jäh das Alte vom Neuen verdrängt werden soll, besonders nachdrücklich ins Bewußtsein und in die Erscheinung. Und es ist kein Wunder, daß die jungen Dichter von heute diesen Konflikt so gern als Thema wählen, erleben sie ihn doch zugleich auch als künstlerischen Konflikt. Nirgendwo zeigt sich der Kampf der Generationen gegeneinander so schroff wie in der bildenden Kunst und in der Literatur.[9]

Diese Bemerkung dient als Einleitung zu einer Reihe von *statements* junger und älterer Schriftsteller und Künstler, unter ihnen Lovis Corinth, Max Pechstein, Arno Holz und Bertolt Brecht. Thomas Mann kommt als erster zu Wort: mit dem Vorwort zur Rede *Von deutscher Republik*, die er wenige Monate zuvor in Berlin gehalten hatte und die – mit ihrem überraschenden Plädoyer für die Republik – für große Aufmerksamkeit, Lob und Empörung gesorgt hatte.

Wir [die Herausgeber des Tageblatts] finden, daß Thomas Mann sich mit dieser Rede gerade mitten hinein gestellt hat in diesen Kampf der Generationen, zwar nicht um noch mehr zu trennen, sondern zu versöhnen, aber gerade darin das ganze Problem enthaltend.[10]

Offenbar lesen die Herausgeber Thomas Manns Rede nicht nur als politisches Bekenntnis zur Republik, sondern auch als ästhetisches Votum für eine neue Literatur, zumindest als Versuch eines Brückenschlags zur jungen Schriftstellergeneration, die sich in diesen Jahren zu Wort meldet.[11] Wie auch immer, von Versöhnung kann vorerst keine Rede sein. Bertolt Brecht, der jüngste der Befragten, liefert eine radikale Kritik der bürgerlichen Kultur, die allenfalls im Kampf um die Feinkost noch eine Rolle spiele.[12] Im Juni 1925 meldet sich Klaus Mann in dieser Sache zu Wort. Er nimmt den 50. Geburtstag seines Va-

---

[8] Einen glänzenden Überblick über die Generationsdebatte der zwanziger Jahre gibt Klaus-Dieter Krabiel: „Die Alten und die Jungen". Publizistische Kontroversen Bertolt Brechts mit Thomas Mann und Klaus Mann in den zwanziger Jahren. Mit einem unbekannten Text von Brecht, in: Wirkendes Wort, Bd. 49 (1999), S. 63–85. Diesem Beitrag sind die meisten der folgenden Textbeispiele geschuldet.

[9] Die Alten und die Jungen, in: Berliner Tageblatt, 24.12.1922 (Morgenausgabe, 1. Beiblatt).

[10] Ebd.

[11] Die Rede richtet sich tatsächlich vor allem an die Jugend. Im Vorwort allerdings relativiert Thomas Mann seine Neuorientierung: Er habe vielleicht seine Gedanken geändert, nicht aber seinen Sinn. Und wenn es gelte, einen bleibenden Sinn in veränderter Zeit zu behaupten, lasse sich der Künstler anders sprechen und denken. Vgl. ebd. und XI, 809 ff.

[12] Vgl. Die Alten und die Jungen (zit. Anm. 9).

ters zum Anlaß, den Abstand zwischen Jung und Alt auszumessen. Geringer ist er offenbar nicht geworden:

> Noch nie vielleicht war der Abgrund breiter, noch nie war er so beinahe unüberbrückbar zwischen den Generationen wie heute. Unsere Jugend, hineingeboren in den Aufbruch des Weltkrieges, aufgewacht und aufgewachsen in Jahren des Chaos, der Unordnung, da ein Altes sich auflöste und ein Neues sich versuchte und tastete und nicht fand, hat ja beinahe noch kein eigenes Gesicht, noch keinen eigenen Ton, steht verwirrt, ganz entgleist zwischen allen Extremen, [...] während die Generation der heute Reifen, der heute ganz Entfalteten, die schon um die Jahrhundertwende Männer waren, ihren Ausdruck völlig gefunden hat in ihren großen Vertretern, ihren großen, repräsentativ gewordenen Gestalten und Bildnern [...].[13]

Im April 1926 ist es die Neue freie Presse, die das Thema aufgreift und nun ausschließlich die Jungen über die Alten räsonieren läßt.[14] Für die Jungen sprechen abermals der mittlerweile schon etwas bekanntere Bertolt Brecht, Arnolt Bronnen, der mit seinem Drama *Der Vatermord* ein wichtiges Stichwort der Debatte geliefert hatte, und Klaus Mann, der einen Monat zuvor in der Neuen Rundschau ein umfangreiches *Fragment von der Jugend* publiziert hatte.

Die Literarische Welt antwortet gewissermaßen am 7. Januar 1927, indem sie namhafte (also ältere) Schriftsteller bittet, „zu Beginn des neuen Jahres an die *jungen* geistigen Arbeiter Deutschlands ein paar ernste, mahnende oder aufmunternde Worte zu richten".[15] Thomas Mann eröffnet die Reihe, ihm folgen Jakob Wassermann, Heinrich Mann, René Schickele und einige andere. Diese beliebig erweiterbare Auswahl feuilletonistischer Umfragen macht deutlich, welche Relevanz dem Verhältnis der Generationen innerhalb der literarischen Szene der 20er Jahre beigemessen wurde.[16]

Wie nun aber votieren Klaus und Thomas Mann in dieser Frage?

Für Klaus Mann steht die Bestimmung von Jugend und die Abgrenzung von der älteren Generation von Anfang an im Mittelpunkt seiner ersten essayistischen und literarischen Werke.[17] In seinem Fall hat das naheliegende, in der

---

13 Klaus Mann: Mein Vater. Zu seinem 50. Geburtstag, in: Klaus Mann: Die neuen Eltern. Aufsätze, Reden, Kritiken 1924–1933, hrsg. von Uwe Naumann und Michael Töteberg, Reinbek bei Hamburg: Rowohlt 1992 (= rororo, Bd. 12741), S. 48 f.

14 Die Jungen über die Alten, in: Neue freie Presse, 4.4.1926.

15 Die literarische Welt, 7.1.1927.

16 Unter dem Titel *Erste Begegnung zwischen zwei Generationen. Zusammentreffen junger Dichter mit ihren Meistern* berichten am 23.1.1927 Klaus Mann über Hugo von Hofmannsthal, Erich Ebermayer über Thomas Mann, Wilhelm Emanuel Süskind über Heinrich Mann und Richard Friedenthal über Stefan Zweig im Berliner Tageblatt.

17 Vgl. hierzu Elke Nicolai: „Wohin es uns treibt...". Die literarische Generationsgruppe Klaus Manns 1924–1933. Ihre Essayistik und Erzählprosa, Frankfurt/Main u.a.: Lang 1998 (= Forschungen zur Literatur- und Kulturgeschichte, Bd. 62), S. 39 ff.

Person des Vaters liegende Gründe, aber das sind nicht die einzigen. Zum einen gibt es öffentliches Interesse an der Lebensform der Jugend, das zur literarischen Gestaltung herausfordert, zum anderen gehört es seit der Genieästhetik des 18. Jahrhunderts zur Logik beinahe jeden literarischen Anfangs, das Neue, Innovative gegen das Alte, Etablierte auszuspielen.

Der krassen Antibürgerlichkeit des Expressionismus steht Klaus Mann, das zeigen schon seine ersten Literaturkritiken von 1924/25, skeptisch gegenüber. Auf steile und literarisch übertriebene Weise einen Bourgeois und seinen Anhang zu verhöhnen, genüge nicht mehr, schreibt er 1924 in einer seiner ersten Rezensionen.[18] Anderes, Neues müsse kommen. Und worin dieses Andere, Neue, Zeitgemäße, Junge bestehen könne, beschäftigt ihn fortan wie keine andere Frage. Unter diesem Gesichtspunkt beurteilt er die literarischen Neuerscheinungen seiner Generation. Daß er dabei mit der Ausnahme einiger junger französischer Autoren (wie Raymond Radiguet und René Crevel) kaum auf ein substantielles Vorbild stößt, macht die Suche nur noch dringlicher – und rechtfertigt zugleich seine Anstrengungen, dieses Vakuum versuchsweise mit eigenen Werken zu füllen.

Im Unterschied zu den jungen Vatermördern Bronnen und Brecht allerdings hält Klaus Mann einen Kampf gegen die Alten für obsolet. Schon im Juni 1925, im Geburtstagsessay für seinen Vater, gibt er zu verstehen, daß sich aufgrund des unüberbrückbaren Abgrunds zwischen den Generationen jede aggressive Auseinandersetzung erübrige. Ja, der Abstand mache es sogar möglich, von den Alten, den unter ganz anderen Umständen Vollendeten zu lernen.[19] So auch im *Fragment von der Jugend* vom Frühjahr 1926 und in dem gleichzeitig entstandenen Beitrag für die Neue freie Presse:

Die ‚expressionistische‘ Jugend *kämpfte* gegen das Vergangene, gegen den mächtigen, gehaßten und gefürchteten Begriff: ‚Vater‘. Wir fühlen uns, um noch zu kämpfen, zu weit schon von ihm getrennt. – Die ‚expressionistische‘ Jugend war *anti*bürgerlich, ihr kam es darauf an, die ‚bourgeois‘ recht zu verletzen, recht nachdrücklich sie vor den Kopf zu stoßen, mit großer Unzucht und mit großem Lärm. – Wir aber sind nur ganz *un*bürgerlich, den ‚bourgeois‘ zu verletzen ist also keine heilige Pflicht mehr für uns, es bedeutet uns kein Problem mehr, wie wir uns möglichst weit von ihm trennen könnten. [...] Wir haben die *Ehrfurcht* wieder gelernt vor dem, was die ‚expressionistische‘ Jugend mit Hohn bespuckte. Der *bürgerlichen Geistigkeit*, der die Werke unserer Väter entstammen, *gehören wir nicht mehr an*. Da wir ihr *wirklich* nicht mehr angehören, brauchen wir uns auch nicht mehr kämpfend gegen sie aufzulehnen. Wir haben die Demut wieder gefunden, mit der wir, aus der eigenen Isoliertheit, aus der eigenen Verwirrung heraus, ihre großen Leistungen und Gebilde bewundern.[20]

---

[18] Vgl. Klaus Mann: Yvan Goll. Methusalem, in: Klaus Mann: Die neuen Eltern (zit. Anm. 13), S. 25 f.

[19] Vgl. Klaus Mann: Mein Vater (zit. Anm. 13), S. 50.

[20] Die Jungen über die Alten. Äußerungen von Klaus Mann, Arnolt Bronnen und Bert Brecht,

Ganz anders votiert der im gleichen Zusammenhang befragte Bertolt Brecht:

Ich gebe zu, daß mir die Werke der letzten Generationen mit wenig Ausnahmen wenig Eindruck machen. Ihr Horizont erscheint mir sehr klein, ihre Kunstform roh und blindlings übernommen, ihr kultureller Wert verschwindend.[21]

Zu einer direkten Auseinandersetzung zwischen diesen beiden Vertretern der jungen Generation kommt es wenig später. Im August 1926 publiziert das Ullstein-Magazin Uhu Klaus Manns Essay *Die neuen Eltern* zusammen mit einem Interview Thomas Manns, das unter dem Titel *Die neuen Kinder* erscheint. Beide, Vater und Sohn, stimmen darin überein, daß sich Eltern wie auch Kinder mittlerweile dermaßen geändert haben, daß eine Konfrontation im Zeichen des Vatermords anachronistisch sei.[22]

Bertolt Brecht erhebt umgehend öffentlichen Einspruch: Wenn jetzt wirklich, statistisch betrachtet, in der letzten Zeit ein paar Väter weniger ermordet worden seien (was jederzeit wieder aufgenommen werden könne) – sei das doch noch kein Grund zur Beruhigung. Und angesichts solch „feiner" Knaben wie Klaus Mann müsse man, um jung zu bleiben, dem umstrittenen Ruhm als Vatermörder den ganz unbestreitbaren als Kindesmörder hinzufügen.[23]

Das sind starke Worte. Daß Vater und Sohn Mann hier als Stellvertreter und Sprecher der alten wie auch der jungen Generation ausgerufen werden, ist für den jungen Brecht vermutlich schon empörend genug. Aber daß sie den Generationskonflikt auch noch öffentlich beilegen, daß es keinen Grund mehr geben soll, im Namen der Jugend gegen die alte Ordnung anzukämpfen, ist für ihn vollends unerträglich,

in: Neue freie Presse, Nr. 22111, 4.4.1926. Vgl. auch Klaus Mann: Unser Verhältnis zur vorigen Generation, in: Junge Menschen – Monatshefte für Politik, Kunst, Literatur und Leben, Hamburg, Mai 1926.
21 Bertolt Brecht: ebd. Vgl. hierzu auch Norbert Oellers: Mehr Haß als Spaß. Bertolt Brecht und Thomas Mann, vor allem 1926, in: Der junge Brecht. Aspekte seines Schaffens, hrsg. von Helmut Gier und Jürgen Hillesheim, Würzburg: Königshausen & Neumann 1996, S. 166–180 und Michael Fischer: Von Ironie bis Polemik. Zum Verhältnis zwischen Thomas Mann und Bertolt Brecht in persönlicher, literarischer und politischer Dimension, in: Weimarer Beiträge, Bd. 46 (2000), S. 409–429.
22 Vgl. Thomas Mann: Die neuen Kinder. Gespräch mit Wilhelm Emanuel Süskind; Klaus Mann: Die neuen Eltern, in: Uhu, Berlin, H. 11 (August 1926).
23 Vgl. Bertolt Brecht: Wenn der Vater mit dem Sohne mit dem Uhu, in: Das Tage-Buch, Berlin, 14.8.1926. Wiederabdruck in: Bertolt Brecht: Werke. Große kommentierte Berliner und Frankfurter Ausgabe, Bd. 21: Schriften 1, bearb. von Werner Hecht, Frankfurt am Main/Berlin/Weimar: Suhrkamp 1992, S. 159 f.

... wo wir kaum die ersten rein technischen Vorbereitungen zu den uns vorschweben-
den Ausschweifungen in Angriff genommen haben, [...] wo eine auch nur einigermaßen
befriedigende Unordnung noch nicht einmal in Sicht steht.[24]

Brechts polemische Androhung von Vater- und Kindesmord provoziert wiederum öffentliche Reaktionen von seiten der Betroffenen. Klaus Mann spricht
ihm fortan das Recht ab, die Auffassungen der europäischen Jugend zu vertreten.[25] Thomas Mann nimmt die Polemik zum Anlaß, sein Verhältnis zur Jugend und seine Position in der Generationsdebatte der 20er Jahre zu präzisie-
ren: Seine Generation gäbe schon deswegen eine schlechte Zielscheibe ab, so
sein Argument, da sie auf eine ungleich radikalere Weise modern sei als die jungen Vatermörder der Gegenwart:

Die Psychologisierung und Europäisierung der deutschen Prosa durch den Naturalismus und durch Nietzsche; die Wiederentdeckung des Dichterischen überhaupt; das
Sprachwerk George's; schließlich auch all das, was durch die deutsche Erzählung für
die Kultur des bürgerlichen Ausdrucks geleistet ist [...]: mir scheint, das war mehr Er-
neuerung, Schollenumbruch, Revolution als das bißchen Tempo, Dynamik, Kinotech-
nik und Bürgerfresserei, womit unser Nachwuchs uns vergebens in bleiche Wut zu treiben sucht. (XI, 754)[26]

Indem Thomas Mann sich hier der eigenen Modernität vergewissert, trifft er
ins Zentrum der Debatte: In den unzähligen *statements* über die Jungen und
die Alten geht es zwischen den Zeilen vor allem um die Frage, ob und wie es
den Jungen gelingt, die von den Alten geprägte Moderne fortzuschreiben oder
gar zu überbieten. Und für beide Seiten ist diese Frage von entscheidender Relevanz. Klaus Mann mag es aufgegeben haben, seinen Vater in bleiche Wut zu
treiben, er mag dem Werk des Vaters respektvoll begegnen, aber auf seine Weise kämpft er Mitte der zwanziger Jahre nicht weniger engagiert um das Neue
im Zeichen der Modernität als Bertolt Brecht. Und Thomas Mann verspürt offenbar die Notwendigkeit, sich mit der von der Jugend verursachten Unordnung literarisch auseinanderzusetzen.

[24] Ebd., S. 160.
[25] Vgl. Klaus Mann: Jüngste deutsche Autoren, in: Neue Schweizer Rundschau, Zürich 1926.
Wiederabdruck in: Klaus Mann: Die neuen Eltern (zit. Anm. 13), S. 100–109.
[26] Erstdruck unter dem Titel *Die Unbekannten* am 10.10.1926 im Berliner Tageblatt. Ähnlich
argumentiert Arno Holz bereits in der Umfrage des Berliner Tageblatts vom 24.12.1922 (Die Alten
und die Jungen, zit. Anm. 9): Er sehe auf dem Wege, den er seit seinen literarischen Anfängen gehe,
noch keinen, auch von den allerjüngsten nicht, den er sich, oder vielleicht besser, der Idee, die er
vertrete, als bereits „voraus" empfände. Wenig später suspendiert Thomas Mann den Kampf der
Generationen: Der eigentliche Abgrund klaffe nicht etwa zwischen jungen und alten Vertretern
des Geistes, sondern zwischen der Partei des Geistes und der der Gemeinheit. Vgl. Thomas Mann:
Worte an die Jugend, in: Die literarische Welt, 7.1.1927.

*

Unordnung und frühes Leid ist durchaus nicht die erste Familiengeschichte im Werk Thomas Manns, auch nicht die erste literarische Konfrontation von Jung und Alt, von Vater und Sohn. Aber in den 20er Jahren erhält dieses Sujet für Thomas Mann ein neues Gewicht, nicht zuletzt weil ihm mittlerweile selbst eine eigene, kinderreiche Familie zugewachsen ist.

Abgesehen von einer Kindergeschichte, die 1911/12 im Notizbuch erstmals erwähnt (vgl. Notb II, 186), aber vorerst nicht weiterverfolgt wird, trägt sich Thomas Mann bereits im Sommer 1920 mit dem Plan einer Novelle über das Verhältnis zwischen Vater und Sohn. Am 5. Juli 1920 notiert er in sein Tagebuch: „Verliebt in Klaus dieser Tage. Ansätze zu einer Vater-und-Sohn-Novelle." (Tb, 5.7.1920) Von diesem Projekt sind keine Aufzeichnungen enthalten; es steht zu vermuten, daß es die Reihe der Heimsuchungsgeschichten um eine weitere Variation erweitert hätte: Thomas Manns Tagebuch jedenfalls dokumentiert in diesen Monaten mehrfach eine erotische Irritation angesichts des jungen Klaus. Die hätte sich literarisch zu einer Radikalisierung der homoerotischen Heimsuchung angeboten, die im *Tod in Venedig* Ausdruck fand, aber daraus wird aus naheliegenden Gründen nichts. Zum einen wäre eine Überbietung der Venedig-Novelle im Sinne einer inzestuösen Versuchung tatsächlich für das bürgerliche Publikum unzumutbar gewesen. Zum anderen liegt Thomas Mann schon vor dem Abschluß des *Zauberbergs* daran, nicht noch einmal die Todessehnsucht literarisch zu verklären, zu feiern und (womöglich) zu überwinden.

Fünf Jahre später finden sich von dieser Konstellation in der Vater-und-Sohn-Novelle *Unordnung und frühes Leid* jedenfalls keine Spuren mehr. Liest man sie, wie Herbert Lehnert vorgeschlagen hat, als „erzählerisches Nachspiel" zum *Zauberberg*,[27] so verstärkt sie statt dessen jene Tendenz des Romans, die der Gegenwart und dem Leben Rechnung trägt. Sie geht über den Roman hinaus, indem sie sich dem Generationskonflikt stellt, der in den 20er Jahren erneut virulent wird und mit dem Thomas Mann sich gewissermaßen im eigenen Haus konfrontiert sieht.

Die Entstehung der Novelle fällt in die Zeit, in der Klaus Mann seinen ersten Prosaband *Vor dem Leben* und sein erstes Theaterstück *Anja und Esther*

---

[27] Vgl. Herbert Lehnert: Thomas Manns Erzählung „Das Gesetz" und andere erzählerische Nachspiele im Rahmen des Gesamtwerks, in: Deutsche Vierteljahrsschrift für Literaturwissenschaft und Geistesgeschichte, Jg. 43, H. 3 (August 1969), S. 515–543, 517. Vgl. auch ders.: Thomas Manns Unordnung und frühes Leid. Entstellte Bürgerwelt und ästhetisches Reservat, in: Text & Kontext, Bd. 6.1/6.2, Festschrift für Steffen Steffensen, hrsg. von Rolf Wiecker, München: Fink 1978, S. 239–256.

publiziert. Nach allem, was wir aus Briefen wissen, steht Thomas Mann der Publikation dieser „Elaborate" durchaus fern. So schreibt er wörtlich in einem Brief an Paul Geheeb vom 4.5.1925.[28] Im Brief an Erika vom 7.5.1925 schreibt er über seine Lektüre des Prosabandes *Vor dem Leben*: „Kläuschens Buch las ich mit Anteil. Vieles ist ganz merkwürdig. Aber einen tüchtigen Z[auberer].-Komplex hat der Wackere, unter anderem." (Br I, 239) Damit hat er wohl recht. Tatsächlich läßt sich diesen Erzählungen und Prosaskizzen ein Vater-Komplex attestieren. Vor allem aber zeigen sie nahezu ausnahmslos wie die oben zitierten essayistischen *statements*, daß Klaus Mann die Jugend literarisch gegen die Alten in Stellung bringt: Etwa in der Erzählung *Der Vater lacht*, in der ein bürgerlicher, verwitweter Vater von seiner radikal modernen Tochter verführt wird.

Ob diese oder andere Erzählungen Thomas Mann bei der Konzeption seiner Novelle im Frühjahr 1925 bereits bekannt waren, läßt sich nicht ermitteln. Aber es wird ihm nicht verborgen geblieben sein, daß für seinen Sohn „Jugend" zum wichtigsten literarischen Sujet und zum Prüfstein literarischer Qualität avanciert ist. Seinen ersten Roman *Der fromme Tanz. Das Abenteuerbuch einer Jugend* bezeichnet Klaus Mann nicht nur im Titel, sondern auch gleich noch im Prolog vom Juli 1925 als ein Buch, „das aus unserer Jugend kommt, von unserer Jugend handelt, und nichts bedeuten möchte, als Ausdruck, Darstellung und Geständnis dieser Jugend, ihrer Not, ihrer Verwirrung – und ihrer Hoffnung vielleicht".[29] Von den Vätern ist diese Generation radikal geschieden: Für Andreas Magnus, den jungen Protagonisten des Romans, stellt sie sich dar, als gehöre sie einer anderen, längst versunkenen Zeit an:

> Die Generation der Väter, die hatte also ihr Teil getan und würde es weiterhin tun und weiter vollenden. In Würdigkeit und Haltung oder in Qual und Not war sie groß geworden – aber sie war groß geworden, war sie selbst geworden, hatte ihren Ausdruck gefunden. Und dann kam der gräßliche Schlußstrich, der blutige Brand, das flammende Abreißen, dann kam der Krieg und die große verzehrende Unruhe.[30]

Thomas Mann mag sich in diesem Generationsbild wiedererkannt haben. Die Überwindung von Qual und Not durch Würdigkeit, Haltung und Vollendung eines Werks: Mit diesen Stichwörtern ist seine Poetik wie auch seine Lebensform ziemlich genau beschrieben. Allerdings nimmt er sich zur gleichen Zeit

---

[28] Vgl. dazu Reg I, 25/78. Während er noch an *Unordnung und frühes Leid* arbeitet, sieht er sich gezwungen, den empörten und persönlich beleidigten Geheeb zu beruhigen, der sich in Klaus Manns Skizze *Der Alte* karikiert sah.

[29] Klaus Mann: Der fromme Tanz. Das Abenteuerbuch einer Jugend, Reinbek bei Hamburg: Rowohlt 1986 (= rororo, Bd. 5674), S. 7.

[30] Ebd., S. 17.

mit *Unordnung und frühes Leid* nun seinerseits der Jugend an und der großen, verzehrenden Unruhe der Gegenwart – gleichermaßen provoziert durch die ersten literarischen „Elaborate" seines Sohnes und durch die allgemeine, virulente Neubestimmung von Jung und Alt in der Weimarer Republik.

Die Geschichte spielt im Inflationsjahr 1923: Im großbürgerlichen Haus des Geschichtsprofessors Abel Cornelius bereitet man sich auf ein Fest vor, zu dem Inge und Bert, die „Großen", die 17- und 18jährigen ältesten „Kinder" der Familie, ihre Freunde geladen haben: Nach und nach treffen die jungen Leute ein, die Eltern und ihre jüngsten Kinder, Lorchen und Beißer, nehmen gleichfalls an dem Fest teil. Kein großes, unerhörtes Ereignis allem Anschein nach. Aber die allgemein waltende Unruhe, „das Schwanken des Bodens unter den Füßen, das Drüber und Drunter aller Dinge" (VIII, 622) zeigt sich gerade im Alltag der Familie. Das Personal ist teils unzufrieden mit dem durch die Inflation verursachten Abstieg in den Dienstbotenstand, teils latent aufsässig. Die Inflation macht es auch für Villenbewohner wie die Familie Cornelius zu einem täglich erneuerten Abenteuer, Lebensmittel zu kaufen – erst recht, wenn man den bürgerlichen Ehrgeiz entwickelt, den jungen Gästen Torte oder zumindest etwas Tortenähnliches anzubieten (VIII, 622): So Abel Cornelius, aus dessen Perspektive die Vorbereitungen und die Feier selbst geschildert werden.[31] Die eigentliche Unruhe und Beunruhigung geht allerdings von den jungen Leuten aus, von den „Großen", die ihre Eltern „Greise" nennen und durchaus unbürgerliche Lebensziele haben, wie auch von ihren Gästen, die ungezwungen und lässig ihre eigene jugendliche Lebensform feiern.

Bekanntlich sind zahlreiche biographische Details in diese Geschichte eingegangen: Das Alter der Großen, der Greise, der beiden kleinen Kinder entspricht in etwa dem Alter von Erika und Klaus, Katia und Thomas, Michael und Elisabeth Mann im Jahr 1923 (Golo und Monika fehlen), Haus, Haushalt und Dienerschaft korrespondieren auch in Einzelheiten mit den Verhältnissen in der Poschingerstraße, die geladenen jungen Leute haben teilweise genaue Vorbilder im Freundeskreis von Erika und Klaus Mann – und überhaupt soll sich einer späten Bemerkung Erika Manns zufolge das ganze Ereignis ebenso abgespielt haben, wie wir es in der Novelle vorfinden. Eine derartige Ausbeutung, Nutzung oder Beseelung eigener Erfahrungen und Erlebnisse ist nicht eben überraschend für das Werk Thomas Manns.[32]

---

31 Vgl. hierzu David Turner: Balancing the Account: Thomas Mann's Unordnung und frühes Leid, in: German Life & Letters, vol. LII (1999), S. 43–57.

32 Sascha Kiefer (zit. Anm. 7) weist zu Recht auf den Publikationskontext der Novelle hin, der eine autobiographische Lektüre geradezu provoziere: Sie erscheint in der Geburtstagsausgabe der Neuen Rundschau, in der überdies Fritz Strich den autobiographischen Spuren im Werk Thomas Manns nachgeht.

Aber eine autobiographische Lektüre dieser Novelle läßt außer Acht, daß hier ein Generationskonflikt literarisch verhandelt wird, der die literarische Szene seit längerem beschäftigt. Gerade dieser Aspekt macht die Feier im Haus der Familie Mann (wenn es sie denn in dieser Form gegeben hat) allererst literaturfähig und verwertbar. Auf die Beunruhigung, die von der unbürgerlichen Lebensform der Jugend für die Alten ausgeht, legt die Novelle jedenfalls den Hauptakzent:

Auf der einen Seite steht die Figur des Abel Cornelius. Er ist Professor der Geschichte, und für Professoren der Geschichte gilt in dieser Novelle,

... daß sie die gegenwärtige Umwälzung hassen, weil sie sie als gesetzlos, unzusammenhängend und frech, mit einem Worte, als ‚unhistorisch‘ empfinden, und daß ihr Herz der zusammenhängenden, frommen und historischen Vergangenheit angehört (VIII, 626).

Im Fall des Abel Cornelius ist es die Geschichte Philipps II. Er liest

... über den sachlich aussichtslosen Kampf des langsamen Philipp gegen das Neue, den Gang der Geschichte, die reichzersetzenden Kräfte des Individuums und der germanischen Freiheit, über diesen vom Leben verurteilten und also auch von Gott verworfenen Kampf beharrender Vornehmheit gegen die Mächte des Fortschritts und der Umgestaltung. (VIII, 633)

Die Sympathie des Professors für den vornehmen, langsamen König, der sich in einem aussichtslosen Kampf gegen das Neue befindet, markiert sein eigenes Verhältnis zu den gegenwärtigen Mächten des Fortschritts und der Umgestaltung. Angesichts der im eigenen Haus um sich greifenden Unruhe zieht sich Cornelius denn auch in sein Arbeitszimmer, sein „gefriedetes Reich" (VIII, 639) zurück. Aber diese Einfriedung ist brüchig: Bereits bei den Geräuschen, die auf die Ankunft der jungen Leute schließen lassen, verspürt er „Erregung, Erwartung und Beklemmung" (VIII, 634).

Auf der anderen Seite stehen die Jungen: Die eigenen, großen Kinder, die sich gelegentlich mit dem Personal verbrüdern, allen Erscheinungsformen des Antibürgerlichen gegenüber aufgeschlossen sind und ihre Eltern, die Alten, die Greise, mit ironischer Nachsicht behandeln. Zu ihnen gehören die Gäste, eine bunte Mischung aus Schauspielern, jungen Börsenspekulanten, Wandervogel-Typen, „von der Zeit ganz eigens erfundenen Existenzen" (VIII, 646). Abel Cornelius nimmt sie als Mächte des Fortschritts und der Umgestaltung wahr, aber er kämpft nicht eigentlich gegen sie an, und die jungen Leute kämpfen gleichfalls nicht – auch wenn einer der jungen Leute, der Schauspieler Herzl, gerade den Don Carlos spielt (VIII, 638). Man plaudert mit dem alten Herrn, läßt mitunter ein wenig Bildungslack erkennen, aber mehr aus Nachsicht denn aus Respekt oder Ehrfurcht.

Zum Medium der neuen Lebensform avanciert das Grammophon, das zum Befremden des Hausvaters die „sonderbaren Weisen der neuen Welt" hören läßt, „jazzartig instrumentiert, mit allerlei Schlagzeug [...] und dem schnalzenden Geknack der Kastagnetten, die aber eben nur als Jazz-Instrument und durchaus nicht spanisch wirken" (VIII, 640), durchaus nicht spanisch im Sinne des Geschichtsprofessors. Die jungen Leute tanzen zu den exotischen Klängen des Grammophons, das

... seine Shimmys, Foxtrotts und Onesteps erschallen läßt, diese Double Fox, Afrikanischen Shimmys, Java dances und Polka Creolas – wildes, parfümiertes Zeug, teils schmachtend, teils exerzierend, von fremdem Rhythmus, ein monotones, mit orchestralem Zierat, Schlagzeug, Geklimper und Schnalzen aufgeputztes Neger-Amüsement (VIII, 647).

Diese Beschreibung läßt nicht nur das Befremden des Geschichtsprofessors erkennen, sondern auch seine Erregung. Bei den jungen Leuten klingt alles durcheinander, eine wilde, heterogene Mischung aus allen Weltregionen. Ein größerer Kontrast zur „Fülle des Wohllauts", der Hans Castorp auf dem Zauberberg lauscht, läßt sich kaum denken.[33] Erscheint dort das Grammophon als Medium der Todessehnsucht, so avanciert es hier zu einem Ausdrucksmittel der Jugend und des Lebens. Im Vergleich mit den zahlreichen Musikszenen im Werk Thomas Manns liefert diese Passage sozusagen einen neuen Ton. Anstelle von Wagner oder auch Castorps Wagner-Substituten (Debussy, Bizet, Gounod, Schubert) erklingen ausschließlich Werke der leichten Muse: alles, was die populäre Musik der frühen zwanziger Jahre an Buntem, Weltläufigem zu bieten hat.

Und dennoch spielt ein wenig Wagner in dieses *Potpourri* der Moderne hinein. Wenn aus der Perspektive des Professors von *„parfümiertem"* Zeug die Rede ist und mit dieser Wendung der Aspekt unnatürlicher, im schlechten Sinne künstlicher Wirkung kritisiert wird, erinnert das an die Empörung, mit der Edmund Pfühl, Organist an St. Marien, in den *Buddenbrooks* die Klavierauszüge aus *Tristan und Isolde* zurückweist: „Das ist keine Musik'", so Pfühl zu Gerda Buddenbrook.

,Dies ist das Chaos! Dies ist Demagogie, Blasphemie und Wahnwitz! Dies ist ein *parfümierter* Qualm, in dem es blitzt! Dies ist das Ende aller Moral in der Kunst! Ich spiele es nicht!' (1.1, 547 f. – Hervorhebung vom Verf.)

Pfühl spielt es dann aber doch.

---

[33] Vgl. dazu: Werner Hoffmeister: Thomas Manns Unordnung und frühes Leid. Neue Gesellschaft, neue Geselligkeit, in: Monatshefte, Nr. 82 (1990), S. 157–176, 170 f.

Was bedeutet dieses beiläufige Selbstzitat? Die Musik der jungen Leute mag mit der Musik Wagners nicht viel gemein haben, aber sie wird mit Argumenten kritisiert, die Thomas Mann immer wieder gegen Wagner anführt und die erkennbar auf Nietzsches Wagner-Kritik zurückgehen.[34] Wagners Musik sei (so Nietzsche) der Inbegriff der Künstlichkeit, sie operiere mit künstlichen Mitteln, um einen künstlichen Rausch zu erzeugen. Und sie wirke enervierend, vor allem auf die Sinne. Ungeachtet seiner Wagner-Liebe macht sich Thomas Mann diese Diagnose schon im Frühwerk literarisch zu eigen. Und hier überträgt er sie beiläufig auf die populäre Musik der Gegenwart.

Es hat den Anschein, als gäbe der Fortgang der Handlung dem Befremden des Professors recht: Die Musik wirkt ganz offensichtlich erotisierend und berauschend – weniger auf die jungen Leute als auf die Jüngsten, genauer auf das kleine, 5jährige Lorchen, das von dem jungen Max Hergesell zum Tanz aufgefordert wird und sich fortan nicht mehr von ihm lösen mag. „„Es verhält sich an dem‟", so die blaue Anna, das Kindermädchen, „„daß bei dem Kind die weiblichen Triebe ganz uhngemein lepphaft in Vorschein treten‟". (VIII, 653) Bei allem Unmut über derartige Kommentare sieht Cornelius das bestätigt: „Was hat die Tanzgeselligkeit da angerichtet mit ihren Ingredienzien!", denkt er, eine „recht- und heillose Leidenschaft". (VIII, 653 f.) Lorchen will in ihrem frühen Leid von ihrem Vater nichts mehr wissen. Statt dessen wünscht sie sich einen Bruder wie Max Hergesell, der zuletzt unverhofft als „Glückbringer, Märchenprinz und *Schwanenritter*" an ihr Bettchen tritt und sie tröstet. (VIII, 655)[35] Allerdings geht es hier, daran läßt die Geschichte keinen Zweifel, nicht um eine Verführung zum Tode, sondern um eine Hinwendung zum Leben.

Die Episode verletzt den Vater vor allem deswegen, weil er seine jüngste Tochter auf eine komplizierte Weise im Zeichen des Todes liebt – und sie nun erstmals ans Leben zu verlieren fürchtet. Die Liebe dieses Historikers gehört dem Zeitlosen, dem Ewigen der Vergangenheit, dem Tod als „Quelle aller Frömmigkeit und alles erhaltenden Sinnes" (VIII, 627). Dazu zählt für ihn auch die Vaterliebe zur Tochter, ausdrücklich eine zeitlose, ewige Form, die sich gegen „die Frechheiten der Zeit" richtet.

Inwiefern eine solche Vaterliebe gegen die Frechheiten der Zeit gerichtet sein kann, klärt sich ein wenig, wenn man ihren literarischen Kontext in den Blick nimmt. Im 1919 publizierten *Gesang vom Kindchen*, dem Hexameter-Idyll anläßlich der Geburt und Taufe der jüngsten Tochter Elisabeth, hat Tho-

---

[34] Vgl. etwa Friedrich Nietzsche: Der Fall Wagner, in: ders.: Werke. Kritische Gesamtausgabe, hrsg. von Giorgio Colli und Mazzino Montinari, Berlin: de Gruyter 1969, Bd. 6.3, S. 15 ff.

[35] Hervorhebung vom Verf. Diese beiläufige Wagner-Anspielung wird noch einmal wiederholt: Wenig später blickt Lorchen glücklich „zum Schwanenritter" Max Hergesell auf. (VIII, 655)

mas Mann selbst Treue zum Abgelebten, zum Tode und zur Geschichte mit der eigenen Vaterliebe zur Tochter in Verbindung gebracht:[36] Ein literarisches Erzeugnis – so ein Selbstkommentar von 1921 – des Bedürfnisses nach dem „Bleibenden, Unberührbaren, Ungeschichtlichen, Heiligen".[37]

Dieses Bedürfnis nimmt 1925 in der Figur des Abel Cornelius noch einmal literarische Gestalt an – und nun wird es mit der Unruhe des Lebens und der Jugend konfrontiert: Die Auseinandersetzung geht nicht nur insofern zugunsten der Jugend aus, als Lorchen den jungen Max Hergesell ihrem geliebten Vater entschieden vorzieht. Cornelius selbst zeigt sich von der Unruhe angezogen und erregt, die mit der neuen Generation in sein Haus kommt.[38] Und wenn er den Kampf Philipps II., seines Hauskönigs, gegen das Neue bei aller Sympathie für sachlich aussichtslos, vom Leben verurteilt und von Gott verworfen hält, so räumt er damit bereits seine eigenen, gegen die Jugend gerichteten Stellungen.

Das literarische Votum für das Neue schlägt sich auch in der Form der Novelle nieder: Sieht man vom Spiel mit Philipp und Don Carlos ab, erscheinen die intertextuellen Bezüge vergleichsweise zurückgenommen. Wenn Jazz-Musik als Wagner-Substitut und der junge Hergesell als Schwanenritter figuriert, ist eine Schwundstufe mythisch-musikalischer Präsenz erreicht, die im Werk Thomas Manns kaum noch unterschritten wird. Die Novelle verzichtet auf jede offenkundige Anknüpfung an heilige, kanonische Texte, wie sie den *Tod in Venedig* und den *Zauberberg* gleichermaßen kennzeichnen. Statt dessen erprobt sie eine Öffnung zur zeitgenössischen Wirklichkeit, eine Ausrichtung auf die Lebenswelt der Gegenwart, was man als Annäherung an die Poetologie der Neuen Sachlichkeit qualifizieren kann.[39]

⁜

Klaus Mann bekommt die Novelle im Mai 1925 – noch vor dem Erstdruck – zu lesen und ist nicht gerade entzückt. In einem Brief an seine Schwester Erika

---

[36] Anläßlich der Taufschilderung heißt es da: „Nicht gemein, nicht bösen Willens nenn' ich den Mann mir, / Der, wenn vieles versinkt und grell die Fanfare der Zukunft / Schmettert, auf sie nicht nur lauscht, nicht ganz ausschließlich auf sie nur; / Der auch dem Abgelebten, dem Tode und der Geschichte / Einige Treue immer bewahrt und still auf der Dinge / Steten Zusammenhang fortpflegenden Sinnes bedacht bleibt." (VIII, 1100)

[37] So Thomas Mann an die Rupprechtpresse, München, 25.3.1921 (XI, 587 ff., 588).

[38] Der *Gesang vom Kindchen* sei „später, in günstigerer Verfassung, durch ‚Unordnung und frühes Leid' überboten und richtiggestellt" worden, schreibt Thomas Mann im *Lebensabriß* von 1930 (XI, 129). Vgl. hierzu den Aufsatz von Hoffmeister (zit. Anm. 33), der die Novelle als Ausdruck der Selbstüberwindung qualifiziert.

[39] In diesem Zusammenhang gehört auch, daß Thomas Mann das Präsens als Erzähltempus wählt: Darauf hat David Turner aufmerksam gemacht (zit. Anm. 31).

vom Mai 1925 spricht er vom „Novellenverbrechen" seines Vaters;[40] diese und
spätere Bemerkungen Klaus Manns über *Unordnung und frühes Leid* hat man
vor allem auf sein prekäres literarisches Porträt in der Figur des Bert Cornelius
bezogen, dem von Seiten des Vaters jede Begabung abgesprochen wird: Mein
armer Bert, räsoniert Abel Cornelius, „der nichts weiß und nichts kann und
nur daran denkt, den Hanswursten zu spielen, obgleich er gewiß nicht einmal
dazu Talent hat". (VIII, 643) Das wird verbrecherisch-verletzend gewirkt haben, selbst wenn die Vaterfigur der Novelle ihrerseits ironisch relativiert
wird.[41] Aber für den jungen, ambitionierten Schriftsteller wirkt womöglich
ebenso verbrecherisch, daß der Vater mit der Novelle sein eigenes und einziges
Sujet besetzt: die literarische Bestimmung der zeitgenössischen Jugend. Dagegen läßt sich nur literarisch vorgehen. Der Vorklang einer solchen literarischen
Antwort findet sich in dem Essay, den Klaus anläßlich des 50. Geburtstags seines Vaters im Mai 1925 schreibt: „Ich habe gesagt," heißt es da,

... daß noch nie eine Generation so weit getrennt war von der vorhergehenden als unsere von der unserer Väter – das ist mein Glaube, und dagegen darf auch nicht sprechen,
daß dieser Gegensatz in eigentlich noch keinem Kunstwerk ernstlich gestaltet worden
ist, denn das liegt nur daran, daß überhaupt das ganze Pathos, die ganze Sehnsucht unserer Generation ihre Gestaltwerdung noch nicht hat erleben dürfen.[42]

Der Nachsatz ist bemerkenswert: In ihm spricht Klaus Mann auch seinem Vater ab, den Gegensatz der Generationen gestalten zu können – und in der Ge-
burtstagsnovelle *Unordnung und frühes Leid* gestaltet zu haben. Im Folgejahr
macht sich Klaus Mann daran, auf die literarische Provokation seines Vaters literarisch zu antworten.

Seine *Kindernovelle* knüpft erkennbar an *Unordnung und frühes Leid* an:
Sie nimmt gleichfalls die eigene Familie zum Vorbild – hinter der (verwitweten) Mutter und ihren vier Kindern lassen sich Katia, Erika, Klaus, Golo und
Monika Mann erkennen; der Vater ist seit längerem verstorben, aber in Gestalt
einer Totenmaske präsent. Und die Novelle schildert die folgenreiche Unruhe,
die ein junger Mann in diese Familienstruktur hineinträgt. Die Handlung spielt

---

40 So im Brief an Erika vom 17. Mai 1925 (Klaus-Mann-Archiv, München), zit. nach: Fredric
Kroll/Klaus Täubert: Klaus-Mann-Schriftenreihe, Bd. 2: 1906–1927. Unordnung und früher Ruhm,
Wiesbaden: Blahak 1977, S. 122.

41 Daß Abel Cornelius sich versuchsweise sagt, „daß Bert bei alledem ein feiner Junge ist, [...]
daß möglicherweise ein Dichter in ihm steckt oder so etwas [...]" (VIII, 643), ist nicht dazu angetan, seinen Vaterpessimismus einzuschränken. Klaus Mann schreibt jedenfalls Jahre später im Tagebuch „von der ungeheuer oberflächlichen – weil un-interessierten – Schilderung in ,Unord-
nung'" (vgl. Klaus Mann: Tagebücher 1936–1937, hrsg. von Joachim Heimannsberg, Peter
Laemmle und Wilfried F. Schoeller, München: edition spangenberg 1990, S. 110).

42 Klaus Mann: Mein Vater (zit. Anm. 13), S. 49.

in einem Haus, das zwar nicht der Villa in der Poschingerstraße, dafür aber in zahlreichen Details dem Mannschen Sommerhaus in Bad Tölz entspricht.

Das hermetisch-entrückte Leben der Mutter Christiane mit ihren vier Kindern Heiner, Renate, Fridolin und Lieschen wird unversehens von einem jungen Mann irritiert, der geradezu emblematisch als Prototyp der europäischen Jugend ausgewiesen wird. Als die Kinder diesen Fremden in seinem Hotelzimmer besuchen, finden sie eine sorgfältig arrangierte Unordnung vor:

Ein solches Durcheinander von Zeitschriften, Broschüren und Büchern hatten sie noch niemals gesehen, bei der Berliner Illustrierten lag der Wille zur Macht, das Neue Testament bei einem amerikanischen Modejournal, eine Schrift über Sexualpathologie bei Buddhas Reden, naturwissenschaftliche Werke bei zweifelhaften Pariser Roman-Novitäten, Broschüren über Rußland dazwischen, viel Photographien, kubistische Zeichnungen, Puppen. Die Kinder blätterten aufgeregt in allen Journalen, schrien vor Schreck und Freude über expressionistische Reproduktionen, machten sich kichernd aufmerksam auf komische Titelblätter, ausgefallene Namen. Halb angezogen trat Till zu ihnen. Mit ihnen lachend, musterte er den Wust von Büchern und Heften. ‚Ja, ja, ich bin ein junger europäischer Intellektueller!' sagte er, und sein Lachen war hell und vergnügt.[43]

Das nimmt sich als Gegenbild zum gefriedeten Arbeitszimmer des Abel Cornelius aus. Nicht die Vergangenheit regiert hier, sondern die Gegenwart mit all ihren kulturellen Ausdrucksformen: Neuste Kunst, Mode, Photographie, Roman-Novitäten, Psychoanalyse, ein wenig Naturwissenschaft und Politik. Sport als Kulturphänomen der 20er Jahre folgt in der nächsten Szene: Da springt Till zum Entsetzen der Kinder lachend in den eisigen Klammer-Weiher.[44]

In kurzer Frist erobert dieser Till die Herzen der Kinder – und die Leidenschaft der Mutter. Man kann auch das als Fortschreibung und Überbietung der väterlichen Novelle lesen: Was Lorchen sich zum Befremden ihres Vaters verzweifelt wünscht: einen Bruder wie Max Hergesell, wird den Kindern der *Kindernovelle* ganz zwanglos zuteil: Till wird zu ihrem Freund, Spielkameraden und Vorbild. Und darüber hinaus fällt ihm das Begehren der Mutter zu. Es kommt zu einer Liebesnacht, einer einzigen, in der ein Kind gezeugt wird. Anderntags reist Till ab, aber das Leben kehrt nicht mehr in seine alten Bahnen zurück. In den Monaten bis zur Geburt, mit der die Novelle schließt, erleben die Kinder die Veränderungen, die das werdende Leben mit sich bringt, und sie erleben erstmals den Tod.

Wie Thomas Mann sich in der Vaterfigur des Geschichtsprofessors spiegelt,

---

[43] Klaus Mann: Kindernovelle, in: ders.: Maskenscherz. Die frühen Erzählungen, hrsg. von Uwe Naumann, Reinbek bei Hamburg: Rowohlt 1990, S. 148.
[44] Vgl. ebd., S. 149 f.

so Klaus Mann (u.a.) in dem ältesten Sohn der Familie: Anstelle historischer Reflexionen gibt er Einblicke in die Lebenswelt der Kinder, in ihre Spiele, ihre Weltwahrnehmung und ihre Ängste. Hierin liegt die literarische Stärke der Novelle. Vor allem aber zielt sie auf eine Bestimmung und Rechtfertigung der Jugend, die mit Till, einer weiteren Spiegelfigur Klaus Manns, in Erscheinung tritt.

Dieser Till findet keinen väterlichen Konkurrenten vor, kein Zerrbild einer alten, längst abgelebten Ordnung; die Pointe der Novelle liegt darin, daß er den verstorbenen Vater als radikalen Philosophen verehrt und überhaupt nur seinetwegen das entlegene Haus der Familie aufsucht. Offenbar schätzt er die Radikalität des Verstorbenen, die diesen vom katholischen Priester zum Kirchenfeind und nihilistischen Philosophen avancieren ließ: „Von seinen beunruhigenden und radikalen Schriften sprach das ganze Europa", heißt es.[45] Till geht den Spuren des Verstorbenen nach und eignet sich vorübergehend dessen Positionen an. Noch am Tag seines ersten Besuchs betrachtet er (neben der Totenmaske) zwei auf dem Schreibtisch plazierte Kultgegenstände des Verstorbenen: die Photographie eines frühgotischen Christus, die er selbst längst besitzt („ja, ich wußte, daß ihr Mann ihn so liebte", bemerkt er beiläufig) – und die „Photographie Christianens als Braut", die zuletzt eine Art Symbol für ihren Mann war.[46] In dieser Szene ist vorgezeichnet, daß Till Christiane wenig später gleichfalls „besitzen" wird. Aber als Vatermord soll das offenbar nicht erscheinen: Es ist Christiane, die den jungen Mann begehrt und ihn verführt.

Diese Form der flüchtigen Aneignung, eine Verdrängung mit leichter Hand sozusagen, ist symptomatisch.[47] Als Skandal, als Gefährdung oder Auflösung der bürgerlichen Ordnung wird das Verhältnis zwischen Christiane und Till von keinem der unmittelbar Beteiligten erlebt, allenfalls vom Personal. An die Stelle der Tabubrüche, wie sie den Lebensweg des Verstorbenen markieren, ist eine bewegliche Lebensform getreten, die sich immer neuen Eindrücken öffnet, ohne jemals in einer ideologischen, gesellschaftlichen oder familiären Position zu verharren. Das Kultur-Kaleidoskop des Hotelzimmers führt diese programmatische Beweglichkeit vor Augen: Es sind nicht nur neue und neuste Kulturphänomene, mit denen sich Till da umgibt, es sind vor allem kulturelle Gegensätze. Da finden sich Tiefes und Seichtes, Weisheit und Entlarvung, Naturwissenschaft und Religion, Religion und Religionskritik, Politik und Pup-

---

[45] Ebd., S. 136.

[46] Vgl. ebd., S. 142 f.

[47] Bezeichnenderweise sind in der *Kindernovelle* auch keine anderen Vaterfiguren präsent: Tills Eltern sind verstorben: „Wir haben niemanden, mein Bruder und ich", bemerkt er beiläufig (ebd., S. 144); Christiane hat offenbar keinen Kontakt zu ihrem Vater; ihr Bruder Gaston sieht ihn nur selten (vgl. ebd., S. 164).

pen.[48] Keine Position wird hier erkennbar, sondern Positionen, die sich wechselseitig aufheben und neutralisieren.

Hinter dieser emblematischen Vergegenwärtigung einer jugendlichen Lebensform bleibt die Form der Novelle allerdings zurück. Klaus Manns *Kindernovelle* zeigt die Unordnung und Unruhe der Jugend, ihr ungebärdiges Herz, ihre schweifende Seele,[49] aber sie greift zugleich auf traditionelle, mythisch-religiöse Deutungsmuster zurück. Vor allem die Liebesgeschichte zwischen Christiane und Till ist mit religiösem Pathos aufgeladen, das der so genuin schweifend-unverbindlichen Lebensform der Jugend entgegensteht: „Christiane hatte nicht acht auf ihre vier Kinder, jetzt war sie nicht Mutter. Ihr ganzer Körper und ihre ganze Seele warteten auf des fünften Kindes Empfängnis."[50] Gegen diesen Satz lassen sich stilistische Einwände geltend machen, etwa der, daß ein solcher Genitiv in der Moderne nicht mehr möglich ist. Aber darum soll es hier nicht gehen. Der Satz, das Stichwort „Empfängnis", leitet über zu einer religiösen Überhöhung des Liebesaktes, in der Christiane zu einer Marienfigur avanciert.

Sie schloß die Augen, ein Gedanke kam ihr, den sie nicht mehr festzuhalten wagte, unter dessen gar zu großer Süße sie erbebte. Von woher war er geschickt? Erkannte sie ihn denn nicht, den Engel, der Unruhe brachte in ihre Kammer? – Dann hieß sie Maria und wartete der Empfängnis.[51]

„Ob es ein Junge wird?", fragt sich Christiane später lächelnd.[52] Tatsächlich wird es ein Mädchen, aber dadurch ist die evozierte christologische Heilserwartung nur ein wenig zurückgenommen. Innerhalb der Novelle erhält das religiöse Pathos keinen Einspruch, kein stilistisches Gegengewicht, und es steht in einem unaufgelösten Widerspruch zur ausgestellten, programmatisch unverbindlichen Lebensform der Jugend.

*

Thomas Manns *Unordnung und frühes Leid* und Klaus Manns *Kindernovelle* kreisen um eine literarische Neubestimmung von Jugend und Alter, Unordnung und Ordnung, Innovation und Tradition. Die von Hans Rudolf Vaget

---

48 Vgl. ebd., S. 148.
49 So Christiane über Till: vgl. ebd., S. 165.
50 Ebd., S. 155. Die bevorstehende Empfängnis erscheint ihr denn auch als Akt göttlicher Gnade: „In ihrem Herzen konnte keine Sekunde Zweifel aufkommen darüber, daß sie Seiner Gnade und Herrlichkeit in diesen Tagen der wartenden Wollust so nahe war wie noch nie."
51 Ebd., S. 156.
52 Ebd., S. 166.

zusammengetragenen zeitgenössischen Rezeptionszeugnisse bestätigen diese Einschätzung nahezu einstimmig. Thomas Manns Novelle sei eine Antwort auf die Fragen der jungen Generation, steht da zu lesen;[53] ein junger Schriftsteller protestiert öffentlich gegen das in *Unordnung und frühes Leid* gezeichnete Bild der Jugend.[54] Als im Herbst 1926 beide Texte in kurzem Abstand in Buchform erscheinen, tritt dieser Aspekt noch deutlicher ins Bewußtsein: Thomas Mann und Klaus Mann seien Repräsentanten „vieler Väter und Söhne", heißt es in einer vergleichenden Rezension;[55] in einer anderen: Vielleicht wären die Generationen „noch nie so scharf geschieden wie heute", und die Novellen seien Ausdruck dieses Geschiedenseins.[56]

Den Zeitgenossen ist durchaus nicht verborgen geblieben, daß es hier um einen veritablen literarischen Generationskonflikt geht und daß dieser in den Novellen ungleich offener ausgetragen wird als in den zur gleichen Zeit erscheinenden Essays von Thomas und Klaus Mann – allerdings unter Verzicht auf eine unmittelbare Konfrontation zwischen Jugend und Alter, zwischen Vater und Sohn. In Thomas Manns Novelle erscheint dem Vater der Kampf gegen das Neue letztlich aussichtslos. Und überdies entwickelt die Lebensform der Jugend eine substantielle Anziehungskraft gerade auf denjenigen, der sie als Auflösung und Gefährdung seiner eigenen Bürgerlichkeit erlebt. In Klaus Manns *Kindernovelle* dagegen erscheint aus der Sicht der Jugend der Kampf gegen das Alte in zweifacher Hinsicht gegenstandslos. Für Till ist die Vaterfigur Gegenstand offener Verehrung, – und sie ist tot.

Obwohl es in beiden Familiennovellen zu keinem offenen Konflikt kommt, treten die Differenzen zwischen der jungen und der alten Generation deutlicher hervor, als es die gemeinsam entwickelte, versöhnliche Formel von den „Neuen Eltern" und den „Neuen Kindern" suggeriert. Nimmt man die zeitgenössischen literarischen Trends der Weimarer Republik zum Maßstab, die sich Mitte der 20er Jahre um den Begriff der „Neuen Sachlichkeit" kristallisieren, erscheint paradoxerweise Thomas Mann als Vertreter der alten Generation ein wenig avantgardistischer. *Unordnung und frühes Leid* thematisiert die ins

---

[53] Vgl. Ernst Heilborn: Thomas Mann. Unordnung und frühes Leid, in: Literatur, Bd. 29 (1927), S. 230 f. Thomas Mann selbst bezeichnet die Novelle rückblickend als ein Zeitbild auch insofern, als „das Generationsproblem, welches der Krieg mit besonderer Schärfe aufgeworfen hatte, auf eine leichte Art antönte" (XIII, 161). Die Hinweise auf die Rezensionen verdanke ich Hans Rudolf Vaget: Thomas Mann-Kommentar zu sämtlichen Erzählungen, München: Winkler 1984, S. 215–218.

[54] Vgl. Hans Kafka: Ein Brief an Thomas Mann, in: Die literarische Welt, 26.11.1926.

[55] Vgl. Bernhard Diebold: Senior und Junior. Ein ganz unliterarisches Kapitel, in: Frankfurter Zeitung, 24.11.1926.

[56] Vgl. Detmar Heinrich Sarnetzky: Thomas Mann. Unordnung und frühes Leid, in: Kölnische Zeitung, 9.11.1926.

Schwanken geratene Lebenswelt der Gegenwart, zu der u.a. die Einebnung der gesellschaftlichen Hierarchien, die neuen Medien, die neue Musik, die neue Geselligkeits- und Unterhaltungskultur gehören. Thomas Mann liefert ein „Zeitbild" aus der Perspektive der alten Generation unter beinahe vollständigem Verzicht auf einen mythologischen oder literarischen „Überbau".

Klaus Mann dagegen läßt in seiner *Kindernovelle* die Jugend selbst zu Wort kommen und greift dabei auf pathetisch-religiöse Deutungsmuster zurück, die der „Neuen Sachlichkeit" der zwanziger Jahre entgegenstehen. Den für die Jugend charakteristischen Urwiderstand gegen jede Tradition hat Klaus Mann offenbar so gründlich überwunden, daß er geradezu traditioneller erzählt als sein Vater.

Manfred Eickhölter

Thomas Mann stellt seine Familie – *Buddenbrooks*

Literatur als Lebenspraxis? Eine methodische Annäherung

1. Lebenspraxis und Literatur

Thomas Mann, *Lebensabriß*, 1930:

… und neben meiner redaktionellen Tätigkeit, für die man mir luxuriöserweise ein eigenes Zimmer mit prächtigem Schreibtisch eingeräumt hatte, lief die Förderung des persönlichen Hauptgeschäftes, die Arbeit an ‚Buddenbrooks‘ her, der nach meinem Ausscheiden aus dem Langen'schen Verbande[1] mein Tätigkeitstrieb wieder allein zustatten kam. Bei meiner Mutter, vor Geschwistern und Hausfreunden, las ich zuweilen aus der Handschrift vor. Das war eine Familienunterhaltung wie eine andere, man lachte, und wenn mir recht ist, war die allgemeine Auffassung die, es handle sich bei meinem weitläufig-eigensinnigen Unternehmen um ein Privatvergnügen von geringen Weltaussichten und bestenfalls um eine ausgedehnte künstlerische Fingerübung. Ich wüsste kaum zu sagen, ob ich anderer Meinung war. (XI, 106 f.)

Thomas Mann an Heinrich Mann, 27.3.1901:

Dr. Heimann schreibt mir: ‚Es ist eine hervorragende Arbeit, redlich, positiv und reich. Ich bewundere es, dass der Zug zum Satirischen und Grottesken *die große epische Form nicht nur nicht stört, sondern sogar unterstützt.*‘ Dies Letzte ist mein besonderer Stolz. Also Größe trotz der Gipprigkeit[2]! Auf Größe war nämlich während der Arbeit fortwährend mein heimlicher und schmerzlicher Ehrgeiz gerichtet. (21, 163 f.)

Viktor Mann, *Wir waren fünf*, 1949:

Vergangenheit war es, was mich und uns alle in unserem Heim hauptsächlich umgab. Langsam wurde ich mir dessen klarer bewusst, und ich empfand es nicht etwa als unheimlich, gespenstisch oder drückend, sondern eher als Auszeichnung. Das lag wohl an der Art, wie die Familie über das Gewesene und die Vergangenen sprach. Und es wurde in diesen Jahren viel über beides gesprochen, denn Thomas war mit den in Italien begonnenen ‚Buddenbrooks‘ schon weit gekommen, und es stand fest, dass aus unserer Vergangenheit ein dickes Buch werden würde. Der junge Autor hatte sich von Mama alle alten Familienpapiere, vergilbte Aufzeichnungen, Briefe, Festerinnerungen und Urkunden zum Quellenstudium übergeben lassen, die in Truhen und Laden zu finden waren. Er fragte manches über diese und jene Episode und las der Familie auch Abschnitte

---

[1] Gemeint waren damit Thomas Manns Tätigkeiten im Verlag Albert Langen.
[2] Gippern bedeutete in der Brudersprache soviel wie ‚frivol daher reden‘.

des Manuskriptes vor. All das machte mir die Vergangenheit lebendig, und sie schien mir ehrenhaft und freundlich zu sein.[3]

Heinrich Mann, *Ein Zeitalter wird besichtigt*, 1943:

Ich sehe ihn an meiner Seite, wir beide jung, meistens auf Reisen, zusammen oder allein: an nichts gebunden – hätte man gesagt. Man weiß nicht, wie viel unerbittliche Verpflichtung ein Gezeichneter, der sein Leben lang hervorbringen soll, als Jüngling überall hin und mit sich trägt. Es war schwerer, als ich mir heute zurückrufen kann. Wir bedurften der ganzen Widerstandskraft unserer Jugend. [...] Die beste Gegenkraft hieß ‚Buddenbrooks. Verfall einer Familie'. [...] In dem Entwurf, den er unternahm, war es einfach unsere Geschichte, das Leben unserer Eltern, Voreltern, bis rückwärts zu Geschichten, von denen uns überliefert worden war, mittelbar oder von ihnen selbst. [...] Nur er begriff damals den Verfall: erfuhr gerade durch seinen fruchtbaren Aufstieg wie es geht, daß man absteigt, aus einer zahlreichen Familie eine kleine wird und den Verlust eines letzten tüchtigen Mannes nie mehr verwindet. Der zarte Junge, der übrig ist, stirbt, und gesagt ist alles für die ganze Ewigkeit. In Wirklichkeit, wie sich herausstellte, blieb vieles nachzutragen. [...] Die ‚verrottete' Familie, so genannt von einem voreiligen Pastor, sollte noch auffallend produktiv sein.[4]

Das Tableau der Zitate ist so angeordnet, dass deutlich werden kann: Die Entstehungsgeschichte und die Struktur des Erzählstücks *Buddenbrooks* ist untrennbar verbunden mit einer sozialen Kommunikation, es agiert in und reagiert auf einen Familiendiskurs. Das Stück war Teil einer „Familienunterhaltung", die „in jenen Jahren" um die Vergangenheit kreiste. Es trug dazu bei, dass diese Vergangenheit nicht als „unheimlich, gespenstisch oder drückend" empfunden werden musste, sondern als „freundlich" empfunden werden konnte. Worüber wird man gesprochen haben? Die nach München übergesiedelte Senatorenfamilie, die Witwe Julia Mann, geb. Bruhns, und ihre fünf Kinder Heinrich, Thomas, Julia, Carla und Viktor, war in ihrer damaligen Gegenwart von Vergangenem mehrfach umstellt. Sie hatte sich auseinanderzusetzen mit dem Urteil von Senior Ranke, „verrottet" zu sein. (Der Hauptpastor von St. Marien hatte u.a. Thomas Mann 1892 getauft.) Darüber wird man gesprochen haben; verletzt, getroffen, sich rechtfertigend, Erlebtes beschreibend, rekonstruierend. Das Testament des Vaters, der seiner Frau und seinen Kindern den Zugang zum Vermögen versperrte, war ein anderes Thema. Das bezeugt u.a. das im Archiv der Hansestadt Lübeck aufbewahrte Exemplar der Abschrift von Mutter Julia Mann. Es ist an den Rändern mit Anmerkungen, Fragezeichen, Kommentaren gefüllt. Des Vaters finanzielle Verfügungen waren kein Familiengeheimnis, Thomas schrieb im Mai 1898 an seinen Freund Otto Grautoff, er könne den Paragraphen nicht aus-

---

[3] Viktor Mann: Wir waren fünf. Bildnis der Familie Mann, Frankfurt/Main: Fischer Taschenbuch 1991 (= Fischer Taschenbücher, Bd. 1678), S. 63.

[4] Heinrich Mann: Ein Zeitalter wird besichtigt, Düsseldorf: Claassen 1974, 215 f.

findig machen, der bindend vorschreibe, dass nur die Zinsen ausgezahlt werden dürften, das Kapital selbst aber unangetastet zu bleiben habe.[5] Natürlich hatte man Kontakt zu Verwandten und Freunden in Lübeck, Lübeckern in München. Und man war von Einrichtungsgegenständen, Repräsentanten des unmittelbar Miterlebten, umstellt: dem Bücher- und Zigarrenschrank des Vaters, dem gläsernen Pokal zum hundertjährigen Firmenjubiläum, der Familienbibel. Man wird über den Vater gesprochen haben, sein Leben als Kaufmann und Senator, seinen Streit mit Heinrich, der trotz guter Schulaussichten alles hingeworfen hatte, um Schriftsteller zu werden. Und über des Vaters plötzliche Erkrankung, die Operation, den Tod; seine angeblich letzten Worte, dass er gern noch bei den Seinen geblieben wäre. Und dann die testamentarischen Verfügungen die Zukunft der Kinder betreffend, insbesondere die der Söhne. Wie sollte man das verstehen? Schriftsteller werden sollten sie auf keinen Fall; um sich als Kaufleute zu etablieren, hätten sie Kapital benötigt; das aber wurde für immer verweigert. Also weder für das, was sie wollten, noch für das, was sie kannten, wies der Vater ihnen einen Weg in die Zukunft. Hatte er sie verstoßen?

Die beiden reisten in diesen Jahren gemeinsam und allein, um sich auf ihre Bestimmung, „ein Leben lang hervorzubringen", vorzubereiten, der Ältere immer um vier Jahre voraus, der Jüngere gerichtet mit „heimlichem und schmerzlichem Ehrgeiz" auf „Größe".

Der entstehende Familienroman wendet sich von den gegenwärtigen Zuständen und Konfliktfeldern der Familie nicht ab, sondern nimmt sie auf und greift gestaltend ein. Dadurch, dass in *Buddenbrooks* die Dokumente, die Papiere, die Briefe fiktional zum Leben erweckt werden, wurde der Familie die Möglichkeit eröffnet, das eigene nicht undramatische Erleben und das persönliche Erinnern zu spiegeln an einem zeitlichen Horizont, der weit hinter die unmittelbar erlebte Gegenwart zurückgriff. Als Erzählung aber, die eine weit zurückliegende Familienvergangenheit als gegenwärtig erlebbar machte, konnte der Text eine Entlastung vom Erlebten leisten, weil das Erlebte durch das erzählte Vergangene relativiert wurde. Die entstehende Dichtung war lebenspraktisch bezogen, und sie wirkte auf die Lebenspraxis ein. Das aktuelle Sich-Finden und Erfinden-Müssen der Familie und ihrer einzelnen Mitglieder vollzog sich mittels des Redens über die Vergangenheit. Es war eingebunden in die Rezeption eines Schreibens über die Vergangenheit. Es vollzog sich in einem emotionalen Klima, das ein Gut-mit-sich-Auskommen signalisiert. Wobei die Spannweite der Froschperspektive des Acht- bis Zehnjährigen, an den Viktor sich im Alter erinnert, wenn er von „lebendiger", „ehrenhafter" und

---

5 Manfred Eickhölter/Britta Dittmann: Allen zu gefallen – ist unmöglich. Thomas Mann und Lübeck, 1875 bis 2000. Eine Chronik, Lübeck: Schmidt-Römhild 2001, S. 32.

„freundlicher" Vergangenheit, ja von „Auszeichnung" schreibt, und der Vogelperspektive des jungen Dichters, den der ältere Bruder als „Gezeichneten" erinnert, beträchtlich ist. Und noch ein letztes: Als Thomas Mann 1897 begann, lag Heinrichs Roman *In einer Familie* schon seit drei Jahren gedruckt vor. Der Jüngere stellte die Beziehung selbst her mit dem Titel seines Romans: *Buddenbrooks. Verfall einer Familie.*

2. Die Romanlektüre der Familienforschung

Der Zusammenhang von Literatur und Lebenspraxis sowie seine Folgen, wie er bei den Manns vorliegt, hat das Interesse der Familienforschung geweckt. Hinweise, in Richtung „Generationenroman" zu untersuchen, waren Mitte der Siebziger Jahre von Helmut Koopmann[6] und Michael Zeller[7] gegeben worden. Und Hans Wysling hatte 1976 über eine akute Suizidgefährdung Thomas Manns während der Abfassung von *Buddenbrooks* berichtet.[8] 1987 legte Michael Vogtmeier, Literaturwissenschaftler und Psychologe, eine Studie mit dem Titel *Die Familien Mann und Buddenbrook im Lichte der Mehrgenerationen-Familientherapie* vor.[9] Sorgfältig wurden die wenigen sicheren Informationen über die Familie Mann bezüglich generationenübergreifender Bindungen, Aufträge, Delegationen von Großeltern über Eltern auf Kinder[10] getrennt gehalten von dem, was unser Roman zu bieten hat. Und das ist kurz gesagt, nicht wenig. Bis in die genealogischen Verästelungen der vierten Generation, im interaktiven Verhaltenssystem Tonys und ihrer Tochter Erika, lassen sich

---

[6] Helmut Koopmann: Thomas Mann. Konstanten seines literarischen Werks, Göttingen: Vandenhoeck & Ruprecht 1975 (= Kleine Vandenhoeck-Reihe, Bd. 1404).

[7] Michael Zeller: Väter und Söhne bei Thomas Mann. Der Generationsschritt als geschichtlicher Prozess, Bonn: Bouvier 1974 (= Bonner Arbeiten zur deutschen Literatur, Bd. 27), S. 100–173.

[8] Hans Wysling: Psychologische Aspekte von Thomas Manns Kunst, in: ders.: Thomas Mann heute. Sieben Vorträge, Bern/München: Francke 1976, S. 7–24.

[9] Michael Vogtmeier: Die Familien Mann und Buddenbrook im Lichte der Mehrgenerationen-Familientherapie. Untersuchungen zu Thomas Manns „Buddenbrooks. Verfall einer Familie", Frankfurt am Main/Bern/New York: Lang 1987 (= Europäische Hochschulschriften, Reihe 1, Deutsche Sprache und Literatur, Bd. 996).

[10] Einführend: Ivan Boszormenyi-Nagy/Geraldine Spark: Unsichtbare Bindungen. Die Dynamik familiärer Systeme, aus dem Amerikanischen übers. von Suzanne Annette Gangloff, 4. Aufl., Stuttgart: Klett-Cotta 1993 (= Konzepte der Humanwissenschaften. Texte zur Familiendynamik); Helm Stierlin: Eltern und Kinder. Das Drama von Trennung und Versöhnung im Jugendalter, Frankfurt/Main: Suhrkamp 1980 (= Suhrkamp-Taschenbuch, Bd. 618); ders.: Psychoanalyse – Familientherapie – systemische Therapie. Entwicklungslinien, Schnittstellen, Unterschiede, Stuttgart: Klett-Cotta 2001; Eckhard Sperling et al.: Die Mehrgenerationen-Familientherapie, Göttingen: Vandenhoeck & Ruprecht 1982.

Delegationen des alten Johann Buddenbrook nachweisen, können unsichtbare Bindungen der Urenkelin und der Enkelin an den Vorfahren durch die Blickwinkel des *Buddenbrook*-Erzählers plausibel gemacht werden.

Holprig gerät Vogtmeiers Argumentation, wenn er die Aussagen des Erzähltextes auf seine Informationen über die Familie Mann bezieht. Unhinterfragt wird vorausgesetzt, die im Roman dargestellten Mehrgenerationenzusammenhänge bildeten die historische Wirklichkeit getreu ab. Fiktion und Wirklichkeitskenntnisse werden gelegentlich wechselseitig aufeinander reduziert. Die psychologisch hochdifferenzierte Erzählung über die Ehe von Thomas und Gerda Buddenbrook muss in therapeutisch essentiellen Merkmalen mit der Ehe von Senator Mann und Julia da Silva-Bruhns übereinstimmen, obwohl die lückenhafte Familienüberlieferung nur Vermutungen erlaubt. Und differenziert dokumentierte Lebenskonflikte Thomas Manns wie der Bruderzwist oder die Homosexualität bleiben bei der familienpsychologischen Lektüre des Romans unberücksichtigt. Der psychologische und der literaturwissenschaftliche Ertrag der Untersuchung hätte höher ausfallen können, wenn die Studie methodisch von zwei unvereinbaren Aussagesystemen ausgegangen wäre, die der Text selbst als Differenz inszeniert. Und so kommt beim Lob der Fachzunft für Vogtmeiers und für Thomas Manns Leistung ein gewisses Unbehagen auf. Klaus A. Schneewind, Betreuer der Studie, schrieb anlässlich ihrer Veröffentlichung ein Vorwort:[11]

Mit seinem Erstlingsroman ist Thomas Mann nicht nur ein faszinierendes Stück Literatur aus dem Genre des Generationenromans gelungen, sondern auch – und dies ist die eigentlich familienpsychologische These – die Bewältigung einer tiefgreifenden Lebenskrise und ein wesentlicher Schritt zur eigenen Identitätsfindung. Was heute im familientherapeutischen Mehrgenerationenansatz als Technik der Familienrekonstruktion bezeichnet wird, hat Thomas Mann bei seinen Recherchen für die ‚Buddenbrooks‘ in gewisser Weise vorweggenommen: Er hat sich aus berufenem Munde über die politische und wirtschaftliche Situation Lübecks im 19. Jahrhundert informieren lassen; er hat ausgiebig in alten Dokumenten – insbesondere in den ‚Familienpapieren‘ der Manns – nachgelesen; er hat viele Gespräche mit seinen Verwandten geführt und sie gar [...] zu längeren schriftlichen Ausführungen über einzelne Personen der Familie bewegt. In Verwertung dieses Materials gelang Thomas Mann das Münchhausen'sche Kunststück, sich am eigenen Zopf aus dem Sumpf zu ziehen. Will sagen: Mit der Beschreibung des Verfalls der Kaufmannsfamilie Buddenbrook alias Mann nicht nur seine eigene Stabilität zu finden, sondern auch den Ruhm der Schriftsteller- und Gelehrtenfamilie Mann zu begründen. Fürwahr ein beeindruckendes Stück kreativer Familienselbsttherapie.

---

11 Vogtmeier, Mehrgenerationen-Familientherapie (zit. Anm. 9), S. XII f.

3. Das Dienstleistungsangebot der Literaturwissenschaft

Dass so etwas sich ereignen konnte, bzw. vorgefallen sein soll, weckt mehr als nur seelenwissenschaftliches Interesse; dieses „Kunststück" möchte vermutlich jeder gern genauer kennen. Eine Wissenschaft ist hier im besonderen zu erhöhter Wachsamkeit und zur Erbringung von Dienstleistungen aufgefordert, geht es doch um die potentiellen lebenspraktischen Funktionen ihres Hauptgegenstandes: die Literaturwissenschaft. Wie ist das „Verwerten des Materials" genau vor sich gegangen? Kann und darf man die Formulierung von dem „Verfall der Kaufmannsfamilie Buddenbrook alias Mann" akzeptieren? Und wenn nicht, wie kann man die Gleichsetzung von Wirklichkeitskenntnissen und Fiktion richtiger ansetzen? Welche Erläuterungen kann diese Wissenschaft geben, um dem Familienforscher zur Hand zu gehen, der im gutgläubigen Vertrauen auf die Leistungsfähigkeit der Literaturwissenschaft in einer anderen Passage seines Vorwortes zu Vogtmeiers Studie formuliert, Thomas Mann habe das Schicksal seiner Familie aufgegriffen, „um es in entsprechend verfremdeter und verdichteter Form in den ‚Buddenbrooks' wieder aufleben zu lassen"? Welchen Ideen, Diskursen, Theorien haben Autoren und Wissenschaftler zu entsprechen?

Ein literarisches Kunstwerk in anthropologischer Hinsicht zu beobachten, liegt auf der Grenze von literatur- und kulturwissenschaftlichem Arbeiten.[12] Den alltäglichen Funktionen des Erzählens in Prozessen der Selbstfindung, der Selbsterfindung und bei dem Versuch, gut mit sich auszukommen, hat Dieter Thomä eine Studie aus philosophischer Sicht gewidmet.[13] Indes nehmen die Strukturen und Funktionen von lebensweltlich gebundenem Erzählen an Komplexität deutlich zu, wenn Fiktion hinzutritt. Hier kann nur die Literaturwissenschaft mit ihrem Wissensfundus über die personalen und gesellschaftlichen Aussagemöglichkeiten von Figurationen und Masken, man denke etwa an das Beispiel der Bukolik, Antworten geben.

Das *Buddenbrooks-Handbuch* von 1988, Basisstandard unserer Forschungen, liefert solide Informationen zu vielem, aber die Frage, wie hier ein Autor Material verwertet, verfremdet, verdichtet, um es dienstbar zu machen für seine familiären Zwecke, zugespitzt formuliert, wie die Fiktion zum lebensrettenden Kunststück werden konnte, das beantwortet das Handbuch nicht. Es fragt auch nicht danach. Die Suche in dieser Richtung nimmt ihren Ausgang von Erklärungsnöten in unserem Untersuchungsfeld. Beinahe täglich werden

---

[12] Markus Fauser: Einführung in die Kulturwissenschaft, Darmstadt: Wissenschaftliche Buchgesellschaft 2003 (= Einführungen Germanistik), S. 41–65.
[13] Dieter Thomä: Erzähle dich selbst. Lebensgeschichte als philosophisches Problem, München: Beck 1998.

neue Realien zur Familie Mann entdeckt. Wie wirken sich deren Informationen auf die Lektüre des Romans *Buddenbrooks* aus? Die eine Standardantwort gesteht dem Dichter Freiheiten gegenüber der historischen Wahrheit zu, wobei dessen freizügig-lässiger Umgang mit Tatsachen als entschuldbares Kavaliersdelikt geduldet wird; die andere Antwort lautet, die Realien gehören in den Vorhof der Literatur und können eigentlich vernachlässigt werden, weil das Kunstwerk rein künstlerische Zwecke verfolgt. Beide Antworten gehören zum Inventar des stummen Wissens der Gegenwart. Im konkreten Fall geht es um die nicht mehr reflektierte, selbstverständlich gewordene Annahme, Wirklichkeit und Kunst, Reales und Fiktives seien als kategorial verschiedene Weltbereiche zu trennen. Es gibt Vorschläge, diese Selbstverständlichkeit zu modifizieren. Der folgende Werkstattbericht probiert einen dieser Vorschläge aus.

Der Blick könnte sich darauf richten, zu beobachten, wie unsere Fiktion arbeitet. Wie funktioniert das Fingieren, das Spielen mit dem Realen, was und wie wird *getilgt, ergänzt, gewichtet*? Und was gewinnt aus dem Bereich, den die Forschung mit unzulänglicher Begrifflichkeit als das Kombinationsvermögen, die Einbildungskraft, das Vorstellungsbewusstsein eines Autors umschreibt, in den literarischen Gestaltungen Kontur? Nennen wir es mit Goethe vorläufig und schlicht diejenigen Dinge unserer Erfahrung, die sich nicht rund aussprechen lassen. Wolfgang Iser hat in einer Grundlagenstudie Perspektiven einer literarischen Anthropologie entwickelt.[14] Im Ergebnis rät er dazu, die alte Entgegensetzung von Wirklichkeit und Fiktion, Realität und Dichtung aufzugeben. Dichtung sei die Form der Weltzuwendung eines Autors. Im Prozess des Fingierens werde Reales irrealisiert, und irreal Imaginäres würde in der Dichtung reale Gestalt annehmen und könne dadurch in der Welt erscheinen.

Diese produktionsästhetische Sicht auf die Entstehung eines Textes operiert mit drei Bezugsgrößen: dem Realen, dem Fiktiven und dem Imaginären. Es geht um das Verstehen von Aktionen und Interaktionen im dichterischen Schaffensprozess. Besondere Bedeutung kommt dabei der Beobachtung der Aktivität des Fingierens zu. Es baut beim Texten Bezugsfelder auf, die es durch die Bezugnahme deformiert. Das Abgewiesene bleibt jedoch in der anwesenden Fiktion ko-präsent.[15] Durch den Akt des Fingierens wird das Imaginäre,

---

14 Wolfgang Iser: Das Fiktive und das Imaginäre. Perspektiven literarischer Anthropologie, Frankfurt/Main: Suhrkamp 1991.

15 Interessant ist unter dieser Hinsichtnahme Thomas Manns Verfahren in *Buddenbrooks*. In Briefen an Otto Grautoff zu Beginn der Produktion bekannte er freimütig, an bestimmten Personen in Lübeck Rache nehmen zu wollen. Dazu passt, dass er in *Bilse und ich* fast zehn Jahre später ein unbewusstes Einfließen-Lassen von Erinnerungen an lebende Personen weit von sich wies, nein, er habe die Realitäten voll in den Blick genommen. Dann aber kommt die berühmte ästhetizistische Kehrtwendung: „Wenn ich aus der Sache einen Satz gemacht habe, was hat der Satz noch mit der Sache zu tun?" „Nichts", sollen wir schlussfolgern. Aber es sind seine Sätze, die die Bezie-

das laut Iser von sich aus nicht agiert, von außen angeregt und bemächtigt sich der Fiktion.

Das Modell zielt darauf ab, unser Dichter- und Dichtungsverständnis zu aktualisieren. Lässt sich aus diesem Modell auch etwas für die Praxis des Lesens, der Rezeption gewinnen? Machen wir eine Probelektüre. Dabei lasse ich mich von dem Leitbild lenken, das Abfassen dieses Romans über die eigene Familie sei in Analogie aufzufassen zu dem, was die populäre Psychologie mit dem Modell des Familienstellens[16] erprobt.

4. Das fingierende Spiel mit Gelesenem

Auf den Platz des Realen stelle ich alle Informationen über Familienereignisse und Familienzusammenhänge bei den Manns; über sie verfügte Thomas Mann als fest eingebundenes Mitglied des Systems Familie. Zu denken ist dabei an Diskussionen und Diskurse zwischen ihm, seiner Mutter und den anderen Geschwistern, kommuniziert in Erzählungen, Berichten, Aufzeichnungen; ein Gewebe aus Fakten, Interpretationen, Fiktionalem, Wissen, Vermutungen, Familienmythen und Familiengeheimnissen. Dem Realen zuzuschlagen sind auch die zeitgenössischen intellektuellen Diskurse über Familie, Stand, Vererbung, Verfall, Krankheit, Psychologie, Kunst und Politik. Und schließlich sind es die Erzähltexte, die Thomas Mann las.

Darüber, was er als anregend, als verwandt empfand oder was er als vorbildlich ansah, hat er sich seit 1906 wiederholt und ausführlich geäußert. Mehr als ein Dutzend Autoren werden in der Forschung diskutiert.[17] Seine Spurenlegung ist indes nicht verlässlich, weil u.a. wirkungsorientiert. Der Roman, mit dem er sich zu allererst auseinandersetzen musste, war Bruder Heinrichs *In einer Familie*,[18] erschienen 1894, dem Jahr, in dem Thomas seine Schulzeit beendete. Die folgenden drei Beispiele für Lesetexte sind nicht exemplarisch im

hung zur Sache aufrecht halten. In den literarischen Gestalten des Romans sind die lebenden Vorbilder unmissverständlich identifizierbar gemacht. Wir sollen uns also nach dem Willen des Autors die Lebenswelt und die Welt der Kunst auf ewig geschieden denken, auch wenn das Kunstwerk die Lebenswelt wiedererkennbar einbezieht in die Kunst. Ein Satyrspiel?

[16] Ich verweise hier summarisch auf Virginia Satir (USA) als eine der früh tätigen Psychologinnen auf diesem Feld und auf Bert Hellinger als dem gegenwärtig populärsten Familiensteller in Deutschland.

[17] Siehe Buddenbrooks-Handbuch, hrsg. von Ken Moulden und Gero von Wilpert, Stuttgart: Kröner 1988, S. 44–56; TM Jb 15, 2002.

[18] Heinrich Mann: In einer Familie. Roman, mit einem Nachwort von Klaus Schröter, Frankfurt/Main: S. Fischer 2000 (= Gesammelte Werke in Einzelbänden).

Rahmen einer systematischen Untersuchung aller bekannten Lektüren zu verstehen, sondern besonders aussagekräftig für das Thema Familie.

Heinrich Mann: *In einer Familie*

Folgt man Klaus Schröter, dann sind Äußerungen zu Heinrichs Erstling aus Thomas Manns Feder selten; gleich nach dem Erscheinen, 1895, schreibt er an Otto Grautoff, er bewundere die Sprache des Bruders; in der Rede zum 60. Geburtstag des Bruders 1931 wird das Buch erwähnt als etwas, das es „gab",[19] mehr nicht. Dabei lernt der zweite Familienroman der Manns aus den Schwächen des ersten. Liest man die Texte vergleichend, bieten sich im ersten Zugriff drei Untersuchungsfelder für eine Diskussion fingierender Bezugnahmen an:
  1. Erich Wellkamp, der Held des Romans, entstammt einer neureichen Familie. Sein ersehntes Lebensideal sind Ehe und Familie, verbunden mit der Hoffnung auf sozialen Aufstieg.

Erich Wellkamp stammte aus einer Hamburger Familie, welche erst durch seinen Vater zum Wohlstande gelangt war. Sie war durch nichts mit einem der alten einflussreichen Häuser verbunden, welche die Träger des Ansehens der mächtigen Handelsstadt sind. Aber in ihnen hatte der junge Wellkamp stets den niederdrückenden Gegensatz zu dem Emporkömmlingsstande vor Augen, dem er selbst angehörte. Diese Patrizierhäuser schienen ihm Fürstenhäuser zu gleichen, so erhaben waren sie über die von Tag zu Tag stattfindenden sozialen Wandlungen, so gefestet in den vornehmen Traditionen ihrer Häuser.[20]

Am Ende der Geschichte ist der Held sozial nicht aufgestiegen. Seine Ehefrau Anna ist schwanger, seine männliche Mitgift ist ein kapitaler Ehebruch. Das Motiv der Sehnsüchte und Wünsche Wellkamps, kein Leitmotiv, sondern einer der zahlreich ausgestreuten Versuche der Erzählung, der Hauptfigur einigen sozialen Wahrheitsgehalt anzudichten, wird in *Buddenbrooks* zum alles beherrschenden Zentrum aufgewertet: Geschildert wird das „traditionsreiche, [...] vornehme Leben" einer „Patrizierfamilie". Als Vorbild für die Familie wird eine herausgegriffen, die gleich zweifach in der sozialen Realität der Zeit verankert ist. Es sind die Lübecker Manns, und es ist die Herkunftsfamilie der beiden Autoren Heinrich und Thomas. Damit ist die lebensweltliche Verflechtung zwischen Autor und Hauptfigur bei Heinrich vom Kopf auf die Füße gestellt. Während Heinrich einen Helden erfindet, der gern zum Patrizier aufsteigen würde, erzählt Thomas die Geschichte der Herrschaftsfamilie, der sie

---

19 Ebd., Nachwort von Klaus Schröter, S. 318.
20 Ebd., S. 22 f.

beide entstammen. Diese hat ihren Rang verloren, weil die Patriziersöhne keine Kaufleute oder Senatoren mehr sein wollen, sondern Schriftsteller.

2. Das Erzählzentrum von *In einer Familie* ist Wellkamps Zerrissenheit. Er heiligt den Stand der Ehe in der Hoffnung, gerettet zu werden aus der Gefangenschaft einer mangelhaften Triebsteuerung, moralischer Insuffizienz, Willensschwäche und einem chamäleonähnlichen Wechsel der Standpunkte im Weltanschaulichen. Was ihn schließlich rettet, ist die liebende Großmütigkeit einer emanzipierten Ehefrau. Er selbst ist unfähig, sich zu stabilisieren. *Buddenbrooks* tilgen die Figur des modernen Intellektuellen der Zeit um 1900 vollständig und entwickeln den Zusammenhang von Bürgerlichkeit, Intellektuellendasein, Selbststabilisierung und Familie mit einer komplett anderen Gewichtung. Suggeriert Heinrichs Erzählung die Hoffnung, ein haltloser, gefallener Intellektueller könne nach einer Phase der Reinigung doch noch eine großbürgerliche Existenz erreichen, schieben *Buddenbrooks* solchem Begehren einen Riegel vor. Eine Patrizierfamilie, in der sich intellektuelle Regungen bemerkbar machen, muss diese unterdrücken, sonst geht sie unter. Für moderne Künstler ist kein Platz in einer alten Herrschaftsfamilie. In dieser fingierenden Umschichtung könnte man u.a. das lebensweltliche Bemühen um eine realistische Selbsteinschätzung der eigenen Stellung im Familiengefüge aufscheinen sehen, das Bemühen, anzuerkennen, was ist. Aber, so müssen wir einschränkend bemerken, was jemand als selbstverständlich wahre Wirklichkeit einschätzt, ist selber zeitgebundene Einstellung oder Mentalität. Deshalb lohnt an dieser Stelle ein Blick auf den Realienbereich der zeitgenössischen Diskurse. Die Lübecker Kaufmanns- und Herrschaftsfamilie Buddenbrook mit ihren Normen der Firmenerhaltung, der Standeswahrung, des Respekts vor Traditionen, die ehrbar sind, schon weil sie alt sind, der Kindererziehung im Sinne der Firmenerhaltung, entspricht in hohem Maße dem Bild, das der damals überaus populäre Volkskundler Wilhelm Heinrich Riehl (1823–1897) in seinem 1855 erschienenen Buch *Die Familie*[21] gezeichnet hatte. Die vitale Stärke der alten Stände sah Riehl in einem mehr vegetativen, halbbewussten Dasein gewahrt, ihre Gefährdung in der Moderne erblickte er in Reflexivität. Aus Sicht der Riehl'schen Familienideologie ist das Drama der Buddenbrooks zeittypisch, und die Lösung entspricht seinem programmatischen Wunschdenken: Was den alten Stand krankhaft bedroht, muss ausgeschieden werden. Misslingt die Heilung, muss die Familie aussterben. Wer schwärmt, wer grübelt, wer sein Dasein kritisch reflektiert, zeigt die Symptome der Entartung, des Verfalls.

---

[21] Wilhelm Heinrich Riehl: Die Familie, Stuttgart: Cotta 1855, in: Die Naturgeschichte des deutschen Volkes, hrsg. von Wilhelm Heinrich Riehl, Bd. 3; zu Riehl insbesondere: Claudia Streit: (Re-)Konstruktion von Familie im sozialen Roman des 19. Jahrhunderts, Frankfurt/Main: Lang 1997 (= Münchner Studien zur literarischen Kultur in Deutschland, Bd. 27).

3. *In einer Familie* inszeniert eine Vier-Personen-Konstellation. Erzählt wird indes nur von Erichs Kämpfen, die drei anderen Figuren bleiben in ihrer Persönlichkeit und in ihrem Verhalten unmotiviert. Es entsteht kein Beziehungsgeflecht, und der unrealistische Zug der Nebenfiguren wirkt auf die Hauptfigur zurück: Wellkamp wirkt ebenso monströs wie die unbeseelten Gestalten an seiner Seite. Es ist diese Schwäche der Erzählung, die *Buddenbrooks* offensichtlich auf jeden Fall vermeiden will. Vor dem Hintergrund eines umfangreichen Arsenals von ca. 420 Haupt- und Nebenfiguren sowie Personengruppen entfaltet der Roman die Mehrgenerationengeschichte einer großen Familie, deren Mitglieder durch ein engmaschiges Netz vor- und rückwärts geknüpfter Motive zu einer aussagereichen Beziehungsentwicklung gebracht werden.

Edmond und Jules de Goncourt: *Renée Mauperin*[22]

Thomas Mann hat wiederholt auf Beziehungen zwischen *Buddenbrooks* und *Renée Mauperin* der Brüder Edmond und Jules de Goncourt hingewiesen. Aus dem Blickwinkel des dichterischen Spiels mit Realien möchte ich auch hier drei Aspekte hervorheben:
1. *Renée Mauperin* ist ein Familien-, kein Generationenroman, und er spielt im modernen kapitalistischen Frankreich der 1850er Jahre. Thomas Mann blendet das moderne Lübeck aus.[23] 2. Renée ist eine emanzipierte, körperlich zarte, künstlerisch begabte, geistvolle Frau, die von ihren Eltern geliebt wird und die ihrerseits in einer fast pathologischen Hingabe an ihrem Vater hängt. Kein Ehekandidat – und es gibt sie dutzendweise – ist ihr gut genug. Sie spielt mit ihnen. 3. Renée trifft eine starke Mitschuld am Tod ihres Bruders, und sie beschließt, zur Sühnung ihrer Tat zu sterben. Der Hauptakzent des Romans liegt auf der erzählerisch anmutigen, stark lyrischen Darstellung des langsamen Abschiednehmens vom Leben, das als ein schöner Vorgang geschildert, ja verklärt wird. Grausam für die Eltern, die in keiner Weise etwas von der Wahrheit ahnen oder erfahren.[24]

---

22 Edmond und Jules de Goncourt: Renée Mauperin, übers. und hrsg. von Elisabeth Kuhs, Stuttgart: Reclam 1989 (= Universal-Bibliothek, Bd. 8625).
23 Zur Diskussion dieses Sachverhaltes siehe Jürgen Kuczynski: Die Wahrheit, das Typische und die „Buddenbrooks", in: ders.: Gestalten und Werke. Soziologische Studien zur deutschen Literatur, Berlin/Weimar: Aufbau 1974, S. 246–279; Jochen Vogt: Thomas Mann. „Buddenbrooks", München: Fink 1983, S. 69–71 (= Uni-Taschenbücher, Bd. 1074); Manfred Eickhölter: Senator Heinrich Mann und Thomas Buddenbrook als Lübecker Kaufleute, in: Buddenbrooks. Neue Blicke in ein altes Buch, hrsg. von Manfred Eickhölter und Hans Wißkirchen, Lübeck: Dräger 2000 (= Buddenbrookhaus-Kataloge), S. 74–99.
24 Zur Einführung in die Lektüre des Romans: Klaus Matthias: „Renée Mauperin" und „Buddenbrooks". Über eine literarische Beziehung im Bereich der Rezeption französischer Literatur durch die Brüder Mann, in: Modern Language Notes, vol. 90, no. 3 (april 1975) (= The German issue: Thomas Mann 1875–1975), S. 371–417.

In *Buddenbrooks* sind diese Themen und ihre Behandlung sämtlich getilgt. Der kleine Hanno, auch ein zartes, künstlerisch begabtes Kind, jedoch schon mit der Geburt zum Tode bestimmt, lebt ein kurzes Erdendasein, das mehr einem Siechtum gleicht, und sein Sterben ist als grausamer, ekelerregender Prozess inszeniert.

Alexander Lange Kielland: *Garman & Worse*[25]

Auch auf den Roman *Garman & Worse* des Norwegers Alexander Lange Kielland hat Thomas Mann wiederholt hingewiesen. Zwischen den Manns und den Kiellands lag eine lebensweltliche Parallele vor: Die Kiellands gehörten zu den alten Kaufmannsfamilien, die über Generationen die Stadt Stavanger mitregierten, und Alexander Lange war der erste, der aus der Tradition ausscherte. Er schrieb Romane mit eindeutigem Bezug auf seine Herkunftsfamilie. Später kehrte er in die tradierten Bahnen zurück und wurde Bürgermeister von Stavanger. Was bei der Lektüre von *Garman & Worse* sofort haften bleiben kann, wenn man aus der *Buddenbrook*-Sphäre hinüberschaut, ist die wunderbare Bruderliebe zwischen Christian Frederik und Richard Garman.[26] Beide sind sie Geschäftsleute. Richard ist der weniger erfolgreiche, der sein gesamtes Vermögen durchbringt, der etwas verbummelte, der gut und lustig zu leben weiß. Dafür ist er diplomatisch geschickt und menschlich fein gebildet.

Christian Frederik führt den väterlichen Auftrag, sich um Richard zu kümmern, so aus, dass er den Bruder finanziell unterstützt, ohne dass dieser es merkt. Richards Würde bleibt in jeder Hinsicht unangetastet. Am Ende seines Lebens, zurückgekehrt aus Paris in die Landschaft seiner Herkunft, ist Richard zehn Jahre lang Leuchtturmwärter in der Nähe von Sandsgaard, und er kommt zwei oder drei Mal pro Jahr auf den Familiensitz. Dann gerät das Haus in Aufruhr. Alle wissen, jetzt steht ein schönes Fest bevor, und die Vorfreude ist ungetrübt, ja euphorisch. Und jeder Besuchstag vollzieht sich nach einem festen Ritual. Immer steigen die Brüder zunächst in den Weinkeller, wo sie einen Vormittag lang gute Tropfen entkorken und dabei alte und neue Geschichten austauschen. Danach feiern sie mit der ganzen Familie das Fest ihrer Bruderliebe, wobei sie es sich gegenseitig streng verbieten, dass man ihnen in ihren steifen

---

[25] Alexander Lange Kielland: Garman & Worse, aus dem Norwegischen übers. von Maria Leskien-Lie, mit einem Nachwort von Leopold Magon, Leipzig: Dieterich 1961 (= Sammlung Dieterich, Bd. 257).

[26] Obwohl es eine intensive Spurensuche gibt, haben die Forschungen von Uwe Ebel, Klaus Matthias und Walter Grüters die spiegelverkehrte Beziehung der Bruderpaare nicht berücksichtigt. In diesem Punkt auch lediglich zusammenfassend Daniel Linke: „Aber nehmen Sie die Bücher, die dort oben geschrieben werden [...]." „Buddenbrooks" – ein skandinavischer Roman?, in: Buddenbrooks. Neue Blicke in ein altes Buch (zit. Anm. 23), S. 194–203.

Anzügen etwas anmerkt von ihrer Trunkenheit. Eine Bruderbeziehung ja, aber eine ganz anders gewichtete, steht dem in unserem Roman entgegen: Thomas Buddenbrook behandelt seinen Bruder Christian mit zunehmend kaltem Haß. *Garman & Worse* ist konzipiert als Mehrgenerationenroman. Kiellands sozial engagierte Literatur will in der Generationenfolge eine historische Entwicklung in Norwegen aufzeigen. Da man sich allerdings in seinen Generationenvertretern wie in einer vom Winde verwehten Kartei verirrt, schon weil die Figuren wiederholt identische Namen tragen und zeitlich unklar zugeordnet werden, ist das Generationendurcheinander erzähltechnisch ein Missgriff.[27] Ganz anders *Buddenbrooks*. Ähnlich wie Kielland hat auch Thomas Mann in seinen Vorarbeiten eine Familienübersicht schematisch skizziert. Aber in seinen Erzähltext wird diese so übertragen, dass trotz des gleichzeitigen Auftretens fast aller wichtigen Figuren schon am Romanbeginn man fast mühelos aus der Darstellung selbst einen genealogischen Stammbaum herausfiltern kann. Geburts- und Todesdaten, Zeitereignisse sowie Jahresangaben zu bestimmten Familienereignissen sind als ein zuverlässig orientierendes Koordinatensystem in den Text eingewoben, so dass man auf dieser Ebene zu Recht von einer Familien*geschichte* sprechen darf.

Soweit einige Beispiele aus dem Realienbereich des Gelesenen und der zeitgenössischen Diskurse.

5. Das fingierende Spiel mit der Herkunftsfamilie

Gerda oder die mütterliche Welt

Die Rede von *Buddenbrooks* als einem Roman über Thomas Manns Familie ist missverständlich, genau genommen ist sie falsch. Die Erzählung bezieht Perso-

---

27 Dass Thomas Mann bei der Anlage von *Buddenbrooks* als Mehrgenerationenroman in Kiellands *Garman & Worse* das Vorbild gefunden haben soll, ist wenig wahrscheinlich. Am nachdrücklichsten für die Vorbildfunktion argumentiert Uwe Ebel: Rezeption und Integration skandinavischer Literatur in Thomas Manns „Buddenbrooks“, Neumünster: Wachholtz 1974 (= Skandinavistische Studien, Bd. 2), S. 92. Weitaus plausibler hingegen Manfred Dierks: „Buddenbrooks“ als europäischer Nervenroman, in: TM Jb 15, 2002, 135–151; Dierks berichtet über einflussreiche französische Mediziner und Psychologen des 19. Jahrhunderts, nach deren Auffassung Symptome der Dekadenz (= Entartung) und der Neurasthenie (= Nervenschwäche) sich besonders typisch zu erkennen gäben in der Abfolge von vier Generationen. Am Beginn dieser Debatte stehe, so Dierks S. 138, der Psychiater Auguste Bénédict Morel. Und einen solchen Verlauf habe Thomas Mann, der wie auch sein Bruder Heinrich befürchtete, ein Neurastheniker zu sein, beinahe schulmäßig in *Buddenbrooks* eingearbeitet.

nen, Ereignisse, Materialien zur väterlichen Familie ein, die andere Hälfte des Herkunftsuniversums fehlt fast vollständig. Alles, was Julia Mann betraf, ist bis auf wenige Spuren getilgt. Es gibt in der familienpsychologischen Literatur Spekulationen wegen dieses Sachverhalts. Sie beziehen sich auf Fakten wie Julias rasche Übersiedlung von Lübeck nach München nach dem Tode des Senators, auf direkte Anspielungen in Heinrichs Roman *In einer Familie* in Gestalt der Dora Linter, die aus Brasilien stammt, sowie auf Julias Erscheinen als Gerda Buddenbrook, die ein Lübecker Pensionat bezieht wie weiland Julia Bruhns.[28] Was die beiden Romangestalten verbindet, ist das Motiv des Ehebruchs. *In einer Familie* vollzogen, in *Buddenbrooks* quälende Vermutung des Senators. Attribute haben sich verändert, aus der heißen Dora ist die kalte Gerda geworden, aus der „Dirne" und „gefallenen Frau" eine strahlende exotische Erscheinung, die aber eigentlich nie heiraten wollte und tiefe Gefühle nur im musikalischen Spiel zulässt. Nicht unbeträchtlich andere Veränderungen. Der junge Wellkamp schritt seinerzeit wollüstig zum schwülstig inszenierten Vernaschen. Nach vollzogenem Ehebruch beginnt er das Lustobjekt abgrundtief zu hassen. Gerda Buddenbrook ist die Tochter einer Familie, die in ihrer Lebensform vereinigt, was sowohl ihrem Ehemann als auch den Lübeckern im Roman als unvorstellbar erscheint: Ihr Vater ist erfolgreicher Kaufmann und Geigenvirtuose. Was Gerdas Vater in Amsterdam vorlebt, zerschellt als Modell in Lübeck, wo man Künstler als Affen verspottet, an krähwinkeliger Borniertheit. Gerda Buddenbrook steht damit kompositorisch in einem der diskursiven Erzählzentren des Romans. Sie ist Trägerin einer abgewiesenen gesellschaftlichen Utopie. Dass die Gerüchteküche Schlüpfriges vermutet, wenn die etwas sehr besondere Ehefrau des Senators Buddenbrook mit einem jungen Offizier stundenlang gemeinsam musiziert, wirft im Roman ein Schlaglicht auf die mittelstädtische Gesellschaft. Und es motiviert Gerdas Lage, die keine gute ist, sondern eine einsame. Zwar ist es Thomas Buddenbrook, der über Gerdas Kälte klagt und an ihr leidet, aber hat ihn an Gerda jemals anderes gewärmt als ihre üppige Mitgift? Die Figur der reichen und schönen Gerda wendet sich in dieser Hinsicht von der Mutter Julia Mann ab, denn diese war schön, als sie heiratete, aber relativ arm. Was die Figur Gerda Buddenbrook wiederum mit der Person Julia Mann verbindet, sind die musische Begabung und der frühe Verlust der Mutter.

---

[28] Marianne Krüll: Im Netz der Zauberer. Eine andere Geschichte der Familie Mann, Zürich: Arche 1991, S. 114 ff.

Die Ehen des alten Johann Buddenbrook

Anfang und Ursache aller Ehe- und Familienkonflikte in *Buddenbrooks* sind die beiden Ehen des alten Johann. Josephine, mit der er ein Jahr verheiratet war, das glücklichste Jahr seines Lebens, stirbt bei der Geburt des gemeinsamen Sohnes Gotthold. Das unschuldige Kind wird vom unglücklichen Witwer, der seinen Schmerz nicht überwinden kann, zum „Mörder" der Mutter abgestempelt und lebenslang gehasst. Die zweite Ehe mit Antoinette Duchamps ist eine Vernunftheirat, aus der zwei Kinder entstammen. Als Gotthold eine Liebesheirat eingeht, wird er vom Vater verstoßen. Jean, Sohn aus der zweiten Ehe, wird zu einer Vernunftheirat gedrängt. Bei beiden Ehen spielen Geld und Standesehre eine Rolle, Gotthold heiratet einen *Laden*, einen Kramladen, Jean eine große und vornehme Mitgift.

Einen sozialen Konflikt dieser Schärfe und Dramatik mit den daraus resultierenden schlimmen Folgen auch im Generationengefüge ist bei der Familie Mann nicht vorgebildet. Deren Konflikte im Zusammenhang mit den beiden Ehen von Thomas Manns Großvater Johann Siegmund junior wirken normal und harmlos. Nach einer langen, glücklichen Ehe mit drei Kindern stirbt die erste Ehefrau. Nach einer mehrjährigen Trauerfrist heiratet der Witwer ein zweites Mal und bekommt nochmals vier Kinder. Der erste Sohn aus der ersten Ehe hat Schwierigkeiten mit seiner Stiefmutter. Der Vater hält den Kontakt mit der Familie seiner ersten Frau. Die zweite Ehe war keine Liebesehe wie die erste, sondern ein Gebot der väterlichen Fürsorge für die Kinder. Im Roman wird daraus der Anfang eines Familiendramas.

Hanno und sein Vater

Das dritte Bezugsfeld zwischen Roman- und Familienwirklichkeit, das hier hervorgehoben werden soll, betrifft die Stellung des kleinen Hanno Buddenbrook zwischen seinen Eltern Thomas und Gerda im Verhältnis zu Thomas Manns eigener Position in seiner Lübecker Familie. Die Romanfamilie ist weit weggerückt von der Herkunftsfamilie. Ich beschreibe das Familiensystem im Folgenden aus der Sicht Michael Vogtmeiers. Thomas Buddenbrook hat nur ein Kind. Auf dem kleinen Hanno Buddenbrook allein lastet die ganze Last des väterlichen Familiendrucks. Hanno ist von Geburt an konstitutionell schwach. Er ist den Erwartungen nicht nur nicht gewachsen, sondern er ist hilfebedürftig. Sein Vater praktiziert an ihm jedoch eine harte Erziehung. Er möchte ihn nach dem Bilde des jovialen und vitalen Urgroßvaters Johann formen, ein Maßstab, den er selber gar nicht erfüllen kann. Aber das ist nur die

Hälfte von Hannos Bürde. Seine Mutter, die als kalt gilt, möchte beweisen, dass sie eine gute Mutter ist und verwöhnt ihn; sie möchte ihm wohl auch zukommen lassen, was sie selber durch den frühen Verlust ihrer Mutter entbehren musste.[29] Sie zieht den Kleinen ferner in die ihr so vertraute Sphäre der Musik hinein und möchte aus ihm einen Künstler machen. Sie entfremdet ihn dadurch nicht nur von den väterlichen Berufswünschen, sondern sie lässt ihn an einer Welt teilhaben, deren Zutritt sie ihrem Mann verwehrt. Hanno wird damit einbezogen in den stummen Ehekrieg der Eltern. Gerda, die bei der Geburt des Stammhalters beinahe gestorben wäre, wird keine weiteren Kinder bekommen können; die Eltern schlafen seit Jahren getrennt. Und während Thomas Buddenbrook das Nachlassen seiner Kräfte spürt und depressiv wird, verkapselt sich Gerda in der Welt der Musik. Das verschärft Thomas' Gefühl der Einsamkeit, und es weckt Eifersucht.

Die mütterlichen und die väterlichen Delegationsaufträge ergänzen sich somit nicht, sondern widersprechen sich. Familienforscher Vogtmeier behauptet unter Hinweis auf die psychologische Forschungsliteratur, Kinder in der realen Situation des Romangeschöpfs Hanno wären prädestiniert zu zerbrechen.[30] Zu allem Überfluss ist Hanno zuletzt auch noch Träger eines familiären Rettungsmythos.[31] Für seine Tante Tony ist der Stammhalter Retter der Familie Buddenbrook. Für sie, die „man immer nur mit Mühe daran hindern konnte, dass sie ihren angebeteten kleinen Hanno mit Korinthenbrot und Portwein erstickte", war es vollkommen klar, dass Hanno „seinem hohen Beruf" nachkommen würde,

... der ja darin bestand, dem Namen seiner Väter Glanz und Klang zu erhalten und die Familie zu neuer Blüte zu bringen. Nicht umsonst besaß er soviel Ähnlichkeit mit seinem Urgroßvater ... (1.1, 767)

6. Imaginäres unter methodischer Perspektive

Thomas Mann wendet sich mit *Buddenbrooks* seiner Herkunftsfamilie zu. Das reale Bezugsfeld ist in die Textstruktur eingezeichnet. Das lässt sich in etlichen Fällen nachweisen. Hier im Folgenden nur ein Beispiel, das belegt, wie ein Bezugsfeld aufgebaut und deformiert wird.

1. Wer erfahren will, wie der Dichter seine Familie und seine Einbindungen in sie erlebt und reflektiert hat, der kommt nicht daran vorbei, den kleinen

---

[29] Vogtmeier (zit. Anm. 9), S. 166 f.
[30] Ebd., S. 171.
[31] Ebd., S. 170.

Hanno Buddenbrook auf Thomas Mann zu beziehen. Die Gestaltung von Hannos Vater Thomas Buddenbrook zitiert eindeutig und unmissverständlich Thomas Manns Vater.

2. Hanno ist wie Thomas Mann eingebettet gewesen in die Erwartungen seiner Familientradition. Das Thema Familien- und Firmenloyalität klingt an.[32]

3. Anders als Thomas Mann ist Hanno Einzelkind. Hieraus erwächst die Frage nach den Gründen der Umstellung der realen Geschwisterreihe. Die Stellung des Zweitgeborenen in einer Reihe von drei oder mehr Geschwistern ist typisch gekennzeichnet mit der Wahrnehmung, nicht ausreichend gesehen zu werden von den Eltern, zu wenig Beachtung und Zuwendung zu bekommen. Der Erstgeborene absorbiert die Aufmerksamkeit. Das war in Thomas Manns Familie besonders gravierend, weil Heinrich sich den bewussten Wünschen des Vaters widersetzte. Hier scheint das Thema Bruderrivalität auf.

4. Hanno figuriert nicht allein Elemente der Kinderwelt von Thomas, sondern auch von Heinrich. Durch die Umstellung im Literarischen werden somit reale Gemeinsamkeiten verbunden. Hier scheint das Thema brüderliche Einheit auf.

5. Anders als Heinrich, anders auch als Thomas Mann, ist Hanno von Geburt an ein physisch schwaches, kränkliches Kind, dem es an Vitalität mangelt. So ein Kind braucht Verständnis und Unterstützung. Thomas Buddenbrook aber verachtet seinen Sohn. Der Vater demütigt Hanno in der Familienöffentlichkeit, tadelt ihn, kein Mann, sondern ein „Mädchen" zu sein, um zu demonstrieren, wie stark er selbst ist. Doch der Leser wird vom Erzähler bestens dahingehend unterrichtet, wie die Verhältnisse im Inneren des Vaters in Wahrheit beschaffen sind. Thomas Buddenbrook verbringt jeden Morgen Stunden in seinem Ankleidezimmer, bis er soweit aufgerichtet ist, dass er sich gegen Mittag der Welt als Schauspieler seiner Existenz als Kaufmann und Senator präsentieren kann. Doch schon nach etwa dreißig Minuten möchte er am liebsten seine Wäsche wechseln und sein Haupt in ein kühles Kissen bergen. Ihm ist seine frühere Spannkraft, seine Frische abhanden gekommen, und dabei ist er erst Mitte Vierzig. Die Familienpsychologie diagnostiziert in dieser Vater-Sohn-Konstellation eine starke Abweichung vom normal Erträglichen. Der schwache Vater stabilisiert sein verlogenes Selbstbild auf Kosten seines noch schwächeren, von der väterlichen Loyalität abhängigen Sohnes.[33] Ein Thema wie Kindesmissbrauch klingt an und verzweigt sich zu Varianten im Roman. Es beginnt damit, dass der alte Johann seinen Sohn Gotthold nicht als Vermächtnis seiner Liebe zu Josephine dankbar in Ehren hält, sondern zum

---

32 Ebd., S. 165.
33 Ebd., S. 165 f.

„Mörder" der Mutter deklariert hatte. Gotthold wehrt sich und überlebt; entehrt, enterbt, verstoßen, aber nicht unglücklich. Hanno ist zu schwach, um sich aufzulehnen.

Hier enden die Vergleichsmöglichkeiten. Diese Geschichte von Hanno und seinem Vater bleibt ohne Entsprechung im Realen; wenn man damit den engen Bereich der Familienpapiere, der Berichte und der Erinnerungen umkreist. Andere Realien geben hingegen Auskunft. In den Romanen, die Thomas Mann während des Schreibens las, z. B. in der *Familie auf Gilje* von Jonas Lie oder in der *Anna Karenina* Leo Tolstois, liegen Beispiele für intakte, geglückte Eltern-Kindbeziehungen vor. Diese stehen in scharfem Kontrast zu dem, was *Buddenbrooks* erzählen. Daraus kann man ersehen, wie intensiv und mit welcher Zuspitzung Thomas Mann die Beziehung zwischen Hanno und seinem Vater ausgearbeitet hat.

Die einfache Gegenüberstellung von Dokumenten zur Familienrealität hier und zum Familienroman dort erweist sich somit als wenig ergiebig, weil die Vorstellungswelt des Autors gar nicht an diese Dokumente gebunden war. Zunächst ist es ein Faktum, dass dieser Roman so strukturiert ist, dass er den Leser, dem es um familiäre Einsichten geht, zwingt, in der fiktiven Familie Buddenbrook die Anwesenheit der realen Familie Mann anzuerkennen. Im Text wird das Bezugsfeld ausdrücklich aufgebaut und sogleich deformiert: *Buddenbrooks* sind keine Nacherzählung der Geschichte der Manns, aber sie sind auch keine Fantasiegeschichte. Was aber sind *Buddenbrooks*? Ich wage einen einfachen Satz: das Dokument dessen, was ihn, Thomas Mann, zur Auseinandersetzung mit seiner Familie zwang.

Das fingierende Spiel unseres Dichters wird aus der Flut von Realien, in die es eingebettet war, nur solche herausgegriffen haben, die seine Imagination in Bewegung setzten. Ein Beispiel: Thomas Mann hat sich mit der Figur des Thomas Buddenbrook fast zwei Jahrzehnte nach der Fertigstellung des Romans teilweise identifiziert. Er schreibt über seine Romangestalt: Sie war mir „Vater, Sprössling, Doppelgänger" (XII, 72).

Der *Vater*: Lübecker Kaufmann und Senator, elegante Kleidung, literarisch gebildet, Firmen- und Traditionserbe, gewissenhaft, sorgfältig. Inwiefern *Sprössling*? Das Bild des Vaters ist an entscheidender Stelle getilgt. Wir wissen heute, dass Senator Mann Mitte der 1870er Jahre schwere Verluste als Kaufmann erlitt, von denen er sich geschäftlich nicht wieder erholen konnte.[34] Bruder Heinrich berichtet erstmals ausführlicher im Alter darüber, noch in Andeutungen im Roman *Eugénie oder Die Bürgerzeit*, eindeutig in der Novelle *Das Kind*. Thomas Mann hält sich zeitlebens zurück. Möglicherweise waren

---

[34] Manfred Eickhölter (zit. Anm. 23), S. 74–99, 85 f.

die Vorfälle ein gehütetes Familiengeheimnis. Senator Buddenbrook scheitert nicht geschäftlich, sondern ihm kommt seine Vitalität, seine Spannkraft und Frische über Nacht abhanden. Darin ist er Sprössling des Autors, Erfindung. Wie kommt der *Doppelgänger* ins Spiel? Was ist er, *alter ego* in dem Sinne: All das, was ich über mich als Person weiß und was ich mir bin? Oder ist der Doppelgänger auch ein Bild von mir, in das ich gelegentlich wie in eine Rolle, eine Maske hineinschlüpfe?

Ein Bewegungsverlauf zwischen Realem, Fiktivem und Imaginärem wäre beispielsweise folgendermaßen vorzustellen: Der Romantext variiert in konstanter Wiederholung das Thema der wechselseitigen Loyalitäten zwischen Eltern und Kindern. Väter und Mütter fordern, dass ausdrückliche Aufgaben übernommen werden. Und sie übertragen ideale Wunschvorstellungen und geheime Sehnsüchte. Kinder sind bereit, Verdienste der Eltern zu würdigen und alte Schulden zu übernehmen.[35] Sie werden aber auch missbraucht, weil sie mit Aufträgen belastet werden, die zu erledigen Aufgabe der Eltern wäre. Wir sehen eine stetige Suchbewegung des Erzählens. Sie ist, so meine Behauptung, als Textintention zu qualifizieren. Aus dem familiären Realienfundus treten damit die Aufträge und Erwartungen der Eltern in den Vordergrund, speziell die der väterlichen Seite, insbesondere das Testament, Repräsentant des letzten und höchsten väterlichen Willens. Senator Mann diktierte seinem Notar: Die Firma wird liquidiert, das Wohnhaus binnen Jahresfrist verkauft; und in einer Anlage:

Den Vormündern mache ich die Einwirkung auf eine *praktische* Erziehung meiner Kinder zur Pflicht. Soweit sie es können, ist den Neigungen meines ältesten Sohnes zu einer s. g. literarischen Thätigkeit entgegenzutreten. Zu gründlicher, erfolgreicher Thätigkeit in dieser Richtung fehlen ihm m. E. die Vorbedingnisse; genügendes Studium und um-

---

[35] Grundlegend dazu Boszormenyi-Nagy/Spark (zit. Anm. 10); in der Familienforschung gilt derzeit die Annahme als gesichert, dass *Gerechtigkeit* ein zentrales Thema in jeder Familie ist. Sie bezieht sich auf materielle (Geld, Besitz, Erbe) und auf immaterielle Werte (Liebe, Anerkennung, Fürsorge). Die sozialpsychologische Aufgabe ist die Notwendigkeit, Gesten richtig zu interpretieren. Vererben kann Anerkennung ausdrücken oder als Ersatz für fehlende Liebe stehen. Bildlich wird davon gesprochen, dass über mehrere Generationen hinweg Verdienstkonten geführt werden, in denen sich der zentrale Wunsch nach Gerechtigkeit ausdrückt. Leistungen für andere bewirken einen Anspruch auf Ausgleich. Den anderen zu entwerten ist häufig Reaktion auf den subjektiv gewonnenen Eindruck, mehr für den anderen geleistet zu haben. Opfert ein Mitglied seine individuellen Interessen oder Entwicklungsmöglichkeiten dem Wohl eines anderen oder dem übergeordneten Ganzen der Familie, dann erwartet es dafür Entschädigung. Erhält es sie nicht unmittelbar, so fordert es sie häufig von der Nachfolgegeneration. Immer stehen den Verdienstkonten die Schuldkonten derer gegenüber, die anderen Familienmitgliedern etwas schuldig bleiben, auf Kosten anderer leben. Die Salden dieser Konten können auch weitergereicht werden. Kinder bleiben den Eltern immer etwas schuldig. Eine Lösung besteht darin, durch das Aufziehen einer neuen Generation dieselben Lasten auf sich zu nehmen, die ihre Eltern mit ihnen hatten.

fassende Kenntnisse. [...] Mein zweiter Sohn ist ruhigen Vorstellungen zugänglich, er hat ein gutes Gemüth und wird sich in einen praktischen Beruf hineinfinden. (1.2, 625 f.)

Hier greift die Imagination zu. Ich will es Ihnen erzählen: Dieser Sohn, der wie jedes Kind seinen Vater liebt und lieben muss, ist jeden Morgen, wenn er den Stift in die Hand nahm und sich an das Manuskript setzte, dem Vater gegenübergetreten und hat mit ihm gesprochen. Immer wieder hat er ihm versichert:

‚Du hast recht getan, die Firma zu liquidieren. Weder Heinrich noch ich haben das Zeug zum Kaufmann. Wir wären kläglich gescheitert. Ich kann Dir das erklären, mehr noch, ich kann es beweisen. Ich erzähle Dir eine Geschichte, aus der Du ersehen kannst, was aus uns, den Manns, geworden wäre, wenn Heinrich oder ich Deine Rolle hätten ausfüllen müssen. Ich stelle mir dabei vor, ich hätte als Du gelebt, eine quälende Vorstellung. Ich wäre mittendrin ins Stocken geraten, Heinrich auch, denn uns ist alles menschliche Handeln nur noch symbolisch. Meine Geschichte kann Dir zeigen, dass jemand, der gegen seine natürlichen Anlagen gezwungen wird, eine Lebensrolle zu übernehmen, die ihm nicht gemäß ist, zugrunde gehen muss. Er wird ein grausam verstümmeltes Dasein fristen müssen. Und vor Nichts mehr fürchte ich mich. Dein Leben zu leben hieße für mich, mich als Kind schon gehasst und verstoßen zu fühlen. Ich könnte mich nicht lieben und würde mein Kind, wenn ich überhaupt eines hätte, wiederum nur hassen. Ich danke Dir, dass Du mir den Weg in Deine Welt versperrt hast.

Vielleicht glaubst Du mir nicht, weil ich den Verfall der Buddenbrooks als allzu zwangsläufig deute. Aber ich will Dir damit nur immer wieder Recht geben. Und schließlich warst Du es doch, der das Entweder-Oder forderte: Kaufmann oder Künstler. Wenn Dir die Zwangsläufigkeit meiner Geschichte als zu dick aufgetragen, als verdächtig vorkommt, etwa wie die gnadenlose Exekution eines unbeeinflussbaren Willens, dann äußert sich darin nichts anderes als Dein geheimer Zweifel an der Richtigkeit Deiner eigenen Auffassungen. Ich weiß, jetzt tadelst Du mich wieder als aufsässig, als Widerspruchsgeist. Aber es wäre, ich bin jetzt ganz offen, nicht das einzige Mal, dass Du Dich geirrt hast in Deinem letzten Willen. Du siehst in Heinrich denjenigen, der zur Literatur nicht taugt, aber mich hast Du nicht richtig gesehen. Du denkst, ich sei praktisch veranlagt. Stimmt: zum Erzählen. Schau mal die vielen hundert Charaktere und Karikaturen in meinem Text hier; weißt Du noch, wie Du die Leute, Deine Lagerarbeiter, nachgeäfft hast wie in meinem Roman Christian seinen Lehrer Marcellus Stengel? Erinnerst Du nicht, wie Du mehr als einmal innehieltest und sagtest: Das muss Tommy weiter erzählen, der kann das besser als ich!?

Vielleicht ist Deine Einschätzung von Heinrichs Begabung so falsch nicht; manchmal glaube ich, ich kann es besser. Ich fürchte mich gelegentlich vor den Folgen, wenn ich mich dabei ertappe, ihn genauso kritisch zu sehen wie Du. Dein letzter Wille würde uns dann zu lebenslangen Konkurrenten machen, ich wäre sein Zensor in Deinem Namen. Hast Du das gewollt? Ich kann es nicht wollen. Aber es tut weh, dass Du Deine Liebe zur Literatur und Deine hohe Auffassung von ihr nur an seinen Texten messen konntest und enttäuscht wurdest. Ich war noch zu jung, um Dich glücklich und stolz zu machen auf mich, Deinen Sohn.‘

Das Imaginäre, gedeutet als Prozess der Rechtfertigung und Selbstbehauptung vor dem übermächtigen Vater, gibt *Buddenbrooks* als Kunstwerk von der Gesamtanlage bis in die Details eine fundamentale Positionierung und Richtung. Das Werk als Ganzes wäre damit lebensweltlich gebunden.

Unsere Frage heute: War Thomas Mann verstrickt in seine Herkunft? Meine Antwort ist ja, und er hat sich nur teilweise lösen und versöhnen können. Er hat sich seiner Familie gestellt. Mit dem Vater konnte er sich versöhnen, weil dieser selbst eine heimliche Lust an der Literatur hatte. Mehr noch, er hatte eine explizite Auffassung vom Literatenberuf. An die ließ sich anschließen. Mit dem Bruder könnte es schwierig werden, wenn der jüngere sich gerade das auf die Fahnen schreiben würde, was der Vater dem älteren als Mangel vorgeworfen hatte. Kinder solidarisieren sich gegen elterliche Willkür oder elterliches Unrecht, aber jeder will auch für sich wahrgenommen werden. Und sie mussten um die Gunst ihrer Eltern auf demselben Feld ringen. Aber, und das scheint mir insbesondere für die Diskussion um Thomas Manns Verhalten seinem Bruder gegenüber wesentlich: Der Vater war tot. Also musste jeder für sich allein mit dem imaginären Vater in seinem Inneren zur Ruhe kommen.

Hier endet mein Werkstattbericht. Ein Letztes ist ungesagt: Dank Wolfgang Iser ist am Ende aus dem wissenschaftlichen Interpreten ein Erzähler geworden, aus dem Leser ein Fabulierer. Jetzt habe ich ein Problem. Ich werde bei nächster Gelegenheit darüber nachzudenken haben, ob man als wissenschaftlicher Leser von Literatur auch Erzähler sein darf oder vielleicht sogar sein muß.[36]

---

[36] Einführend: Geschichte als Literatur. Formen und Grenzen der Repräsentanz von Vergangenheit, hrsg. von Hartmut Eggert, Ulrich Profitlich und Klaus Scherpe, Stuttgart: Metzler 1990.

Helmut Koopmann

„Du weißt doch, daß mit mir nicht zu disputiren ist"

Thomas Manns Kritik an Heinrich Mann – und dessen Antworten

„Du weißt doch, daß mit mir nicht zu disputiren ist; es geht schriftlich so wenig wie mündlich" – dieser Satz findet sich in dem großen Brief an Heinrich vom 8. Januar 1904 (21, 259), einem jener mehrfachen, aber immer nur vorläufigen Schlußstriche unter die brüderliche Auseinandersetzung, die Thomas Mann am 5. Dezember 1903 vom Zaun gebrochen hatte. Dessen Kampfansage hatte Heinrich wie ein Blitz aus heiterem Himmel getroffen, und niemals wieder in der Geschichte der brüderlichen Beziehung ist ein solcher Brief geschrieben worden, niemals auch ein Brief, der die bittere Medizin so einschleichend in die Ohren träufelte. Die Generalabrechnung mit dem Bruder ist bekannt und soll nur in einigen Einzelheiten nachgezeichnet werden – sie kulminiert in dem Vorwurf, auf *Die Jagd nach Liebe* bezogen, daß bei Heinrich Mann alles „verzerrt, schreiend, übertrieben, ‚Blasebalg', ‚buffo', romantisch also im üblen Sinne" (21, 243) sei, und Thomas Mann gesteht seinem Bruder durchaus, daß das nicht plötzliche Invektiven seien, sondern daß er diese Dinge schon länger auf dem Herzen habe. Und dann geht es los über Heinrich Manns angebliche „Begierde nach Wirkung, die Dich corrumpirt", über die nur „quantitative Leistung" (21, 244), das Krankhafte des brüderlichen Schreibens, und zu dem Vorwurf des Gedankendiebstahls (Thomas Mann sieht seinen Plan zu *Die Geliebten* in den *Göttinnen* banalisiert wiederkehren), zu den Ängsten, Heinrich Mann könnte früher eine *Königliche Hoheit* schreiben als er selbst, kommen die „Schnellfertigkeiten" (21, 246). Stilistisch passe überhaupt nichts, und Thomas Mann entblödet sich nicht, den adjektivischen Gebrauch von „theilweise" nach Oberlehrerart zu monieren. Dann geht es über ein Zentralthema Heinrich Manns her, über das „Künstlerthum", über die „gellenden Geschmacklosigkeiten" seiner *Göttinnen* und schließlich über die „Erotik, will sagen: das Sexuelle" (21, 248). Kein Vergleich ist Thomas Mann schief genug, wenn er schreibt: „Wedekind, wohl der frechste Sexualist der modernen deutschen Litteratur, wirkt sympathisch im Vergleich mit diesem Buch": *Die Jagd nach Liebe* ist gemeint. Sympathisch? Ja, so Thomas Mann, weil man „ein Leiden am Geschlechtlichen", „Leidenschaft" spüre, und dann geht es noch böser her über „diese schlaffe Brunst in Permanenz" und diverses andere. Wer spricht da? Da spricht der Moralist, und Thomas Mann gibt es seinem Bruder gegenüber auch offen zu, nicht ohne einige ethische Hochmütigkeit:

Ein Moralist ist das Gegentheil von einem Moralprediger: ich bin ganz Nietzscheaner in diesem Punkte. Aber nur Affen und andere Südländer können die Moral überhaupt ignoriren, und wo sie noch nicht einmal Problem, noch nicht Leidenschaft geworden ist, liegt das Land langweiliger Gemeinheit. (21, 248)

Heinrich Mann konnte sich aussuchen, was er war: ein Affe oder ein „anderer Südländer".

Der Schluß des Briefes: Spiegelgefechte. Thomas Mann stellt sich versuchsweise in Frage und weiß doch ganz genau, daß das das einzige ist, was er nie im Leben tun würde. Dann bietet er ihm Hilfskonstruktionen an, die dem so in Grund und Boden getrampelten Roman des Bruders „einen gewissen Rang zuweisen" könnten – es sind Epiker des Quattro- und Cinquecento, die kein Mensch kannte. Sonderlich gute Sachen haben sie auch nicht produziert, sondern, Thomas Manns Worten zufolge, „künstlerische Unterhaltungslektüre, eine tolle und bunte Flucht abenteuerlicher, unmöglicher und obscöner Diversionen" (21, 249 f.). Schließlich gleich zwei boshafte Schlüsse. Der eine: Sie, diese (Quattrocento-)„Künstler", die es also über einen letztlich fragwürdigen Zeitvertreib nicht hinausbrachten, sie will er nennen, wenn er Heinrich Manns Werk verteidigen müsse gegen Leute, „die kommen und glauben werden, es einfach geringschätzen zu dürfen". Die zweite Bosheit: Er wünscht seinem Bruder „ein angenehmes Weihnachtsfest und ein fruchtbares neues Jahr". So fruchtbar wie die anderen, also ein Jahr mit neuen „Schnellfertigkeiten"?

Heinrich Mann im Frühwerk Thomas Manns? Als Gestalt taucht er nirgendwo so deutlich auf, daß er zu identifizieren wäre. Um so präsenter ist er im Briefwerk. Den Antwortbrief Heinrich Manns auf die Invektiven des Bruders kannte man lange Zeit nicht, sondern nur „kaum leserliche Notizen zu einer Antwort", gekritzelt auf die Rückseite des letzten Blattes von Thomas Manns Brief (BrHM, 88 ff.). Diese Notizen wirken wie ein hilfloses Gestammel, wie verzweifelte Verteidigungsversuche, und seine Themen sind „das Skurrile", „das Sexuelle", „Moral – Geist", das von Thomas Mann nicht gesehene „Innerliche", was ihn, Heinrich, allein interessiert habe, und dann geht es über die Bücher hinweg ins Persönliche, in die Feststellung: „Wir tragen ganz dieselben Ideale in uns. Du sehnst Dich nach der Gesundheit des Nordens, ich mich nach der des Südens" – auch wenn es, so in der folgenden Notiz, zwischen ihnen „Gradunterschiede" gibt, und es folgt das Bekenntnis Heinrich Manns: „Ich habe von dem zigeunerhaften Künstlerthum soviel mehr, dass ich nicht widerstehen kann. Ich bin mehr Romane, fremder und haltloser."

(BrHM, 89) Und dazu noch Kritik an *Tonio Kröger*, „dass es nicht nur eine blauäugige Gewöhnlichkeit giebt".

Das alles hingestammelt, es mußte wie ein schwacher, zielloser, hilfloser Verteidigungsentwurf wirken, so, als habe Heinrich Mann den Schlag hingenommen, sich nur geduckt; seine Notizen scheinen über ein paar mühsam hergeholte Erklärungsversuche, die sich auf wenig Konkretes gründen, nicht hinausgekommen zu sein. Aber vor einigen Jahren ist ein fast vollständiger Briefentwurf Heinrichs bekannt geworden, der dieses Urteil zunichte macht. Heinrichs Brief ist über weite Partien hin eine wohldurchdachte, wohlformulierte Verteidigungsschrift; Heinrich Mann versucht sich zu erklären, aber vor allem ist da der Vorwurf an Bruder Thomas: Der habe das meiste eigentlich nicht verstanden, weder die Hintergründe seines *Göttinnen*-Romans (Diana, Minerva, Venus) noch die innere Entwicklung des Bruders.

Was ist der Kern dieser Auseinandersetzung, die offenbar so nötig war, wie sie heute unverständlich ist? Waren es die Plagiate Heinrichs? Heinrich rätselt herum, was Thomas Manns Erbitterung ausgelöst haben könnte, und bezweifelt, daß es die rechte Wahl des Genitivs oder die Verwendung des Wortes „theilweise" gewesen sei – mit Recht, das alles ist Camouflage. Camouflage ist das Stilistische, sind die Fragen, wer welche Stoffe im Sinne hatte, Camouflage auch die diversen Auslegungen verschiedener Figuren aus Heinrich Manns *Die Jagd nach Liebe*. Heinrich Mann hat deutlich genug gesehen, um was es Thomas Mann eigentlich ging: um eine Selbstanalyse, erläutert am Beispiel des anderen. Dennoch waren da die Vorwürfe Heinrich gegenüber – und der antwortete entsprechend: mit einer eigenen Erklärung über sich, also ebenfalls mit einer Selbstanalyse. Von ferne erinnert dieser Briefwechsel an einen anderen berühmten Erklärungs- und Selbsterklärungsversuch: an Schillers Briefe, die er 1794 nach der Begegnung mit Goethe an diesen gerichtet hatte und die ebenfalls auf nichts anderes hinausgelaufen waren als auf die Dokumentation des eigenen Standpunktes. Heinrich Mann hat schnell erkannt, daß es allenfalls vordergründig um sein Werk ging; eigentlich ging es um ihn selbst, seine Eigenart und Andersartigkeit. Bei alledem lief das nicht ohne widersinnig wirkende Zuschreibungen ab, so etwa, wenn Heinrich seinem Bruder vorhält, daß der alles andere als einsam sei, da er hinter sich ja „das beruhigende, stärkende Stimmengewirr eines Volkes" fühle, „Hunderttausende, die Deine Sprache sprechen, haben in dunklem Drängen ungefähr das, was Du aus Deiner innern Erfahrung herausläßt".[1] Er dagegen, Heinrich, sei der Isolierte und Einsame, während Thomas Mann „allzu wohlig

---

[1] Peter-Paul Schneider: „... wo ich Deine Zuständigkeit leugnen muß...". Die bislang unbekannte Antwort Heinrich Manns auf Thomas Manns Abrechnungsbrief vom 5. Dezember 1903, in: „In Spuren gehen ...". Festschrift für Helmut Koopmann, hrsg. von Andrea Bartl, Jürgen Eder, Harry Fröhlich, Klaus Dieter Post und Ursula Regener, Tübingen: Niemeyer 1998, S. 231–253, 243.

in die nationale Empfindungsweise" untertauche.[2] Sah es nicht nach außen hin genau umgekehrt aus? Aber wie dem auch sei: Brief und Antwortbrief umkreisen in immer neuer arabeskenhafter Variation eigentlich bloß sich selbst und den anderen nur soweit, als der zur Bestimmung des eigenen Ich notwendig ist. Eines ist dieser kurze Briefwechsel sicherlich nicht: ein Gespräch mit Rede und Antwort, ein Dialog, bei dem der eine dem anderen die Augen öffnet für das jeweils Eigentümliche. Das Gegenteil ist der Fall: Hier sprechen zwei auf sich selbst bezogene Schriftsteller, die glauben, einander erklären zu müssen und eigentlich doch nur sich selbst erklären. Und deswegen ist dieser Satz „Du weißt doch, daß mit mir nicht zu disputieren ist; es geht schriftlich so wenig wie mündlich" ein Schlüsselsatz in der Beziehung der Brüder; da war in der Tat nichts zu disputieren. Der Unsichere war bei alledem aber nicht etwa Heinrich, über den die Attacken aus heiterem Himmel kamen, sondern Thomas. Heinrich sah die Invektiven Thomas' als dessen Irrtümer „über mich" an, und so versuchte er, diese ihm zu erklären. Er schreibt: „In all diesem, ich darf es betheuern, wirkt kein höherer Werth, als Dich sehen zu machen, Dir mich selbst etwas deutlicher sichtbar zu machen."[3] Es gab zwar einiges an Gemeinsamkeiten, und beide haben das auch gesehen. Da war die Angst vor dem Vertrocknen – wechselseitig. Heinrich Manns Satz „Ich habe die Angst: höre ich auf, ist es aus mit mir" hätte dem Bruder die Rasanz seines Schreibens erklären können, das pausenlose Hinausschleudern literarischer Werke, aber Thomas Mann war offenbar blind dafür – weil er mit der gleichen Angst zu kämpfen hatte. Ein zweites: das Gefühl der Auserwähltheit. Thomas Mann hat Heinrich ein brüderliches Kompliment gemacht, als er ihm sagte, „daß neben Dir so leicht nichts Anderes in Betracht kommt", und hinzugesetzt: „Es ist ein altes Lübecker Senatorssohnsvorurtheil von mir, ein hochmüthiger Hanseateninstinkt, *mit dem ich mich, glaub' ich, schon manchmal komisch gemacht habe, daß im Vergleich mit uns eigentlich alles Übrige minderwerthig ist.*"[4] Heinrich Mann sah mehr als sein Bruder das Gemeinsame; Thomas immer nur das Trennende. So sollte es übrigens ein Leben lang bleiben. Heinrich schrieb zur *Jagd nach Liebe:* „Denn meine Herzogin und mein Millionär sind ich selbst und Dein T.[onio] Kr.[öger] bist Du selbst; und was können wir dabei machen, wenn wir einander ähneln."[5]

Sind das zwei Schriftsteller, einander in höheren Stellungen vermutend? Eine tragfähige Vermittlungsbrücke war das nicht, im Grunde bestätigte sich jeder seine eigene Einzigartigkeit in der ungewissen Annahme, daß der andere

2 Ebd.
3 Ebd., S. 251.
4 Ebd., S. 253.
5 Ebd., S. 248.

das verstünde. Aber das Verständnis blieb begrenzt. Was mag Thomas Mann gedacht haben, als Heinrich Mann ihm in seiner Antwort auf dessen Vorwurf der „schlaffen Brunst in Permanenz" antwortete:

Mein Hauptinteresse war – es ist es noch heute, nur in anderer Weise – die Frau. Ich habe [...] nur meiner Sinnlichkeit gelebt [...]. Es ist also zu beachten, daß meine hervorragende Geschlechtlichkeit von einem bestimmten Augenblick an in den Kopf gestiegen ist.[6]

Da hatte es ein schnelles Ende mit dem Verständnis, und der Bruder schrieb ihm ins literarische Stammbuch, wie *er* das sah:

... diese verrenkten Scherze, die wüsten, grellen, hektischen, krampfigen Lästerungen der Wahrheit und Menschlichkeit, diese unwürdigen Grimassen und Purzelbäume, diese verzweifelten Attacken auf des Lesers Interesse![7]

Heinrich Manns Antwort ließ seinerseits nicht auf sich warten: Er sei der Liberale, der Bruder aber sei der Moralist, und er setzte hinzu: „ich weiß nicht, ob er [der Moralist] der Gegensatz zum Moralprediger ist, aber in der Enge des Urtheils muß er's ihm wohl gleichthun".[8]

Nein, einen Ausweg aus diesem Gestrüpp und Verhau von Anschuldigungen und Rechtfertigungen gab es nicht, konnte es auch gar nicht geben. Am Ende blieb unklar, was der Auslöser gewesen war für die Kritik Thomas Manns an allem, was der Bruder aufs Papier gebracht hatte. Die stilistischen Vorwürfe sind Petitessen, und Heinrich Mann sagte ihm das auch, als er schrieb:

Mir gegenüber die Grammatik aufzuschlagen, die Grammatik, die sich doch nach dem veränderten Sprachgebrauch zu richten hat, wie kraft des gewandelten Rechtgefühls das geschriebene Recht erneuert wird – das wirkt befremdlich.[9]

Mehr als das: Es war kleinlich. Aber es hat nichtsdestotrotz seine Bedeutung, denn diese Herumflickerei und Herumschusterei an Heinrich Manns Sprache läßt eines auf jeden Fall erkennen: Das war nicht Kern der Auseinandersetzung.

Bleiben die Vorwürfe Thomas Manns, Heinrich Mann habe bei ihm gewildert, also der Vorwurf des Plagiats. Ein „unangenehmer Gegenstand", der, so Thomas Mann, schon einmal „zu einer Auseinandersetzung" geführt

---

6 Ebd., S. 234 f.
7 Ebd., S. 238.
8 Ebd., S. 250.
9 Ebd., S. 249.

habe:[10] Thomas Manns Romanplan *Die Geliebten* nämlich sei in den *Göttinnen* auf grotesk-oberflächliche Weise verwertet und verfremdet worden, *Tonio Kröger* und der Gegensatz des Künstlers zu den „Gewöhnlichen" erscheine als Bezeichnung für das Gegenteil des Künstlers in der *Jagd nach Liebe*, der Stoff zu *Königliche Hoheit*, den auch Heinrich Mann für sich reklamiert, sei seiner, und dann der so unbegreifliche Vorwurf, daß der Begriff „Pferdezähne" „als Wort und Beobachtung [...] nicht von Dir" ist, auch der „skurrile Gebrauch von ‚leicht' (‚leicht widerlich', ‚leicht albern') ist nicht von Dir".[11] Heinrich Mann verteidigt sich, wie sich jeder verteidigt hätte: Er weist auf Lessing, Holberg, Molière, Shakespeare hin, da wimmele es von Plagiaten, man müsse vielmehr von der Sache reden, die seit Jahren beide beschäftige, „von dem Künstler im Gegensatz zu den Lebenden".

Eine sonderbare Rechnung, die Thomas Mann seinem Bruder gegenüber aufmacht, ganze drei oder vier inkriminierte Worte, nichts genau Definiertes, was Themen oder Stoffe angeht, und Thomas Mann macht ein briefliches Geschrei darum, als habe er die Patentrechte auf die Verwendung der deutschen Sprache und gemeinsamer Einfälle. Was hatte Heinrich denn von Thomas übernommen? Viel war da nicht, das meiste kam erst später: die *Tonio-Kröger*-Problematik in *Der Unbekannte*, das Schulkapitel der *Buddenbrooks* in *Professor Unrat*, und anderes, so hat man gesagt, sei allenfalls Variation: Gugigl und Permaneder, Erneste in *Zwischen den Rassen* und Sesemi Weichbrodt. Schließlich der Typus des *décadent* – aber der war literarischer Gemeinbesitz in Europa, jeder durfte sich dieses Typus bedienen, und Thomas Mann tat das so gut wie Heinrich.

Thomas Manns Invektiven sind Vernebelungstaktik, sind Vorwärtsverteidigung, wo Rückzugsgefechte angebrachter gewesen wären. Denn wenn jemand der Nehmende war, dann war es Thomas Mann, und die Spur der Übernahmen zieht sich unübersehbar, manchmal nur spärlich verdeckt, durch sein Frühwerk.

In Thomas Manns Werken insbesondere wimmelt es schon in der Frühzeit von offenen und geheimen Anleihen, von Erinnerungen, Anspielungen, verhüllten Enthüllungen. Das ‚Schlaraffenland' zum Beispiel hat ihn hundertfältig stimuliert. Einige Andeutungen mögen genügen: Wenn Tonio Kröger die nordische Gefühlsheimat gegen die ‚bellezza' ausspielt, tut er das mit Worten, die ähnlich schon Claire Pimbusch gesprochen hat. Türkheimer wird von Heinrich als ‚Renaissancemensch' bezeichnet und mit Cesare Borgia verglichen: Tonio Krögers Ausfall ist also gezielt. Von James L. Türkheimer führt eine gerade Linie sodann zu Samuel N. Spoelmann in der ‚Königlichen Hoheit', der nach den frühesten Notizen mit ähnlich angelsächsischem Nimbus hätte Davis

---

10 Ebd., S. 247.
11 Ebd., S. 246.

heißen sollen. Schillers ‚Drum soll der Sänger mit dem König gehen, sie beide wohnen auf der Menschheit Höhen' wird schon im ‚Schlaraffenland' zitiert. Türkheimers Gemahlin aufersteht in Madame Houplé, das Glückskind Andreas Zumsee erhält einen Nachfolger in Felix Krull. (Schon Zumsee wird auf seinem Weg nach oben mit einem ‚Märchenprinzen' verglichen, von seinem ‚glücklichen Selbstbewußtsein', seiner ‚glücklichen Naivität' ist wiederholt die Rede. Das Dandy- und das Pulcinella-Motiv, die ganze Illusionsthematik sind hier vorgegeben, aber sie erscheinen bei Thomas Mann philosophisch vertieft – Schopenhauers Schleier der Maja hatte er sich ja auch zu dem Gesellschaftsroman ausborgen wollen, den er nicht lange nach dem Erscheinen des ‚Schlaraffenlands' auszudenken begann und später an Gustav von Aschenbach abtrat.) Übrigens wird auch Zumsee mit Tannhäuser verglichen; Hans Castorps Hörselberg-Erfahrungen überhöhen und vertiefen die seinen.

Das schrieb Hans Wysling in seiner Einführung in den Briefwechsel von Heinrich und Thomas Mann (BrHM, 23 f.), und das zeigt: Da war Heinrich der Gebende, wenn man hier überhaupt von Geben und Nehmen sprechen will, Thomas der Nehmende – oder vielmehr: derjenige, der übernahm und das Übernommene auf seine Weise ausgestaltete, und Hans Wysling spricht denn auch nicht ohne Grund von „Demonstration": Zu demonstrieren war, daß so vieles um sehr vieles besser zu machen war. Von alledem aber nichts in dem Heinrich hingeworfenen brieflichen Fehdehandschuh, statt dessen, ans Lächerliche grenzend, drei oder vier Worte, die Heinrich Mann übernommen haben sollte. Heinrich Mann hatte das eine oder andere, nur zu verständlich, schlechterdings vergessen, er gestand dem Bruder gerne zu: „Du bist der Erfinder". Das inkriminierte „leicht'" in „leicht widerlich', ‚leicht albern'", schreibt Heinrich, gehöre „beinah zu den Familienscherzen, auf die jedes Mitglied ein Anrecht hat". Die *Buddenbrooks* schließlich – es war anfangs, in Palestrina, so meinte Heinrich nicht ohne Grund, fast eine Gemeinschaftsarbeit: „Wir verfielen täglich Jeder auf neue Einzelheiten, erinnerten uns: das soll vorkommen."[12] Ja, in den *Buddenbrooks* war Heinrich präsent, gleichsam als Mitautor. Und er entgegnet auf die ebenso peinliche wie böswillige Plagiat-Unterstellung seines Bruders:

Hast Du wirklich späterhin während der ganzen ersten Hälfte Deines Romans nicht das Gefühl gehabt, als säße ich dabei, verständnisvoll nickend wie Einer, der das so oder ähnlich auch hätte machen können? Du warst keineswegs zu stolz, manches von mir anzunehmen, und Du thatest recht. Es sind Figuren darin [...], die Du ohne mich entweder kaum gekannt oder wenigstens nicht *so* gesehen hättest. Ich habe statt alles dessen ein paar ‚Pferdezähne' mit Deinen Augen gesehen, und das Wort ‚leicht' für auch mir gehörig gehalten. Und das erbittert Dich.[13]

12 Ebd., S. 249.
13 Ebd.

Ein Streit um Worte, aber das ist vordergründig und erklärt nicht, was da eigentlich auf dem Spiele stand. War es eine sehr menschliche Regung, nämlich der Neid, der Thomas Mann antrieb, Neid auf die außerordentliche Produktivität des Bruders, die er als Jagd nach Wirkung denunzierte? Welche sonderbare Bevormundungsabsicht kommt da hoch, wenn der Jüngere dem Älteren am stilistischen Zeug flickt! Oder war es die Erotik, die Thomas Mann so zuwider war, die Heinrich Mann aber als ein Stück Leben verteidigte, war es Heinrich Manns Bekenntnis zur Frau? Heinrich Mann schlug zurück und schrieb seinem Bruder ins Stammbuch, daß „die Frauen bei Dir nur noch castrirt vorkommen".[14] Das alles mag unterschwellig eine Rolle gespielt haben, aber da schon der Forschungen *in sexualibus* genug angestellt worden sind und es scheinbar nichts mehr gibt, was nicht von dorther erklärt werden könnte oder, so meinen manche, auch erklärt werden müßte, bleibt vielleicht ein anderer Deutungsversuch.

*

Wer war Thomas Mann – nicht an sich, sondern sich selbst gegenüber? Darüber konnte man früh schon etwas lesen, denn er hatte seine literarische Visitenkarte bereits 1893 abgegeben, in seinem frühesten Text für den Frühlingssturm, in *Vision*. Nichts kann für seine innere Befindlichkeit aufschlußreicher sein als diese kurze Skizze. Gewiß, er hat vieles übernommen, aus Frankreich von Bourget die Ästhetik der minutiösen Empfindungsanalyse, selbst wenn es sich um halluzinatorische Vorgänge handelt, das genaue Beobachten und den Versuch einer exakten Chronographie vom Naturalismus, die Pflanzenmotivik des Jugendstils, den Typus der *femme fragile*, das Mädchenhandmotiv aus dem Storm-Gedicht *Frauenhand*. Man hat *Vision* als versuchten Anschluß an Hermann Bahr gelesen, als Bemühen, die neue Psychologie der Wiener Moderne auszumünzen, aber im Zentrum stehen nicht literarische Experimente, sondern steht der sich selbst beobachtende Künstler in seiner Distanz zur Welt, zum früher Erlebten. Seelenstimmungen sind der Gegenstand, und Selbstverliebtheit ist das Kennzeichen dieser Introspektion, das über Liebe Gesagte nur etwas aus früheren Liebesbeziehungen Zusammenrekonstruiertes; die Nähe zur Psychoanalyse ist deutlich zu spüren, aber sie tritt hier als Selbstbeobachtung auf. Die starke erotische Grundierung der Erzählung kann nicht darüber hinwegtäuschen, daß auf diesen zwei Seiten nichts anderes sichtbar wird als Lebensferne, obwohl das pulsierende Leben beobachtet werden soll: Hier wird früh schon ein eigentümlicher Realitätsverlust sichtbar, dafür rückt der

---

14 Ebd., S. 243.

sich beobachtende Künstler ins Zentrum. War das angeblich früher Erlebte überhaupt wirklich erlebt? Hier wird etwas von der Unfähigkeit deutlich, Leidenschaft zu beschreiben, vor allem aber eine unüberbrückbare Distanz zur Welt, denn was immer sich auch an Geschehen abspielt, es spielt sich im Bewußtsein des sich Betrachtenden ab. Besonders das Thema der enttäuschten oder verlorenen Liebe ist etwas, das der Eigenpsychologie und der Selbstbeobachtung willkommene Nahrung gibt. Thema der *Vision* ist nicht die Welt, nicht die Geliebte, sondern der Visionär, der sich mit der Welt allenfalls durch eine Erinnerung verbinden kann, die ihm im Grunde genommen aber keiner so recht glauben mag. Der Satz „Nichts dringt hinein von dem lachenden Lärm ringsum" (VIII, 10) ist ein Kernsatz: In die Betrachtung dieses Einsamen dringt in der Tat nichts hinein, wirklich ist allein jener sonderbare Wachtraum, der etwas vorgaukelt, was eben am Ende nicht mehr ist als Vision, ein erster Umsetzungsversuch einer künstlerischen Phantasie, die keinen anderen Gegenstand hat als sich selbst. Ein Schlüsseltext Thomas Manns, wenig ausgewertet bisher, aber unendlich sprechend. Wo kamen die Koordinaten für dieses sonderbare Innenleben her? Wo sollte das hinführen?

Es ging, wie wir wissen, in der Frühzeit nicht ohne Vorbilder ab, nicht ohne Orientierungshilfen. Und die kamen von außen, nicht aus dem eigenen Inneren. Die wichtigste Leitfigur: Goethe, nicht seine Werke, sondern er selbst. Am 21. Juli 1897 hatte Thomas Mann über seine Lektüre der *Eckermann-Gespräche* geschrieben:

Augenblicklich bewundere ich Eckermanns ‚Gespräche mit Goethe' – welch ein beschämender Genuß, diesen großen, königlichen, sicheren und klaren Menschen beständig vor sich zu haben, ihn sprechen zu hören, seine Bewegungen zu sehen –! Ich werde garnicht satt davon, und ich werde traurig sein, wenn ich zu Ende bin. (21, 95)

Die Anstreichungen in seinem Exemplar der *Gespräche* bezeugen, wie intensiv er las, vor allem aber: wie aufnahmebereit er war. Wir wissen seit langem durch Hans Wysling, wie sehr Thomas Mann, der Unsichere, früh vaterlos Gewordene, der literarisch herumexperimentierende Thomas Mann eine Orientierungshilfe brauchte, und mehr als das: ein Vorbild, dessen Nachfolge er antreten konnte, dem er ähnlich werden konnte. Die vielen Goethe-Zitate im Frühwerk Thomas Manns sprechen im übrigen ihre eigene Sprache. Goethe bot ihm das, was ihm selbst mangelte, nämlich Lebenserfahrung, Goethe war der große Mann.

Ich fühle mich nun durch Goethes Worte um ein paar Jahre klüger und fortgerückt und weiß in meiner tiefsten Seele das Glück zu erkennen, was es sagen will, wenn man einmal mit einem rechten Meister zusammentrifft. Der Vorteil ist gar nicht zu berechnen

– das schrieb nicht Thomas Mann, sondern Eckermann,[15] aber Thomas Mann hätte das Gleiche sagen können. Welterfahrung war das, was er bei Goethe lernen konnte, und was er bei Goethe fand, war, was bei Goethe „Antizipation" hieß – er bedürfe zur Kenntnis der Welt keineswegs der Erfahrung einer großen Empirie, „Welt" sei auch durch Antizipation und Talent zu erreichen; dem Dichter, so meinte Eckermann, so meinte Goethe, sei also „die Welt angeboren".[16] Ja, das konnte Thomas Mann gebrauchen, denn „Welt" hatte er nicht, aber hier sah er, daß er sich das, was ihm fehlte, nämlich Welterfahrung, auch aneignen könne, ohne sich auf umständliche Lebensfahrten zu begeben. Goethe bestätigte ihm, daß die Erfindung nur beschränkten Wert habe, aber gegebene Stoffe, überlieferte Fakta und Charaktere das Eigentliche seien: Der Dichter, so Eckermann, so Goethe, „hat nur die Belebung des Ganzen". Das war Thomas Mann aus seiner Künstlerseele gesprochen, von da an hat er nicht die Gabe der Erfindung gepriesen, sondern die „Beseelung". Kurzum: Da war der Kompaß, nach dem Thomas Mann sein Leben, und, was ihm wohl wichtiger war, sein Schreiben ausrichten konnte. Da fand er Lebenskunst, da fand er Urbanität, Freiheit des Urteils, innere Unabhängigkeit und Lebenskultur: Da war die Autorität, die ihm, was Leben und Schreiben anging, Hilfestellung geben konnte. Und wir wissen nur zu gut, wie es weiterging, welche Metamorphosen die Goethe-Beziehung noch durchmachen sollte.

Untergründig freilich gab es immer wieder Absetzungsversuche, gab es wohl auch die Befürchtung, das In-Spuren-Gehen könne zu weit führen. Gab es lebende Vorbilder? Kurzfristig auch das, und sie lassen etwas erkennen von der Gewalt anderer Einflüsse. Bezeichnenderweise berichtet Thomas Mann zu Beginn jenes Vernichtungsbriefes an den Bruder über eine Begegnung mit Gerhart Hauptmann, für ihn das Haupterlebnis und Hauptergebnis einer Reise, die ihn auch nach Berlin geführt hatte:

Ich war mir von seiner Persönlichkeit einen solchen Zauber, wie sie thatsächlich ausübt, bei Weitem nicht vermuthend gewesen. Ein lichter Kopf, durchgearbeitet, tief und doch klar; ein Wesen, würdevoll und sanft, weich und doch stark. Er ist ganz eigentlich mein Ideal. So hätte man auch werden können [...]. Sein Altruismus, seine wundervolle Menschlichkeit, von der auch sein letztes Stück ‚Rose Bernd' wieder voll ist, umgiebt thatsächlich seine Person wie ein Schimmer und macht sie ehrwürdig. (21, 241)

Die Bewunderung ist verständlich, ganz geheuer ist sie nicht. Nicht, daß Hauptmann Goethe als Vorbild ersetzen sollte – Hauptmann war eigentlich

---

[15] Johann Peter Eckermann: Gespräche mit Goethe in den letzten Jahren seines Lebens, mit Einleitung und Anmerkungen hrsg. von Gustav Moldenhauer, 3 Bde., Leipzig: Reclam [1884], Bd. 1, S. 49.
[16] Ebd., S. 98.

nur das, was er selbst auch nur zu gerne war, nämlich ein Nachfolger Goethes: derselbe Typus, die gleiche Lebenszugewandtheit auch bei ihm. Aber Thomas Mann mochte gewußt haben, daß es so nicht weitergehen konnte. Wer war er selbst? Das hatte er undeutlich in seiner *Vision* schon gefragt, aber zur Konturierung seines eigenen Daseins und seines Schreibens brauchte er etwas anderes: etwas Gegensätzliches, auf gleichem Niveau. Nicht sich selbst im Spiegel zu erkennen, sondern im Anderen sich zu konturieren: Das sollte dieser Brief vom 5. Dezember 1903 offenbar leisten. Es ging um die Sicherung des Eigenen, die Errichtung von Schutzwällen gegen den Anderen, überhaupt gegen das Andere, Fremde, Bedrohliche, nicht dem eigenen Ich Zugehörige: Das war der Sinn dieser Unternehmung. Nein, da war nicht zu diskutieren, und beide wußten es. Und so war es am Ende denn auch beliebig, ob es um stilistische Finessen ging oder um die Erotik, um die Wirkungsabsicht oder sonst irgend etwas. Es ging um nichts anderes als „Abwehr des Anderen", und zwar die grundsätzliche, es ging um Grenzziehungen und zugleich um mehr. Heinrich Mann schrieb:

Statt Einsicht in die Zusammenhänge bei mir und meinem Werk, bietest Du mir nackte prinzipielle Ablehnung. Gelegentlich eines von Dir veröffentlichten Aufsatzes – man glaubte ihn gegen mich gerichtet, aber in bewußter Weise war es sicher nicht – schrieb Jemand, der mir wohl will: er würde diesen Fanatismus bei einem durch Einsamkeit Verbitterten begreifen, nicht aber bei Dir, dem so viel Weihrauch verbrannt werde wie kaum einem gleichaltrigen Künstler.[17]

Aber er setzte hinzu: „Nun seh' ich wohl ein: ich als der Liberale habe es leicht, auch Dich gelten zu lassen. Wenn es nicht Überzeugung wäre, wäre es Anstandspflicht". Warum war das nicht umgekehrt so, warum ließ Thomas Mann seinen Bruder nicht gelten? Ein Rest von Rätselhaftigkeit bleibt. Aber sicher ist, daß es nicht so sehr um einzelne Werke ging, erst recht nicht um Quisquilien wie die Übernahme einzelner Wörter. Thomas Mann versuchte sich an der Ausformung eines Typus, dem er sich selbst zugehörig wußte und der bislang eigentlich auch in seinen frühen Erzählungen nur ungenau umrissen worden war: der Künstler. Das wollte er sein, nichts anderes. Da gab es viel Zustrom aus der Richtung Nietzsches, aber das Entscheidende mußte offenbar noch einmal gesagt werden. Und nicht ohne hintergründige Ironie lieferte ihm Heinrich das Stichwort: der Moralist. Plötzlich war da alles versammelt, was den „Künstler" ausmachte: Anstand, der Durchhaltewille, die Abwehr alles Sexuellen, die Konzentration auf das Werk, die Abkehr von einem allzu gemeinen „Leben", Geistigkeit, Lebensdistanz. In den Wirren des *Tonio Kröger* war

---

17 Peter-Paul Schneider (zit. Anm. 1), S. 250.

das alles schon angedeutet, aber jetzt wurde es bei Thomas Mann manifest –
und für Heinrich Mann gleichzeitig das Erkenntnisraster, was die eigentümliche Physiognomie seines Bruders anging. Es ging um Haltung, um die „Idee
vom Künstler". Aber das war ja alles anderswo schon zu finden, meinte Heinrich, wenn nicht bei Nietzsche, dann zum Beispiel „in Balzac's Peau de
Chagrin, diesem großen Symbol".[18] Heinrich sah auch, wohin diese Selbstab-
grenzung des Bruders führen mußte, und schrieb ihm etwas ins Stammbuch,
was über Jahrzehnte wohl nicht vergessen wurde: „Du läufst Gefahr, ein Denker aus zweiter oder dritter Hand zu werden, anstatt eines Künstlers aus erster."[19] Thomas Mann aber steigerte sich hinein in die Vorstellung, daß er
„Künstler" sei. Die „Haltung" des Künstlers, seine Ethik, das alles wurde in jenem Brief von Thomas Mann reichlich unbestimmt und dennoch nachdrücklich ins Feld geführt. Daß Heinrich Mann sich zwangsläufig genötigt sah, sich
selbst zu definieren, ein Minimum an literarischem Lebensrecht zu behaupten
– das war die verständliche Folge jener brüderlichen Attacke auf ihn. Doch:
warum, wozu, weswegen?

Eine immerhin wohl mögliche Antwort: Thomas Mann versuchte seinen eigenen Lebens- und Schreibkurs zu stabilisieren, diesmal ohne Hilfe Goethes,
und als er sich ausgesprochen hatte, mehr über sich als über Heinrich, verzog
sich denn auch das Gewitter. Nur untergründig grummelte es weiter: Hier der
Künstler, dort der Literat, Typus Henry – der Grund für weitere Auseinandersetzungen war gelegt. Heinrich schloß seinen Brief, der keine Attacke war wie
der des Bruders, mit einer doch bewundernswerten Noblesse, als er schrieb:

Ich habe hier von dem, was ich bin, etwas auszudrücken versucht, nicht damit irgend-
wann einmal Leute es lesen, die es wenig angeht, sondern damit jetzt einer der [ganz]
Seltenen [und vielleicht der Einzige], der mir, gesetzt, es scheint ihm der Mühe werth,
näher kommen könnte, den Weg [etwas] weniger leicht verfehlt.[20]

Am 23. XII. ein etwas blasses Resümee auch von seiten Thomas': „Uns beiden
ist am wohlsten, wenn wir Freunde sind, – mir gewiß. Es sind meine übelsten
Stunden, wenn ich Dir feindlich gesinnt bin." Der Disput, der keiner gewesen
war, war vorerst zu Ende.

Ein Streitgespräch, ohne daß die Fronten recht klar würden, ein Angriff auf
den anderen, ohne daß recht deutlich würde, warum das alles inszeniert wurde,
das geradezu erbitterte Herumkritisieren an Stil und Sprache des Älteren – der
Grad der Verurteilung spricht dafür, daß auch die Selbstanalyse letztlich un-

---

[18] Ebd., S. 248.
[19] Ebd.
[20] Ebd., S. 252.

vollkommen bleiben mußte. Abwehr des Anderen zur Errichtung eigener Positionen – ja, aber verständlich, daß eine solche Auseinandersetzung weiter
schwelte. Und wir wissen: Spätestens mit der Attacke auf den Zivilisationslite-
raten flammte sie wieder auf.

Liest man die auf die Auseinandersetzung von Ende 1903 folgenden Briefe,
so etwa den vom 8. Januar 1904, so wird erneut deutlich, daß die Auseinandersetzung mit Bruder Heinrich eigentlich Teil einer Krise ist, in deren Kern die
Bemühung Thomas Manns um eine neue Legitimation sich selbst gegenüber
steht. Da findet sich etwa der Satz: „die Complicirtheit der Welt überwältigt
mich, die Erkenntnis, daß alle Gedanken nur Kunstwerth aber keinen Wahr-
heitswerth haben, würgt mich physisch an der Kehle" (21, 259). Gedanken-
qualen, Seelenqualen. Aber Thomas Mann steigert sich hinein in die Vorstellung, daß er das „außerordentliche Dasein des Künstlers" lebe, es aushalten
müsse, und was ein Künstler sei, das sagt er auch, nämlich *die trübe und zwei-
felhafte Mischung aus Lucifer und Clown*". (21, 261) Er sei zu sehr Künstler,
um Würde und Bescheidenheit zu haben, zu pathologisch und zu kindisch, gesteht Thomas seinem Bruder (21, 263), und dann spricht er von seiner *„eigenen
zweifelhaften Persönlichkeit*" – und der zugleich eitlen und überlegenen Freude daran (21, 264). Thomas Mann fand sich auch plötzlich wieder in Heines
Charakteristik des Nazareners Börne, schrieb an den Rand ein *Ecce ego* – und
so geht das noch durch einige Briefe weiter, und wenn etwas für die Irritation
in seinem eigenen Inneren spricht, dann auf der einen Seite die Verliebtheit in
die eigene Einsamkeit und auf der anderen Seite die Erkenntnis, daß er im
Grunde „ein gewisses fürstliches Talent zum Repräsentiren" habe (21, 271).
Wo soll die Reise hingehen? Aber da stand ja die Heirat mit Katia ins Haus.

*

Die Auseinandersetzung war aber auch von seiten Heinrichs noch nicht beendet, und auf die Selbststilisierungsversuche Thomas Manns als Künstler in seinen Abgrenzungsbemühungen gegen den Zigeuner im grünen Wagen bekam
der jüngere Bruder etwas später eine Antwort: in *Professor Unrat*.

Daß Thomas Mann mit Stoff, Komposition und Stil nicht einverstanden
war, kann man seinem Notizbuch entnehmen: „Ich halte es für unmoralisch,
aus Furcht vor den Leiden des Müßiganges ein schlechtes Buch nach dem andern zu schreiben", so beginnt die Philippika, mit *Anti-Heinrich* überschrieben (Notb II, 115), und dann: „Künstlerische Unterhaltungslektüre"', also
keine Kunst. Kunst war das andere. Der Künstler, geprägt von Selbstbeherrschung und Geduld, sein Dasein ein zuchtvolles, auch wenn es die Qual kannte: Der Würde der Kunst mußte gehuldigt werden, Kunst war mit Andacht

verbunden, Kunst war eine säkulare Religion, und der Künstler hatte es mit Disziplin zu tun und Selbstkasteiung, war ein Asket – zwischen ihm und dem Leben gab es eine unüberbrückbare Distanz, auch wenn Tonio Kröger mit Sehnsucht vom Leben träumte. Über den Traum kam er am Ende ja doch nicht hinaus.

Aber das wird im *Professor Unrat* höhnisch über Bord geworfen, der Roman richtet sich gegen alles, was ihn am Ästhetizismus des Bruders störte, und das war vor allem gegen jede Esoterik in der Kunst gesagt. Die Künstlerin Fröhlich, die Tänzerin, die „auf bloßen Füßen griechisch tanzt",[21] ist eine einzige Persiflage alles dessen, was bei Thomas Mann den Künstler ausmacht. Schlimmer könnte *Tonio Kröger* nicht parodiert worden sein. Tonio Kröger als verirrter Bürger – die Künstlerin Fröhlich macht sich über die verirrten Bürger nur noch lustig. Nichts mehr bei Heinrich Mann von der Aristokratie des echten Künstlertums, von der Würde der Kunst, dem zuchtvollen Dasein des Künstlers, von Selbstbeherrschung und Geduld geprägt, von Disziplin und Selbstkasteiung – in *Professor Unrat* ist das Künstlerische herabgewürdigt, profaniert, ins schräge Licht einer Kaschemme gezogen. Die einsamen Leiden des mit sich und der Welt ringenden Künstlers, Schillers *Schwere Stunde* – hier alles ein Tingeltangelereignis, die sogenannte Kunst ein billiges Vergnügen; aus der *„Psychologie des Künstlers"* (Notb II, 106), die Thomas Mann immer wieder durchleuchtet hatte, waren im Boudoir der Künstlerin Fröhlich Ankleidungsprobleme geworden.

Thomas Mann dürfte das alles wohl registriert haben, und was er las, war nicht dazu angetan, ihn von Wert und Eigenständigkeit des Romans seines Bruders zu überzeugen – die Ausfälle im Notizbuch sprechen ihre eigene Sprache. Aber sie kamen eben nicht aus heiterem Himmel. Das Schmierentheater um die Künstlerin Fröhlich – das war ein Affront gegen alles, was Thomas Mann mit „Kunst" verband. Heinrich Manns Roman ist ein aggressiver Roman – gerichtet gegen das, was ihn besonders am Bruder störte, und im Zentrum der Aggressionen stand dessen esoterische, asketische, in den Augen des Bruders geradezu arrogante Auffassung vom Wesen der Kunst. Die Künstlerin Fröhlich trampelte das mit ihren Füßen, die griechisch tanzen konnten, alles erbarmungslos herunter. Dabei richtet sich Heinrich Manns Roman nicht so sehr gegen einzelne Novellen Thomas Manns, sondern vor allem gegen sein Hauptwerk, die *Buddenbrooks*.

---

[21] Heinrich Mann: Professor Unrat oder Das Ende eines Tyrannen. Roman, mit einem Nachwort von Rudolf Wolff und einem Materialienanhang, zusammengestellt von Peter-Paul Schneider, Frankfurt/Main: Fischer Taschenbuch 1989 (= Studienausgabe in Einzelbänden; Fischer Taschenbuch, Bd. 5934), S. 38.

Heinrich war in Thomas Manns Roman, in seinen Novellen eigentlich nicht präsent – umso mehr der Bruder bei Heinrich. Wo hätte Thomas den Bruder auch unterbringen können? Die Kritik an den *Göttinnen* war brieflich formuliert, denn nicht Romane oder Novellen standen im Zentrum der Attacken, sondern der „Litterat" selbst. Heinrich hingegen bezog sich auf das Erfolgswerk der *Buddenbrooks*. Die Parodie des Künstlers, ins Weibliche gekehrt, konnte Thomas Mann unmöglich überlesen haben, und seine Notiz zeigt ja auch, wie er davon dachte. Es gab außer dem Künstlerthema aber auch noch etwas anderes, was Heinrich Mann attackierte: Der Hintergrund, der Untergrund, die Mythologie mit all ihren Deutungsangeboten, die in den *Buddenbrooks*, wenn man sie flüchtig lesen würde, vielleicht nur als Dekor, als mythologisches Drumherum erschiene.[22] Aber es ist sicherlich mehr, denn einiges ist da immerhin versammelt, Aphrodite Anadyomene taucht auf in ihrer „sonderbaren Unberührtheit, der die Jahre nichts anhatten": sie tritt in den Roman ein, wenn Gerda erscheint, die man früh schon auch als die schöne Helena zu identifizieren glaubte, aber diese Zuordnung ist doch wohl irrig. Als das Stichwort ‚Anadyomene' fällt, meint Hoffstede Madame Buddenbrook, die „würd'ge [...] Gattin", aber das ist von schreiender Komik, auch wenn letztere errötet, weil sie „die artige Reverenz bemerkt" hatte (1.1, 38). Vielleicht war die Konsulin früher einmal jene „züchtige Schöne", die sich „mit Vulcani fleiß'ger Hand verband" – aber das ist Ewigkeiten her. Die eigentliche Venus taucht später auf: als Gerda „in ihrer eleganten, fremdartigen, fesselnden und rätselhaften Schönheit" erscheint. Eine Göttin, aus Amsterdam kommend, im übertragenen Sinne gleichsam dem Schaum des Meeres entstiegen – dorthin wird sie ja nach dem Tode ihres Mannes auch wieder zurückkehren. Nicht Goethes Helena ist die „mythologische Frau", sondern eben Aphrodite, verheiratet mit einer anderen lübischen Inkarnation des fleißigen Vulcanus, Thomas Buddenbrook. Das ist klassische Mythologie als Hintergrund der Geschichte vom Verfall einer Familie, klassische Bildung, wie sie Thomas schätzte, Ausdruck einer eher beschaulichen Antikenverehrung, passend dazu die Tapeten des Landschaftszimmers, die nicht nur eine Schäferidylle reproduzieren, sondern das Goldene Zeitalter, also die Verse Ovids, passend dazu die Dekoration des Eßzimmers als antikisierende Illustration des „Speisetempels", in dem „zwischen schlanken Säulen weiße Götterbilder" (1.1, 23) stehen: olympisches

---

[22] Der folgende Abschnitt berührt sich mit Teilen des Aufsatzes d. Verf.: Lübecker Götterdämmerung. Zu Heinrich Manns „Professor Unrat", in: Heinrich Mann-Jahrbuch, Bd. 20 (2002), hrsg. von Helmut Koopmann, Ariane Martin und Hans Wißkirchen, Lübeck: Schmidt-Römhild 2003, S. 63–80.

Gelände, die heitere Welt Arkadiens, und es geht bis ins Kulinarische, wenn der Plettenpudding als „Götterspeise" tituliert wird. Das alles gehört zum Ambiente der großbürgerlichen Gesellschaft, auch wenn es verspäteter Roko-ko-Klassizismus sein mag, eine Festdekoration von Gebildeten für Gebildete, und die Götter sind in ihrer eher harmlosen Gegenwärtigkeit mit den Buddenbrooks – erst als die Konsulin beerdigt wird, werden die Götterbilder verhängt.

In *Professor Unrat* geht es anders, wilder, dämonischer zu, und auch die Mythologie ist dort präsent: Alles kulminiert in der Anbetung der Künstlerin Fröhlich, oder sagen wir besser: jener heidnischen Venus, die eine Verderberin ist, sobald sich ihr jemand naht. In Venus scheinen, wie uns die Altertumswissenschaft lehrt, mythengeschichtlich ursprünglich magische Kräfte und Zauberei wirksam gewesen zu sein, erst später wurde die italische Göttin zur Aphrodite.[23] Hier tritt sie gleichsam noch in ihrer verwilderten Form auf: eine Wirtshausvenus. Eines ist am auffälligsten: Unrats Angebetete hat rötliches Haar, wie Gerda Buddenbrook es hat – und spätestens hier wird deutlich, daß die Künstlerin Fröhlich eine lebende Kontrafaktur zu jener anderen Frau Venus ist, die im Hause der Buddenbrooks ihre rätselhafte Rolle spielt. Die Fröhlich ist keine stilisierte Göttin, aus einem Reich beschaulicher Antikenverehrung kommend, sondern „eine Herrscherin über Gut und Blut, eine angebetete Verderberin".[24] Sie verdirbt sie alle: nicht nur Unrat, sondern auch ihre jugendlichen Anbeter. Unrat freilich ist ihr erstes und größtes Opfer.

Das ist das Reich einer „mythologischen Frau" anderen Zuschnitts in der lübischen Provinz, das ist eine dunkle Mythologie, nicht die des altphilologisch gebildeten jungen Mannes, der Nösselts Mythologie-Buch gelesen hat,[25] das sind nicht Hera und Aphrodite in ihrer klassizistischen Ausstattung, das ist irrlichterndes Venusberggelände, aus dem alle guten Geister vertrieben sind, das Dämonische aber um so stärker angesiedelt ist. Unrats Weg durch die Stadt und durch seine letzten Jahre ist eine Katabasis, eine Unterweltsfahrt, die nichts mehr gemein hat mit den vorsichtigen Untergangsbeschreibungen seines Bruders Thomas. Dort war die Mythologie eine in sich stimmige Angelegenheit, Deutungsangebot, Polyperspektivismus, was die Oberflächen- und Tiefendimensionen des Romans anging. Heinrich Mann hat das mythologische

---

[23] Vgl. Lexikon der Alten Welt, hrsg. von Carl Andresen et al., Zürich/München: Artemis 1990 (Erstausg. 1965), Bd. 3, Sp. 3203.
[24] Heinrich Mann, Professor Unrat (zit. Anm. 21), S. 230.
[25] Friedrich Nösselt: Lehrbuch der griechischen und römischen Mythologie für höhere Töchterschulen und die Gebildeten des weiblichen Geschlechts, 6., verbesserte und vermehrte Aufl., Berlin: Friedberg & Mode 1874.

Theater ganz anders inszeniert – die wilden, bacchanalischen Seiten der Götterwelt treten hier unverhüllt zutage.

Nösselts Mythologie-Buch – Heinrich Mann nutzte eine andere Lektüre, nämlich Heines *Die Götter im Exil* – im Roman fast beiläufig von der luziferischen Gestalt des Schülers Lohmann genannt. Auch der liest darin, wie Heinrich Mann, und der hat es nicht bei einem Liedchen Hoffstedes oder einer Anspielung des Maklers Gosch belassen, sondern hat das skurrile Dasein der vertriebenen Götter in seinen Roman hineingebracht. Die Szene in jener Villa vorm Tor – ein Bacchanal. Bei Heine tanzt man den „Freudentanz des Heidenthums, den Cancan der antiken Welt", Faune und Satyrn sind da versammelt, Mänaden und Korybanten, das Bacchanal wird gefeiert „ganz ohne Dazwischenkunft der Sergents-de-ville einer spiritualistischen Moral, ganz mit dem ungebundenen Wahnsinn der alten Tage, jauchzend, tobend, jubelnd". So kann man das bei Heine in den *Göttern im Exil* lesen[26] – ist das, was draußen vor den Toren der Stadt in Unrats Villa geschieht, von anderer Art? Das ist nicht die klassische antike Mythologie, die Bruder Thomas schätzte, das ist die wilde Mythologie der Götter in der Verbannung, Heidentum in vielfältiger Form, das sind die Mysterien, das ist der Aufruhr der seit Jahrtausenden Vertriebenen und der schließliche Untergang des Heidentums. Heinrich Mann dürfte auch Heines *Die Göttin Diana* gekannt haben, also den Nachtrag zu den *Göttern im Exil* – der Plan zu einer Pantomime, die sich unmittelbar dem Sagenkreise der *Götter im Exil* anschließt. Das Vierte Tableau spielt im Venusberg, und da ist allerhand berühmtes Volk versammelt, von der schönen Helena von Sparta über die Königin von Saba bis Julius Caesar – und, ein Heinescher Scherz, Wolfgang Goethe.[27] Dort erscheint auch Frau Venus mit ihrem Tannhäuser, und sie tanzen „in toller Lust". Am Ende aber verschwinden die Götter wieder „ins Dunkel", und die derart „entgötterte Stadt" atmet auf,[28] der Zauberspuk endet. Normalität kehrt zurück, die wie mit „Katastrophen" geladene Luft reinigt sich, und das letzte Wort hat Lohmann, der anfangs mit luziferischen Zügen Ausgestattete. Er bleibt übrig: ein „Parsifal". Natürlich ist nicht jener mittelalterliche Held gemeint, sondern Wagners *Parsifal*. Die Götterdämmerung endet; Parsifal befreit aus dem zauberischen Reich des Bösen,[29] beschließt die dunkle Herrschaft. *Parsifal*, so weiß man, ist ein

---

26 Heinrich Heine: Historisch-kritische Gesamtausgabe der Werke, hrsg. von Manfred Windfuhr, Bd. 9: Elementargeister. Die Göttin Diana. Der Doktor Faust. Die Götter im Exil, Hamburg: Hoffmann und Campe 1987, S. 130.

27 Ebd., S. 74.

28 Heinrich Mann, Professor Unrat (zit. Anm. 21), S. 227.

29 Richard-Wagner-Handbuch, unter Mitarbeit zahlreicher Fachwissenschaftler hrsg. von Ulrich Müller und Peter Wapnewski, Stuttgart: Kröner 1986, S. 337.

Komplement des *Tannhäuser*. Es geht um das ungelöste, das vielleicht unlösbare Problem des Anspruchs der sinnlichen Liebe im Widerstreit zu dem Anspruch der moralischen Postulate, der religiösen Gesetze, der gesellschaftlichen Geltungen.[30]

So Peter Wapnewski in seinem *Wagner-Handbuch*. Das grundiert auch Heinrich Manns Roman. Mit dem Stichwort ‚Parsifal‘ ist der Götterspuk um die wilde Venus beendet, und so, wie Wagner im Weihefestspiel „ein Reinigungs-Exerzitium" veranstaltet,[31] so deutet es Heinrich Mann in *Professor Unrat* wenigstens an – und damit ist noch einmal das alte Thema der Sexualität, der Erotik genannt, das in den frühen Briefen von 1903 eine so große Rolle spielte. Das war vielleicht Heinrich Manns eigentliche Antwort auf jene Invektiven des Bruders, so wie der Roman vom Professor Unrat auch die eigentliche Antwort war auf die *Buddenbrooks* und deren feinziseliert beschriebenen Untergang. Auch *Professor Unrat* ist eine Verfalls- und Niedergangsgeschichte, der Absturz endgültig, der Weg ins Dunkle gleichsam ein Weg aus der Geschichte hinaus. Die Schilderung eines „Abwärts", wie der Titel der *Buddenbrooks* ja urspünglich lauten sollte: hier zusammengedrängt auf einen kurzen Lebenslauf, nicht über vier Generationen hin ausgeweitet, der Weltuntergang, schon vor dem eigentlichen Ende des Romans präludiert, wenn Unrat flieht: „Er floh wie über einsinkende Dämme, unter Wolkenbrüchen, an speienden Vulkanen hin. Alles um ihn her fiel auseinander und riß ihn in Abgründe."[32] So etwas konnte mit den Absturzschilderungen von Thomas Mann durchaus mithalten. Vieles erscheint hier sogar radikalisiert: der Verfall eines Menschen, nicht der Verfall einer Familie, dieser nicht in Kontobüchern bilanziert oder in Erbfolgestreitigkeiten ausgeartet, der Absturz als Weg aus den besseren Wohnvierteln in die Hafengegend, aus der Stadt bis vor die Stadt, ein Abstieg in die Unterwelt. Ein verkommenes Dasein, das immer stärker ins Abseits und schließlich in die Ausweglosigkeit hineingerät, alles demonstriert am Beispiel eines Einzelnen, der in seinem kleinen Reich nichts anderes als ein Weltenherrscher mit skurrilen Zügen war, ein Oberlehrer-Zeus – beschrieben wird, wie der Herrscher in den Abgrund stürzt, wie Aufruhr und Umsturz sich breitmachen, der Despot schließlich verfolgt, gejagt, zum Untergang gebracht wird.

Hat Thomas Mann verstanden, was Heinrich da beschrieben hatte? Vermutlich nicht, jedenfalls hat er nicht die Kontrafakturen im Roman des Bruders gesehen. In einem irrte er mit Sicherheit: Das war keine „gottverlassene Art von Impressionismus", die Götter waren präsent, aber in anderer Form als in den *Buddenbrooks*.

---

[30] Ebd., S. 342.
[31] Ebd., S. 344.
[32] Heinrich Mann, Professor Unrat (zit. Anm. 21), S. 165.

Bleibt das „Ich bin geworden, wie ich bin, [...] weil ich nicht werden wollte, wie du'" (1.1, 638), bleibt die brüderliche Feindschaft zwischen Thomas und Christian Buddenbrook. Manches von dem, was Thomas Mann gegen seinen Bruder Heinrich einzuwenden hat, findet sich dort – nicht wieder, sondern im voraus. Natürlich ist es unsinnig, die Auseinandersetzung zwischen Thomas und Heinrich Mann in den Roman hineinzulesen – so wie es aber auch unsinnig wäre, davon ganz abzusehen. Anders gesagt: Die Selbststilisierung mit Hilfe eines literarischen Modells hat bei Thomas Mann schon früh eingesetzt, und sie war ihm nur möglich durch das Hinzuziehen des Gegenteils, durch die Schärfung des eigenen Profils, des eigenen Bewußtseins mit Hilfe des Blickes auf anderes, auf einen anderen. Die Auseinandersetzung aus dem Jahre 1903 wiederholt undeutlich und gleichzeitig doch überdeutlich das feindliche Miteinander von Thomas und Christian Buddenbrook.

Die gehässige Verachtung, die Thomas auf seinem Bruder ruhen ließ, und die dieser mit einer nachdenklichen Indifferenz ertrug, äußerte sich in all den feinen Kleinlichkeiten, wie sie nur zwischen Familiengliedern, die auf einander angewiesen sind, zu Tage treten (1.1, 345)

– das steht in den *Buddenbrooks*, aber es illustriert ungefähr auch das Verhältnis der Brüder. Ist der Roman dem Leben vorausgeeilt? Weil im Roman alles schon so angelegt war, mußte sich mit einer gewissen Zwangsläufigkeit wohl auch im wirklichen brüderlichen Verhältnis das erfüllen, was dann 1903 zum Ausbruch kam.

Das ist ein weites Feld, spekulativ hoch belastet, Eindeutigkeit nicht erreichbar, das Ganze so unbestimmt wie etwa der Schluß von *Lotte in Weimar*; ob Goethe nun wirklich im Wagen neben Lotte saß oder nicht, werden wir nie erfahren – aber wir sollen es ja auch nicht, und es spielt eigentlich keine Rolle. Heinrich Mann war in Thomas Manns Schreiben präsent, auch wenn von ihm nicht ausdrücklich die Rede war. Vielleicht auch im Stilistischen so präsent, daß schwer vorstellbar ist, wie Thomas Mann geschrieben hätte, wenn es nicht jenen anderen gegeben hätte. Thomas Manns Schreibstil ist in jeder Hinsicht komparativisch geprägt: Etwas wird beschrieben, indem es gegen das Gegenteil abgegrenzt wird. So war das schon bei den Charakteristiken der Familienmitglieder zu Anfang der *Buddenbrooks*; Abgrenzung durch Vergleich, durch das Dagegenhalten prägt auch die schlimmen Briefe des Jahres 1903, und es wäre nicht schwer, die Spur dieses Schreibverhaltens, das auch ein Weltverhalten war, durch die Romane bis hin zum *Felix Krull* zu verfolgen. Aber das liegt weit jenseits dessen, von dem hier die Rede sein sollte.

Richard Matthias Müller

Josef Ponten (1883–1940), Freund Thomas Manns

1. Freundschaft

Der Schreinerssohn und Dichter Josef Ponten wäre im Juni 2003 hundertzwanzig Jahre alt geworden. Dessen ist jedoch nicht einmal in Aachen gedacht worden, wo sein Archiv liegt, wo er Abitur machte, studierte, seine ersten Romane schrieb und als Nachhilfelehrer die Schwester eines adligen Klassenkameraden, Julia, Freiin von Broich, kennenlernte. Sie verstand sich als Malerin, und nach dem Tod ihres Vaters, des Barons, heirateten sie.

Josef Ponten kennt man heute kaum noch. Dabei war er Mitglied des PEN, der Sektion Dichtung der Preußischen Akademie der Künste, Träger des Rheinischen Literaturpreises und des Literaturpreises der Stadt München,[1] Verfasser von zehn Romanen, mehr als zwanzig Novellen, mit zwischen 30 000er und 100 000er Auflagen (Deutsche Verlagsanstalt, Gustav Kiepenheuer, Fischer). Aber keins seiner Werke ist noch auf dem Markt.

Auch die Freundschaft, die ihn mit Thomas Mann verband, von der er noch 1938 glaubte, dass sie, ähnlich der von Schiller und Goethe, in die deutsche Literaturgeschichte eingehen werde, hat sein Andenken nicht gerettet.

Dabei schrieb Hans Brandenburg, Dichter, intimer Kenner der Münchener Szene und gelegentlich intensiver Gesprächspartner Manns, in seinem Buch *Im Feuer unserer Liebe – Erlebtes Schicksal einer Stadt*: „Ich weiß nur von einer einzigen, und dabei vorübergehenden, Freundschaft Thomas Manns, einer höchst merkwürdigen Freundschaft, seiner Freundschaft mit Josef Ponten."[2] Dass diese „einzige" in der neueren Thomas-Mann-Literatur so gut wie keine Erwähnung findet, jedenfalls nicht als Freundschaft,[3] ist ein Rätsel – aber kein unlösbares.

---

[1] Des Rheinischen 1936, des Münchener 1937. Der Herausgeber des Mann-Ponten-Briefwechsels, Hans Wysling, hat in der Einführung (BrP, 22) Ponten irrtümlich zwei mit dem Rheinland verknüpfte Preise zugeschrieben, offenbar weil der Preis in der Presse unter verschiedenen Bezeichnungen geführt wurde. Mein Vortrag *Ponten, 1883–1940*, gehalten am 14.3.1985 auf Schloss Schönau, Aachen, Manuskript im TMA, enthält denselben Fehler.

[2] München: Neuner 1956, S. 214. „... gelegentlich intensiver Gesprächspartner Manns": S. 208 f., vgl. S. 217–221.

[3] Relative Ausnahme: Klaus Harpprecht: Thomas Mann. Eine Biographie, Hamburg: Rowohlt 1995.

Freunde wurden Thomas Mann und der acht Jahre jüngere Ponten im ersten Friedensjahr 1919. (BrP, 31; 4.10.1919) Das Unerhörte ist, dass diese Freundschaft von Seiten Thomas Manns im Sinne möglicher Gleichrangigkeit begann, Gleichrangigkeit im Schriftstellerischen.

Als erklärter Patriot, der nach dem verlorenen Krieg trotzig seine *Betrachtungen eines Unpolitischen* herausgebracht hatte, fühlte Thomas Mann damals seine geistige Existenz wanken und war für neue Beziehungen offen. Kurt Martens, Schriftsteller und Feuilletonredakteur der Münchener Neuesten Nachrichten, hatte ihm im Herbst 1918 den *Babylonischen Turm* zu lesen gegeben, den vierten Roman des in Raeren, Eupen-Malmedy, geborenen Ponten (einem Gebiet, das dem Deutschen Reich als Folge von Versailles soeben abhanden gekommen war).

Thomas Mann beginnt die Lektüre am 12. November mit Skepsis. Aber von Tagebucheintrag zu Tagebucheintrag kann man verfolgen, wie die Anziehung[4] wächst und eine Woche später in „Ehrerbietung"[5] übergeht. Bereits am 26. November heißt es:

Nach dem Nachtessen den ‚Babyl. Turm' mit dem größten Respekt, ja mit Bewunderung beendet. Das Musik-Kapitel ‚Trio' am Ende – ersten Ranges [...]. Es wäre schön, wenn ich für die Frankf. Zeitung über das Buch schriebe.

Das geschah nicht. Der Hintergrund für Manns Passivität war eine Dauerdepression, die sich den politischen Zuständen verdankte. Unfähig zu Eigeninitiativen (außer allenfalls mürrisch-satirischen Leserbriefen), von schweren Zahnproblemen und der unverhältnismäßigen Mühe um den *Gesang vom Kindchen* gequält, war Thomas Mann auf freundliche Anstöße von außen angewiesen. Entsprechend freute er sich, als Martens ihm kurz nach dem Jahreswechsel einen Brief Pontens schickte, in dem der bat, Thomas Mann „Gutes auszurichten". Sogleich reagierte er und übermittelte dem Aachener brieflich alles das, was er im November im Tagebuch notiert hatte, hinzufügend: „Ihr Name war mir bis dahin fremd geblieben. Aber nun werde ich lesen, was von Ihnen kommt." (BrP, 27; 9.1.1919) Ponten, beglückt, schickt seine Werke, zum Teil im Manuskript, wirbt um den berühmten Kollegen. Am 10. September 1919 notiert dieser, jetzt nach Lektüre von Pontens Novelle *Der Meister*: „Ich freue mich der Schätzung dieses Besonderen und Echten".

Ponten, „der Besondere und Echte", – das bleibt bis in die Mitte der zwanziger Jahre seine positive Formel für den Wahl-Münchener. Am 26. September macht Ponten Besuch in der Poschingerstraße, und nach zwei Ponten-typi-

---

[4] Vgl. Tb, 13.11.1918 („Will fortfahren").
[5] Vgl. Tb, 21. u. 22.11.1918 („außerordentlich geistig", „vortrefflich", „eindrucksvoll").

schen „Kartenbriefen" aus Mittenwald und München besiegelt Thomas Mann am 4. Oktober ihre Verbindung brieflich mit außerordentlichen Worten. Er spricht von „Ranggleichheit". „An ,unglückliche Liebe' glaube ich nicht – wir sprachen wohl schon davon. Wo ich Ja sage, da wird man zu mir nicht Nein sagen, dessen bin ich ziemlich gewiss." Er ist getroffen von dem, was er das „Urwüchsige" und „Echtbürtige" an Pontens Dichtertum nennt. „Dergleichen giebt es also noch?", fragt er. „Dergleichen bringt die ,Kultur des Abendlandes' noch heute in ihrem civilisatorisch-intellektualistischen Greisen-Stadium hervor?"

Das ist eine ironische Volte; aber die Ironie ist von der Art, die Betroffenheit verbirgt, um sie offenbaren zu dürfen. Im selben Sinne folgt als geheimnisvoll-dämonisches Zitat aus Wagners *Götterdämmerung*: „Dich echt Genannten acht' ich zu neiden'". (BrP, 32; 4.10.1919)[6]

1920 ziehen die Pontens, nachdem die belgische Besatzung ihre Aachener Wohnung beschlagnahmt hat, nach München, und als sie schließlich ein schön gelegenes Appartement in der Martiusstraße finden, trennt sie nur noch ein kurzer Spaziergang durch den Englischen Garten von den Manns. Die Ehepaare sehen sich nun regelmäßig. 1921 treffen sie sich fünfzehnmal, dreimal zu Radtouren im Juli.

Für die weiteren Jahre sind wir nicht mehr so genau unterrichtet, weil Thomas Manns Tagebücher fehlen. Aber die erhaltenen Briefe und Karten von ihm, im ganzen über 70, zeugen von Begegnungen, von gemeinsam schreibend oder diskutierend verbrachten Ferientagen in Münchens Umgebung (Feldafing und Polling)[7] und gegenseitigen Werklesungen. Wenn Katia abwesend ist, findet sich Thomas regelmäßig bei Pontens zum Mittagessen ein.[8] Ponten nimmt 1922 Manns politische Umkehr-Rede (*Von deutscher Republik*) mit so großem schriftlichem Beifall auf, dass dieser es „mit herzlicher Ergriffenheit" liest. (BrP, 42; 1.11.1922)[9] Julia malt 1923 ein sehr privates Mann-Porträt (das ihm, der mehr das Repräsentative liebt, nicht zusagt).

Inzwischen ist Ponten als „Dr. Allwissend"[10] eine bekannte Figur in München. Studentenwitze auf seine Kosten kursieren („Es erschien Thomas Mann unter Vorantragung seines Pontens").[11] Doch selbst im Spott über den nie

---

6 In Br I, 170 und 482 findet sich der sinnentstellende Lesefehler: „,... acht' ich zu meiden'".
7 Brandenburg: Im Feuer, S. 215.
8 Brandenburg: Im Feuer, S. 215 f.
9 Der Bezug auf die Rede ist nicht völlig gesichert.
10 Ponten hat sich den Spott nicht nur negativ verdient. Er ist in der Tat Selbstdenker und Beschlagener auf sehr vielen Gebieten. Die Promotion 1923 an der Universität Bonn hat er mit „ausgezeichnet" bestanden (Dissertation: „sehr gut").
11 Herbert Günther: Drehbühne der Zeit. Freundschaften, Begegnungen, Schicksale, Hamburg: Wagner 1957, S. 98. Günther war ab 1925 Student in München.

zurückstehenwollenden Kleinwüchsigen zeigt die öffentliche Wahrnehmung die beiden als zusammengehörend.

Sogar, als Ponten 1924 mit einem *Offenen Brief* eine publikumswirksame Auseinandersetzung mit dem Freund um die Frage anzettelt, ob dem „Schriftsteller" oder dem „Dichter" die Zukunft gehöre, drückt Mann gegenüber Martens[12] die Zuversicht aus, dass es zwischen ihm und Ponten beim Alten bleiben werde, bescheinigt Ponten Hochanständigkeit und hofft in einem Brief an diesen, dass die „beiden seligen Paare" (BrP, 48; 10.12.1924), wenn er von seiner Kopenhagenreise zurückkommt, wieder einmal zueinander finden werden. 1926 schlägt er ihn für die neugegründete Sektion Dichtung der Preußischen Akademie der Künste vor.

Dennoch wird allmählich eine Neigung zu größerer Distanz bemerkbar. Bei Pontens Erzählung *Die letzte Reise* geht „das Pontensche" dem Freund inzwischen „etwas auf die Nerven" („... pontenscher dürfen Sie nun nicht mehr werden, sonst tue ich nicht mehr mit", BrP, 56 f.; 24.1.1925);[13] und umgekehrt wirkt der Erfolg des *Zauberberg* auf Ponten verstörend. Bei aller brieflich detailliert ausgeführten Anerkennung, verwirft er den Roman als nihilistisch. In komischer Verkennung der Realitäten sucht er den Freund auf den wahren, d. h. den Pontenschen Weg zurückzurufen.

Thomas Mann reagiert empfindlich. Ponten ist ja keineswegs der einzige, der den *Zauberberg* kritisiert. Es gibt eine Phalanx von Gegnern (und einer von ihnen wird im Nobelpreiskomitee die Verleihung des Preises 1929 allein für die *Buddenbrooks* durchsetzen).

Beim immer noch freundschaftlich zu nennenden Streit steht für Josef Ponten jedoch weit mehr auf dem Spiel als für Thomas Mann. Der dramatisch werdende Briefwechsel zeigt es. Während der Jüngere einerseits sachlich bemüht mit dem Älteren ringt, lässt er ihn andererseits tiefe Einblicke in sein eifersüchtiges Innere tun, das die unvergleichlich größeren Öffentlichkeitserfolge Manns nicht erträgt. So liest Thomas Mann aus Pontens „großem Brief" (– wie die meisten Pontenbriefe verloren –) eine „fast krankhaft zu nennende Fixierung [...] auf meine geistige Person" heraus. Erschüttert ermahnt er den Jüngeren zur Mannhaftigkeit. (BrP, 65 f.; 22.4.1925)

Ponten scheint sich danach gefangen zu haben. Auf einer illusionsloseren Ebene beruhigen sich die Wogen. Für sein großes Romanprojekt *Wolga, Wolga*, später: *Volk auf dem Wege* (Ponten: „kein bloßer Zauberberg, sondern ein ganzes Zaubergebirge!"[14]), ist der Autor des *Zauberberg* allerdings nicht zu

---

12 Vgl. BrP, 155, Anm. 3 zu Thomas Manns Brief an Ponten vom 1.10.1924.
13 Für die Druckfassung hat Ponten Manns Kritik berücksichtigt.
14 Brandenburg: Im Feuer, S. 216.

begeistern, und zweifellos sind ihm Pontens Grenzen inzwischen deutlich geworden. Mit wachsender Reife, aber auch wachsender Routine hat sich in Pontens neuen Werken das genialisch „Echte", das ihn auszeichnete, verdünnt. Eine positive Überraschung könnten noch seine *Studenten von Lyon* bringen, ein
Romanprojekt, auf das Thomas Mann „nun mal versessen" ist. (BrP, 70;
28.6.1926 und 66; 22.4.1925) Im Juni 1925 schickt er Ponten sein photographi-
sches Großporträt mit der Widmung „An Josef Ponten – sein wohlwollender,
heiterer, gutmütiger Freund".[15]

Im übrigen besuchen die Ehepaare einander zwischen den zahlreichen und
immer ausgedehnteren Weltreisen der Pontens, die der literarischen Recherche
und Julias Malerei dienen; man schreibt sich Briefe in Sachen Akademie. Auch
scherzhaft beschriftete Ansichtskarten Thomas Manns finden sich. Erst 1930
bricht der Briefwechsel ab, und mit der nationalsozialistischen Machtübernahme ist die Beziehung, was Thomas Mann angeht, zu Ende. Es folgen noch die
gern zitierten Worte aus Küsnacht an Ferdinand Lion: „Ponten ist gewiß zu-
frieden und fühlt sich in keiner Weise verkürzt. Das macht der ‚Volks'begriff
[...]." (Br I, 373)

Erst nach dem Untergang des Hitlerreiches gibt es, über den Ponten-Grä-
bern, Versöhnliches von Thomas und Katia Mann. Pontens Nachlassverwalte-
rin hatte die politischen Vorstellungen der Kalifornier über den Freund korri-
gieren können.[16]

2. Ponten und die Politik

1933 war Hitler zwischen die „seligen Paare" getreten, und auch Pontens heutige Vernachlässigung in der deutschen Literaturgeschichte verdankt sich vor
allem seinem politisch anrüchigen Ruf. Der beruht jedoch auf einigen Missver-
ständnissen.

Ungeachtet der Einflüsse der *Buddenbrooks*, die Thomas Mann im *Babylonischen Turm* entdeckt hatte, war der weltläufige Ponten ein anderer, ein –
wenn man so will und die damals kurrenten Kategorien akzeptiert – „volkhaf-
terer" Dichter als Thomas Mann. Eben dies war ja in dessen „Schätzung des
Besonderen und Echten" eingeflossen (Katia stellte „eine große Verwandtschaft" mit de Coster fest: BrP, 38; 8.1.1921). Und nun wollte es dem so „von

---

[15] A 5. (24), Josef-Ponten-Archiv Aachen.

[16] Briefe von Katia Mann (1.10.1949) und Thomas Mann (5.10.1949) an Dr. Elisabet [sic!]
Albert. „Albert", Karton 1, roter Ordner, Josef-Ponten-Archiv Aachen.

sich Erfüllten"[17] weder einleuchten, noch konnte er es auf Dauer ignorieren, dass er von den „Geschmackspächtern" der Berliner Presse und von Literatur-Lehrstühlen der Universitäten als „Heimatkünstler" abqualifiziert wurde. Die Schlussfolgerung, dass mit den herrschenden Literaturmaßstäben etwas nicht in Ordnung sei, lag nahe, und die Machtübernahme der Nationalsozialisten bot – zu seinem Unglück – die Chance, diese ganze Ungerechtigkeit, wie er sie sah und wohl sehen musste, aufzuheben.

Dennoch blieb er unpolitisch, unpolitischer als Thomas Mann. Überhaupt war seiner Natur vorausschauend berechnendes Handeln (abgekürzt: Diplomatie) fremd. Welt und Gesellschaft suchend, wie man ihn kannte, blieb sein oberstes Gesetz Selbstbehauptung und spontane Freiheit – über Abgründen von Melancholie und Selbstzweifeln. Thomas Mann: „Sie sind ein großes, ehrgeiziges, schwermütiges und ungebärdiges Kind". (BrP, 48; 12.12.1924) Der Freiheit versicherte er sich vor allem durch Widerspruch. Lustvoll inszenierte er überall Dispute,[18] privat und öffentlich, mündlich und schriftlich, ernsthaft und clownesk. Am liebsten hielt er sich dabei an Freunde, beim Wein, und ganze Nächte hindurch. Das hat fasziniert und doch auch abgestoßen. Der größere Teil der zahlreichen Anekdoten, die von ihm überliefert sind, handelt von „treuherzigen" Rücksichtslosigkeiten. (Wer außer Ponten hätte gewagt, Thomas Mann brieflich-freundlich eine „Zimmerlinde mit durchsichtigen Adern" zu nennen? Und wem außer Ponten hätte der doch leicht pikierte *Zauberberg*-Autor die Genugtuung gewährt, dass er die „Zimmerlinde" in seine Selbstbeschreibung übernahm?[19])

Pontens Charaktereigenheiten sind auch da zu berücksichtigen, wo sein Verhältnis zum Nationalsozialismus zur Debatte steht. Selbst nachdem sich dessen Unwiderruflichkeit für Deutschland herausgestellt hatte und Ponten also für die Vollendung seines kaum noch zu finanzierenden Roman-Ungeheuers auf die Duldung und Unterstützung des neuen Regimes angewiesen war –

---

[17] Vgl. Tb, 1.3.1921 („Er ist mir gar zu sehr von sich selbst erfüllt").

[18] Siehe sein durchgängiges Verhältnis zu Josef Winckler. Briefe im Archiv der Nylandstiftung, Köln. Ebenfalls: Hans Brandenburg: Erinnerungen an Josef Ponten, Teil 2, Kölnische Zeitung, Nr. 95, 5.4.1944, in: Josef Ponten, Dichter und Schriftsteller, hrsg. von der Zentralstelle für das öffentliche Bibliothekswesen, Eupen: Josef-Ponten-Archiv Aachen 1983 [nachfolgend zitiert als JPDS], S. 323–328. Weiterhin: Hellmuth Langenbucher: Josef Ponten – Werk und Persönlichkeit, in: Die Weltliteratur, Neue Folge, Jg. 15, Juni 1940. „,... an einem Abend der Rücksichtslosigkeiten' [...] Denn so war er: [...] von einer glänzenden Vielseitigkeit, ein mitreißender Plauderer, der sich beinahe böse war, wenn er einmal einen nicht zum Widerspruch herausfordernden Satz sagte." – Das „Schandmaul" Werner Bergengruen war von Ponten, den er 1935 als Sprecher auf einer „Tagung der Minderheiten" im tschechischen Gablonz kennenlernte, rückhaltlos begeistert. Brief vom 15.9.1935, A 1. (4), Josef-Ponten-Archiv Aachen.

[19] Vgl. BrP, 54; 11.1.1925 und 56; 24.1.1925.

auch da noch beanspruchte er Denk- und Redefreiheit; freilich nicht nur nach einer Seite. Gegenüber seiner frühesten Helferin und Sekretärin, die aus ihrer Ablehnung der Nationalsozialisten keinen Hehl machte und sich um sein politisches Seelenheil sorgte, scheint er Hitler öfter in Schutz genommen zu haben.[20] Einer anderen, die sich bei ihm bewarb, kreidete er, umgekehrt, ihr primitives Naziweltbild an. (Sie prophezeite ihm wütend, dass des Führers Einfachheit Pontens Kompliziertheit überleben werde.)[21] Mit seinem angeheirateten Onkel und Freund Karl Blomen im belgischen Hauset, einem von einer Reclamheftsammlung (über 2000 Nummern) umgebenen Frührentner, diskutierte er, wenn er in der Heimat weilte, ausdauernd die politische Lage. 1934 hatte er diesem wahrhaft Weisen, der Hitler verabscheute, noch Kontra gegeben (wie der Enkel Gert Noel berichtet); dann aber schwenkte er – zur Enttäuschung des Jungen, dessen Vater in der „Heimattreuen Front" engagiert war und das „Zwangsbelgiertum" ablehnte – auf die Linie des Großvaters ein. Als er bei einem Besuch 1937 oder 1938 dessen Dürener Vetter vorfindet, der „braune" Reden führt, dreht er dem Mann keck den Rockkragen um und „entlarvt" ihn als Parteiabzeichenträger. („Du hast die blöde Scheibe auch an?") Und besonders genau erinnert sich der damals elfjährige Enkel an die gedrückte Stimmung nach der Kristallnacht 1938, wurde aber bei diesem Thema bald aus dem Raum entfernt.[22] – In einem wohl kurz nach der Machtübernahme konzipierten Aufsatz, dessen Kernaussage dann auch publizistisch verwendet wird, präzisiert der eingefleischte Pazifist seine Auffassung vom Nationalsozialismus dahingehend, dass diesem, wie jedem wahren Nationalismus, eine logische, ja biologische Unfähigkeit zu Missionierung und Eroberung eigen sei – ganz im Gegensatz zum Wesen der liberalen Demokratie.

Kurz: Ponten lässt sich nicht vereinnahmen, weder nazistisch noch antinazistisch, sondern besteht auf genuin Pontenschen Erfahrungen, Einsichten und Idiosynkrasien. Der verdiente Herausgeber des Thomas-Mann-Ponten-Briefwechsels, Hans Wysling, legt eine falsche Fährte, wenn er den dritten Abschnitt seiner Einführung zum Briefwechsel mit dem Satz schließt: „Er wurde zum Mitläufer." (BrP, 19) Mitlaufen war auf keinen Fall Pontens Sache. Gerade an dieser speziellen Lebensmarke 1924/25, da eine literarische Jugendgeneration ihn zu ihrem Führer („Er hisse das Banner!") machen wollte, gegen „die starre, noch immer nicht neugeborne Welt",[23] „lief" Ponten durchaus nicht

---

20 Julie Chardon (Poppelreuter). A 2. (8), Josef-Ponten-Archiv Aachen.
21 Brief der Lilly Burger vom 26.10.1939 an Ponten. A 10. Sekretärinnen, Josef-Ponten-Archiv Aachen.
22 Mündliche Mitteilung des Enkels (der nahezu alle Ferien beim Großvater verbrachte) an den Verfasser, Mai 1985.
23 Karl Rauch: Die Jungen mit Ponten gegen Thomas Mann, in: Vorhof – ein Führer zum guten Buch, Jg. 3, H. 3, 1925, S. 54 ff. Text (gekürzt) in BrP, 159, Anm. 4.

„mit", und Wysling dokumentiert es sogar. Schon im übernächsten Heft desselben Organs, in dem der junge Karl Rauch ihn gegen Thomas Mann auf den Schild heben wollte, verwahrte sich Ponten gegen solche Inanspruchnahme.[24] Thomas Mann nennt den Artikel in einem Brief an ihn „schön und weise", und wenig später bekräftigt Ponten seine souveräne Position im Berliner Tageblatt durch einen Artikel zu Manns 50. Geburtstag, der jedes Missverständnis ausschließt. Da wird der Jubilar als der „Dichter mit Nebeneigenschaften des Tribuns" gefeiert: In der Nachfolge Goethes und Tolstois, liest man, habe Thomas Mann die „Schriftstellerei" in einem Maße geadelt, dass er beanspruchen könne, der politische Repräsentant seiner Zeit genannt zu werden.[25]

Noch gröber als Wysling irrt sich Gertrude Cepl-Kaufmann (auf deren Urteil über Ponten meist jedoch Verlass ist) mit ihrer Annahme, dieser Träger des Rheinischen Literaturpreises habe sich „vorzüglich zur Stabilisierung der nationalsozialistischen Expansionspolitik" geeignet.[26] Wenn sie dabei an *Volk auf dem Wege* dachte, kann ihr der Inhalt der Romane, die der Titel zusammenfasst, nicht wirklich präsent gewesen sein. Auch muss ihr der schon erwähnte Aufsatz entgangen sein, in dem Ponten dem Nationalsozialismus eine natürliche Unfähigkeit zur Expansion zuspricht. Eine Variation dieses Gedankens hat er 1935, in einem autobiographischen Zusammenhang, veröffentlicht:

Wie im Reich der Natur vieles Platz hat, vermag der naturhafte Mensch vieles gelten zu lassen. Ist es nicht damit wie mit dem Wesen des echten Nationalsozialismus? Muss dieser nicht, Anerkennung fordernd, Anerkennung geben? [...] Siehe da, es tritt das Merkwürdige ein, dass echter Nationalismus auch der wahre Inter- und Übernationalismus ist.[27]

Dieses Konzept ist allerdings das Gegenteil der außenpolitischen Vorstellungen Hitlers, und man könnte Ponten einen Missbrauch des Worts Nationalsozialismus vorwerfen. Theoretisch ist seine Interpretation jedoch durchaus schlüssig, und sie nimmt in der Tat Ideen vorweg, die Hitler damals lügnerisch in seine Reden flocht. Während aber Hitler ab 1937 jede Möglichkeit zum Krieg zu nutzen beabsichtigte, in Vorahnung seiner kurzen Lebenszeit und in der Erkenntnis, dass das Fenster für Eroberungen weltpolitisch nicht lange offenstehen werde, blieb Ponten unerschütterlich bei seinem Pazifismus. Noch 1938 brachte er seine Überzeugung in einem Rechtfertigungsschreiben ge-

---

24 Antwort an den Herausgeber, in: Vorhof, Jg. 3, H. 5, 1925, S. 102 f. Vgl. BrP, 67; 29.4.1925.
25 Text in: BrP, 116–122.
26 Gertrude Cepl-Kaufmann: Der Bund Rheinischer Dichter 1926–1933, Paderborn: Schöningh 2003, S. 329.
27 „Wer bist du eigentlich?", Kölnische Zeitung, Stadtanzeiger, Abendblatt Nr. 524, 15.10.1935, in: JPDS, S. 200 f.

genüber dem Ministerium für Volksaufklärung und Propaganda zum Ausdruck. („Keiner außenpolitischen Tat des Führers habe ich so begeistert zugestimmt wie dem Ausgleichsabkommen mit den Polen".[28]) Von einer vorzüglichen Eignung Pontens „zur Stabilisierung der nationalsozialistischen Expansionspolitik" kann also keine Rede sein.

Cepl-Kaufmann[29] ist außerdem der Ansicht, dass die Preisträger des Rheinischen Literaturpreises „unzweifelhaft [...] dem faschistischen Unrechtssystem gedient haben". Das mag für die übrigen Preisträger zutreffen; für Ponten gilt: Soweit er das Unrechtssystem dahin bringen konnte, hat es seinen Zwecken gedient, nicht umgekehrt.

Pontens Eigenwilligkeit und politische Unbedarftheit hatte sich schon in der Sektion für Dichtkunst der Preußischen Akademie der Künste gezeigt. Diese Dichterversammlung konnte nicht auf Dauer unpolitisch sein, und so nahm der als Münchener – wie Thomas Mann – zu den „Provinzlern" Gezählte mit mehr Eifer als Hellsichtigkeit an Entscheidungen teil, für deren politische Weiterungen er keinen Blick hatte. Mit einer gewissen Selbstverständlichkeit zog es ihn an die Seite der Wilhelm Schäfer, Emil Strauß und Erwin Guido Kolbenheyer, die in Opposition zu den „Berlinern" (Heinrich Mann, Döblin usw.) standen. Die Fronten waren jedoch zunächst nicht so verhärtet, dass nicht noch wechselnde Gruppierungen möglich gewesen wären. So betrieben Ponten und Wilhelm Schäfer 1927 Thomas Manns Wahl zum Vorsitzenden der Sektion, was aber an der Eifersucht Heinrich Manns (und Thomas Manns Unentschiedenheit) scheiterte.[30] Die „Völkischen", vor allem Kolbenheyer, wurden freilich in ihren Forderungen immer unbedingter, und Ponten war mitverwickelt in den Handstreich, mit dem sie 1930 die Sektion in ihrem Sinne zu modeln versuchten. Der Versuch schlug fehl. Aber während die anderen (Schäfer, Kolbenheyer, Strauß) die Akademie unter Protest verließen, blieb Ponten unter Protest. Zweifellos ein erneuter Anfall seiner „Treuherzigkeit". Von jetzt an war er isoliert und erntete für seine Opposition kaum mehr als Achselzucken. Allerdings geht aus einem Vermerk im Sektionsprotokoll vom Januar 1931 hervor, dass er zusammen mit Däubler, Mann, Frank und Döblin für die Einflussnahme der Akademie auf die deutschen Geschichtsbücher „mit ihren noch vielfach völkerverhetzenden Tendenzen" stimmte. „Der Friede", heißt es

---

[28] Siehe Anm. 38.
[29] Siehe Anm. 26.
[30] Vgl. BrP, 73 ff. Der Brief Manns an Ponten vom 30.8.1927 könnte durch den Gebrauch der Termini „Präsident" und „Akademie" den falschen Eindruck erwecken, dass es sich um das Amt des Präsidenten der Akademie der Künste gehandelt habe. Hinzu kommt, dass es in der Sektion gleichzeitig tatsächlich Bestrebungen gab, die Selbständigkeit der bisherigen Sektion für Dichtung herbeizuführen und eine eigene „Dichter-Akademie" zu etablieren. Diese wurde aber erst 1933 als „Akademie für Dichtung" Wirklichkeit.

da, „sei die Vorbedingung unserer Kultur und der Nährboden unserer Kunst".[31] Wenigstens sein Pazifismus machte den Querulanten noch einmal mehrheitsfähig.

3. Im Dritten Reich

In den ersten Wochen nach der Ernennung Hitlers zum Reichskanzler weilte Ponten noch in München und zeigte keine Begeisterung. Offenbar irritierten ihn die neuen Machthaber, wie von Hatzfeld am 19. Februar an den Vorsitzenden des Rheinischen Dichterbundes Alfons Paquet meldet, der eine Tagung in Düsseldorf mit Ponten als Hauptredner plante.[32] Ponten brach dann aber zu einer Balkan-Reise auf und hielt sich am 3. Juni, seinem 50. Geburtstag, im Ausland auf. Als jedoch im Jahr darauf eine Dresdener Ausstellung über sein Leben und Werk in der Aachener Stadtbibliothek gezeigt wurde, nahm der neue Aachener Oberbürgermeister Quirinus Jansen („der erste nationalsozialistische Oberbürgermeister des Dritten Reiches") dies zum Anlass, den runden Geburtstag des Dichters gewissermaßen nachzufeiern. Ponten, der selbst angeregt hatte, die Dresdener Ausstellung nach Aachen zu holen, folgte der Einladung des Oberbürgermeisters. Im mittelalterlichen Krönungssaal, in den der Jubilar originellerweise 1000 Kinder einladen ließ, fiel noch kein nationalsozialistisch deutbares Wort. Anders jedoch im Aachener Stadttheater, wo verschiedene Dichterkollegen aus ihren Werken lasen (auch Ponten selbst aus seinem *Wolga*roman) und wo der eigentliche Festakt stattfand.

Nach der Laudatio des Oberbürgermeisters ist es an Ponten, zu danken. Der Kern seiner Rede[33] ist harmlos, und sie endet mit einem noch immer lesenswerten Aufruf an die Jugend. Die offenbar improvisierte Einleitung jedoch kann einem den Atem rauben. Zunächst ist der Jubilar bemüht, sich als schon immer auf dem völkischen Wege befindlich zu präsentieren, als derjenige Dichter, der schon immer gegen „Literatentum", gegen „Freiheit als Schrankenlosigkeit" und für Verbundenheit mit „Grund, Boden, Herkunft und Volk" eingetreten sei – andererseits genehmigt er sich die souveräne Anmerkung, dass diese Dinge „heute fast zu sehr in den allgemeinen Mund gekommen sind".

---

[31] Inge Jens: Dichter zwischen rechts und links. Die Geschichte der Sektion für Dichtkunst der Preußischen Akademie der Künste dargestellt nach den Dokumenten, München: Piper 1971, S. 162. Es ist nicht klar, um welchen „Mann" es sich dabei handelte.

[32] Gertrude Cepl-Kaufmann (zit. Anm. 26), S. 150.

[33] Dichter und Volk. Ponten spricht. Seine Rede im Stadttheater, Echo der Gegenwart (Aachen), Unterhaltungsbeilage, Nr. 15, 1934, in: JPDS, S. 189–192.

Dann aber geht das Gefühl jahrelanger Kränkung mit ihm durch. Wie besessen leckt der Gefeierte auf dem Höhepunkt der ihm gewidmeten Feier seine Wunden. Von behandschuhtem „Kulturbolschewismus", von „gewissen Gewaltigen in der Wüste der Berliner Druckerschwärze" ist die Rede, von einer vergangenen Literaturepoche, deren zum Teil weltberühmte Leute heute meist „auf Reisen" seien. Mit einzelnen Ungenannten rechnet er ab, die ihn beleidigt und missachtet haben, darunter, verschlüsselt, der eben gestorbene Jakob Wassermann, dem er jedoch, sich selbst ins Wort fallend, wegen der „urdeutschen Prägung" des Begriffs „Trägheit des Herzens" Unsterblichkeit prophezeit. Ein weiteres Opfer seiner Rachsucht ist ein Dichterkollege, der, wie man seinen dunklen Worten wohl entnehmen soll, im KZ Oranienburg sitzt.

Das ist durchaus empörend, sagt aber über Pontens Stellung zum Nationalsozialismus wenig. Der Redner liefert kein Bekenntnis zum Führer (das hat er pauschal mit 87 anderen, unter ihnen Oskar Loerke, schon im vergangenen Oktober erledigt);[34] der Führer kommt gar nicht vor, auch kein Bekenntnis zum Neuen Reich und seiner Partei, wie es doch Gottfried Benn und Martin Heidegger damals fertig brachten. Genau genommen bekennt sich der Redner nur zu Josef Ponten, feiert Josef Ponten und verhöhnt die Feinde Josef Pontens – die freilich zugleich die Feinde der Nazis sind. Es ist widerwärtig; aber für dieses Urteil ist es überflüssig, auf Politik zu rekurrieren. Pontens ungeheurer, das heißt, ungeheuer kränkbarer Stolz führt das Wort.

Es ist gleichzeitig zu spüren, dass er bei aller Forschheit um die eigene Sicherheit besorgt war.[35] Trotz der drei ausreichend völkischen Zitate, die der Oberbürgermeister froh war, aus seinem Werk herausheben zu können –, Pontens Akte war im Sinne der neuen Herren nicht einwandfrei. Der durch Schwester und Bruder zweifach mit Juden verschwägerte Pazifist, Freund Sowjetrusslands und öffentliche Thomas-Mann-Bewunderer konnte sich der Sympathie der neuen Machthaber nicht gewiss sein. Bald bekam er seine

---

34 Der Text, den die 88 Schriftsteller auf Initiative des Reichsbunds deutscher Schriftsteller unterschrieben, scheint unter dem Schwulst von einer gewissen hinterfotzigen Biederkeit geprägt zu sein: „Friede, Arbeit, Ehre und Freiheit sind die heiligsten Güter jeder Nation und die Voraussetzung eines aufrichtigen Zusammenlebens der Völker untereinander. Das Bewusstsein der Kraft und der wiedergewonnenen Einigkeit, unser aufrichtiger Wille, dem inneren und äußeren Frieden vorbehaltlos zu dienen, die tiefe Überzeugung von unsern Aufgaben zum Wiederaufbau des Reiches und unsre Entschlossenheit, nichts zu tun, was nicht mit unsrer und des Vaterlandes Ehre vereinbar ist, veranlassen uns, in dieser ernsten Stunde vor Ihnen, Herr Reichskanzler, das Gelöbnis treuester Gefolgschaft feierlichst abzulegen." Westdeutscher Beobachter, 26.10.1933.
35 Siehe seine frühe Warnung an den Bundesbruder von Hatzfeld am 19.2.1933: „Seid Ihr Euch darüber klar, dass die Regierung eventuell zupacken wird?" Nachlass Alfons Paquet, Stadt- und Universitätsbibliothek Frankfurt/Main, Korr. Korr. A 8 IV. Zitiert nach Cepl-Kaufmann, S. 150.

durchaus nicht abgetane Vergangenheit auf den Tisch gezählt, zuletzt 1938 durch einen massiven Angriff in der Zeitschrift Der SA-Mann. Unter dem Titel *Von Dichtern und Dichterpreisen* wird hier dem Träger des Rheinischen Literaturpreises 1936 und des Literaturpreises der Stadt München 1937 der Prozess gemacht.[36] Das interessante Dokument[37] zählt alles auf, was aus nationalsozialistischer Sicht gegen ihn spricht: seine jüdische Verwandtschaft, die im Ausland lebenden jüdischen Freunde, seine Verehrung Thomas Manns, die Verherrlichung Sowjetrusslands (wobei komischerweise vor allem sein Vergleich der deutschen mit den russischen Eisenbahnen aufgespießt wird, der zu Ungunsten der Reichsbahn ausgegangen war). Auch die Darstellung des Rheins als „europäischer Strom" in seinem *Europäischen Reisebuch* von 1928 wird angeprangert. Schließlich geht es noch um aktuelle Verfehlungen: Er habe sich abfällig über die Beziehung „uniformierter Menschen" zur Dichtkunst geäußert und die Ausführungen des Führers auf der Kulturtagung des Parteitags als „alte Binsenwahrheiten" bezeichnet.

Ponten erkennt die Gefährlichkeit des Angriffs und setzt den Landesverwaltungsrat Dr. Hans Kornfeld, den amtlichen Betreuer des Rheinischen Literaturpreises, ins Bild. Der wünscht eine ausführliche Stellungnahme, die er zwei Tage später erhält.[38] Kornfeld, der als moderater Nazi gilt, wendet sich damit an Goebbels, von dem er weiß, dass der Rheinländer für Dinge des Rheinischen Literaturpreises ein offenes Ohr hat.

In seiner Rechtfertigung zeigt Ponten nur Hohn und Verachtung für den SA-Schreiberling, der im Gegensatz zu ihm, Ponten, die Welt offenbar nur aus Zeitungsmeldungen kenne. Dass er Hitler-Äußerungen als „alte Binsenwahrheiten" bezeichnet habe, tut er als Klatsch ab, fügt aber verräterischerweise hinzu, dass er allenfalls von „alten Wahrheiten" gesprochen haben könnte. Vermutlich steckte hinter Pontens leichtsinniger Rede von Binsenweisheiten der Autorenärger, dass ihm Hitler mit seiner „wahrhaft ‚nationalen' Anschauung und Richtungsäußerung [...], dass ein Volk, weil es national sei, keine Pro-

---

[36] Aus nationalsozialistischer Sicht zu Recht. Die Dichterpreise verdankte er nicht so sehr der neuen Regierung als alten Freunden und Seilschaften aus der Weimarer Zeit.

[37] Von Dichtern und Dichterpreisen (Der SA-Mann [München], Ausgabe Niederrhein, Jg. 7, Folge 8, 19.2.1938), in: JPDS, S. 158 f.

[38] Pontens Durchschrift G15 (17 Seiten) ohne Adresse und Datum, Josef-Ponten-Archiv Aachen. Der besser lesbare Durchschlag G13 beruht auf einem identischen Original, das auf S. 12 abbricht, aber den Abbruch durch Punkte markiert. Es scheint für einen anderen Zweck geschrieben worden zu sein. Nach Ausweis eines Briefs von Pontens Mitarbeiterin Frau Maria Neher, geb. Winter, an ihn (ohne Datum) wurde auch Münchens Oberbürgermeister Reichsleiter Fiehler eingespannt, der Ponten im Jahr zuvor den Preis „der Hauptstadt der Bewegung" verliehen hatte und ein eigenes Interesse an der Reinwaschung Pontens haben konnte. A 9. (44), Josef-Ponten-Archiv Aachen. Für ihn waren wohl die kürzeren Versionen (Kopien G11, G12, G14, G16, G17) konzipiert worden. Zur Vermittlerrolle Kornfelds siehe Cepl-Kaufmann, S. 331.

selyten machen dürfe" (so Ponten im weiteren Verlauf des Rechtfertigungs-
briefs) seine Lieblingsidee quasi gestohlen hatte.[39] Nachdem er auf einige
Punkte der „Anklage" eher vorsichtig relativierend eingegangen ist, bestätigt
er noch einmal die Vorzüge der russischen Eisenbahn, um anschließend seiner
alten Dreistigkeit die Zügel schießen zu lassen. Neudeutsche Überheblichkeit überhaupt geißelnd, schreibt er:

> Soll ich ihm [dem anonymen Schreiber] auch noch sagen, dass ich die ersten nachts be-
> leuchteten Hausnummern, die man jetzt auch in Deutschland findet, in Moskau gese-
> hen habe? Ist das Schwärmerei für die Sowjets? Dass in Deutschland jede Wohnung ein
> Bad oder doch eine Brause bekommt – wie schön! In einem amerikanischen Staate aber
> fand ich diese Forderung schon in Kraft seit – 1853. O liebes, herrliches Deutschland,
> auch du darfst noch viel lernen!

Und was Thomas Mann angehe:

> Es war eine schöne Freundschaft, die zwischen 1920 und 1924. Sie wird einmal in die
> deutsche Literaturgeschichte eingehen. Wir alle, die wir uns am großen deutschen Ro-
> man mühten und mühen, verdanken Mann viel.

Goebbels' Zorn richtet sich zunächst wohl gegen den niveaulosen Artikel-
schreiber. Jedenfalls weist er den SA-Mann für die Zukunft an, „bei allen Beur-
teilungen von Schaffenden im Schrifttum" sich vorher mit ihm in Verbindung
zu setzen. Das teilt er auch Ponten mit. Zu der Frage, ob diesem mit dem Artikel tatsächlich Unrecht geschehen sei, will er jedoch noch nichts Abschließen-
des sagen, „da mir erst in letzter Zeit noch verschiedene Schreiben zugeleitet
wurden, in denen vor allem auch Ihr Verhalten im Ausland aufgegriffen wurde". (Gezeichnet Hederich)[40]
    Ponten verlangt daraufhin eine persönliche Aussprache mit dem Minister
oder dessen persönlichen Referenten, zu der es aber, in welcher Form auch immer, erst im November kommt. Ponten berichtet Julia brieflich aus Berlin, dass
wenigstens die „Inlandssache" erledigt sei.[41]
    In der Folge klagt er jedoch, dass er überall auf „Schwierigkeiten und Wi-
derstände" stoße.[42] Sein *Europäisches Reisebuch* ist beim Verlag beschlagnahmt, und er muss schriftlich erklären, dass er es aus dem Verkehr zieht.[43]

---

[39] Vgl. S. 153 des vorliegenden Texts.
[40] Schreiben an Ponten, 11.7.1938. A 1. (3) Behörden, Josef-Ponten-Archiv Aachen.
[41] An Julia, 18.11.1938. B 1. (2) Behörden, Josef-Ponten-Archiv Aachen.
[42] Brief Pontens vom 3.7.1939 an das Propaganda-Ministerium (Naumann). B 1. (2) Behörden,
Josef-Ponten-Archiv Aachen.
[43] Brief der Reichsschrifttumskammer an Ponten, 25.5.1938. A 1. (3) Behörden, Josef-Ponten-
Archiv Aachen.

Seine Wohnung wird von der Gestapo durchsucht, der Reisepass eingezogen. Vernehmungen finden statt sowie Bespitzelungen,[44] und die Reichsschrifttumskammer verlangt in immer drohenderen Tönen, dass er für sich und Julia den „Abstammungsnachweis" beibringt.[45] Auch ist er seit einiger Zeit in finanzieller Bedrängnis. Er, der in den zwanziger Jahren ein freizügiger Gastgeber war und noch Mitte der dreißiger Jahre bei Freunden Außenstände von 10 000 Mark hat (Freunde, die nicht ans Zurückzahlen denken),[46] ist seit seiner Fixierung auf sein Romanunternehmen, das der Recherche-Reisen in alle Welt bedarf, auf jede Mark angewiesen. Möglichkeiten, aus seinen Werken im Kreis von Uniformierten zu lesen, verschmäht er trotz der abfälligen Bemerkung über deren Beziehung zur Dichtkunst nicht, wie Fotos aus dieser Zeit zeigen. Das Auswärtige Amt, mit dem er wegen seiner Auslandsreisen seit Jahren in Verbindung steht, kommt ihm mit der Anregung zu Hilfe, ihn als „künstlerischen Beobachter" an der Umsiedlung der Volksdeutschen aus Wolhynien in den Warthegau teilnehmen zu lassen (Folge des Geheimabkommens zwischen Hitler und Stalin).[47] Dafür nimmt er 1940 Russischunterricht. Aus der Sache wird jedoch nichts, weil die russischen Behörden mit der Visumerteilung zögern.

Seine persönliche und schriftstellerische Unabhängigkeit gibt Ponten auch jetzt nicht auf. Außer dem Reichsluftschutzbund gehört er weiterhin keiner nationalsozialistischen Organisation an.[48] Er tritt auch nicht, wie kolportiert wurde, dem neuen Geist zuliebe aus der katholischen Kirche aus (das geschah schon 1922), und das Großunternehmen *Volk auf dem Wege* wird ungeachtet des verdächtigen Titels nicht ans Nazistische angepasst.

Am 6. April 1940 jedoch macht der plötzliche, von den Ärzten schon lange prognostizierte Tod durch *Angina Pectoris* dem film- und bühnenreifen Leben des Josef Servatius Ponten ein Ende. Das „Zaubergebirge" seines Romans, mit dem er allen Einwänden literarisch kundiger Freunde zuwider, in die Ruhmeshalle der großen Dichter einzuziehen gedachte, bleibt als Ruine zurück.

[44] „Albert", Karton 1. Brauner Umschlag mit 17 Din-A4-Doppelblättern von der Hand der Dr. Elisabet [sic!] Albert, Blatt IX, Josef-Ponten-Archiv Aachen. Siehe auch Pontens Brief an die Gestapo vom 13.2.1938, in dem er zur Wiedererlangung des Passes Rechenschaft von zehn Jahren Auslandstätigkeit ablegt. Vor der Verhaftung hat ihn möglicherweise das (entlastende) Zeugnis des Münchener Bildhauers Prof. Kurt Schmid-Ehmen gerettet, der am 28.1.1938 als Zeuge für anti-Hitlerische Äußerungen Pontens verhört wurde. Dazu die amtlich beglaubigte Aussage Julia Pontens vom 18.12.1945. Karton M2, Josef-Ponten-Archiv Aachen.

[45] Mahnschreiben an Ponten, 29.4.1937. A 1. (3) Behörden, Josef-Ponten-Archiv Aachen.

[46] Brief von Ponten an Unbekannt, 27.12.1936. Stadtbibliothek Mülheim an der Ruhr.

[47] Brief Pontens ans Propaganda-Ministerium, 21.2.1940. B 1. (2) Behörden, Josef-Ponten-Archiv Aachen.

[48] Auskunft Document Center Berlin vom 27.2.1985 an Verfasser. – Meldung der Ortsgruppe München Siegestor vom 4.10.1938 an Gauleitung München-Oberbayern, auf Veranlassung der Gauleitung Berlin vom 19.8.1938.

4. Pontens Werk

Von seinen Schöpfungen verdienen auch heute noch Aufmerksamkeit: der
trotz jugendlicher Entgleisungen genialische erste Roman *Jungfräulichkeit*
(1906; nicht zu verwechseln mit der kastrierenden Umwandlung in eine Novelle 1920); der historische Räuberroman *Die Bockreiter* (1919); die Novelle
Der Meister (1920); der von Thomas Mann und Stefan Zweig mit hohem Lob
bedachte und auch ins Italienische übersetzte Roman *Die Studenten von Lyon*
(1927), welcher in seinen besten Partien beweist, wie dramatisch-kleistisch er
schreiben konnte; schließlich die beachtlichen Romane *Die Väter zogen aus*
(1934) und *Die Heiligen der letzten Tage* (1938), Band 2 und 4 von *Volk auf
dem Wege*. Sein Meisterwerk bleibt jedoch *Der Babylonische Turm* (1919).

Joachim Lilla

Carl Jacob Burckhardt und Thomas Mann

Der Schweizer Historiker, Diplomat und Rotkreuz-Funktionär Carl Jacob Burckhardt gehört zu den zahlreichen Prominenten, mit denen Thomas Mann im Zuge seines langen öffentlichen Wirkens in Berührung kam. Über ihre sporadischen Kontakte ist nicht sonderlich viel bekannt.[1] Die vorliegenden Hinweise in Briefen, Tagebüchern und sonstigen Aufzeichnungen erlauben jedoch eine Annäherung an beider Verhältnis. Im ersten Abschnitt werden Leben und Wirken Burckhardts skizziert, die im Zusammenhang mit Thomas Mann nicht unbedingt als bekannt vorausgesetzt werden können, im zweiten werden die eher vereinzelten Äußerungen und Kontakte zwischen 1914 und 1954 dargelegt, im dritten Abschnitt wird der „Fall Hellmund" dokumentiert, der 1933 Gegenstand einer Korrespondenz beider war, im vierten schließlich Thomas Manns letztes Lebensjahr 1955, aus dem die dichteste Überlieferung wechselseitiger Äußerungen vorhanden ist, schließlich in einem als Exkurs gedachten fünften Abschnitt zwei Kontroversen von Erika und Golo Mann mit Burckhardt. Die Korrespondenzen – soweit nicht schon in den Briefeditionen Thomas Manns veröffentlicht – und sonstigen Zeugnisse werden in diesem Beitrag vollständig abgedruckt, der gesamte überlieferte Briefwechsel im Anhang in Kurzform dokumentiert.

1. „Zwischen Hofmannsthal und Hitler"[2] – Carl J. Burckhardt

Burckhardt wurde am 10. September 1891 in Basel als Sohn des Juristen Carl Christoph Burckhardt und seiner Frau Aline Hélène geb. Schazmann geboren.

---

[1] Vgl. die knappen Hinweise bei Thomas Sprecher: Thomas Mann in Zürich, Zürich: Neue Zürcher Zeitung 1992, S. 119. – Für zahlreiche Informationen und freundliche Unterstützung dankt der Verfasser der Universitätsbibliothek Basel [= UB Basel], dem Thomas-Mann-Archiv der ETH und den Archiven der Eidgenössischen Technischen Hochschule und der Universität Zürich. – Die Genehmigung zur Einsicht in den in der UB Basel verwahrten Nachlaß [= NL] von Carl Jacob Burckhardt [= CJB] erteilte freundlichst der Vorsitzende des „Kuratoriums Carl Jacob Burckhardt", Staatssekretär a. D. Prof. Dr. Franz A. Blankart, La Châtellerie/Pampigny.
[2] In Anlehnung an den Titel der Veröffentlichung: Paul Stauffer: Zwischen Hofmannsthal und Hitler. Carl J. Burckhardt. Facetten einer außergewöhnlichen Existenz, Zürich: Neue Zürcher Zeitung 1991 [= Stauffer, Facetten]. – Auf die dort (S. 252–255) abgedruckte Zeittafel stützt sich im wesentlichen die folgende biographische Skizze.

Von 1898 bis 1911 besuchte er Schulen in Basel und das Landerziehungsheim Glarisegg, wo er 1911 die Maturitätsprüfung ablegte. 1911 begann er das Studium in Basel, das er von 1912 bis 1914 in München und Göttingen fortsetzte (Geschichte und Kunstgeschichte). Bei Kriegsbeginn 1914 kehrte er in die Schweiz zurück. Der Freitod seines Vaters am 19. Mai 1915 (vor dem Hintergrund Basler kommunalpolitischer Verhältnisse) trübte sein Verhältnis zu seiner Geburtsstadt auf Dauer, obwohl er sich deren Patriziat weiterhin zugehörig fühlte. Von 1915 bis 1918 setzte er sein Studium in Zürich fort, das er im November 1918 unterbrach, um eine Stelle als Attaché bei der Schweizerischen Gesandtschaft in Wien anzutreten. Die durch diese Aufgabe erhoffte Zusammenführung „mit großen Verhältnissen" blieb aus, statt dessen „Verwaltungsarbeit, Notariatsarbeit und allerdings mehr und mehr wirtschaftliche Aufgaben".[3] Aus seiner Zeit in Wien datiert seine Freundschaft mit Hugo von Hofmannsthal. 1922 schied er aus dem diplomatischen Dienst aus und kehrte nach Zürich zurück, um dort zu promovieren (5. Mai 1922).[4] Mitte 1923 übernahm er erstmals eine Aufgabe für das Internationale Komitee vom Roten Kreuz (IKRK): einen Besuch griechischer Kriegsgefangener in der Türkei. In der Folgezeit widmete er sich seiner wissenschaftlichen Laufbahn, war zu Studienzwecken in Paris und Genf, habilitierte sich zum Wintersemester 1927/28 an der Universität Zürich,[5] an der er am 21. Februar 1929 zum Außerordentlichen Professor für Neuere Geschichte ernannt wurde. 1932 wurde er als Ordentlicher Professor für Neuere Geschichte an das Institut Universitaire des Hautes Etudes Internationales in Genf berufen, zugleich an der Universität Zürich beurlaubt.

Im Jahre 1933 wurde er (ehrenamtliches) Mitglied des IKRK. 1934 nahm er an der Internationalen Rotkreuzkonferenz in Tokio teil, im selben Jahr erschien der erste Band seiner Richelieu-Biographie in Deutschland.[6] 1935 besuchte er im Auftrag des IKRK mehrere Konzentrationslager in Deutschland, unter anderem traf er Carl von Ossietzky. 1936 war er Mitglied der IKRK-Delegation, die bei Mussolini wegen der Mißachtung des Rotkreuz-Emblems im Abessinienkonflikt intervenierte, im Mai erfolgte seine zweite Rotkreuz-Dienstreise nach Deutschland. Anfang 1937 bewarb er sich erfolgreich (auf Anregung des deutschen Gesandten in Bern, Ernst von Weizsäcker) um den vakanten Posten des Hochkom-

---

[3] Zit. nach ebd., S. 54 f.

[4] Mit der Dissertation *Schultheiss Charles Neuhaus von Biel.* Die ersten Prüfungen haben vermutlich schon 1919 stattgefunden.

[5] Mit der Arbeit *Neues Material zur Beleuchtung des Konfliktes zwischen dem Freistaat Genf und dem Junker Jacques Bethélemy Micheli du Crest.*

[6] Die Bände 2 und 3 erschienen erst 1965 und 1966, ein abschließender Ergänzungsband mit Anmerkungen und Indizes im Jahr 1967.

missars des Völkerbunds in der Freien Stadt Danzig und trat das Amt am 1. März 1937 an. Am 18. September 1937 wurde er von Hitler empfangen, der ihn in seiner Reichstagsrede vom 20. Februar 1938 als „Mann von persönlichem Format" bezeichnete. Aus Protest gegen die Übernahme der deutschen Rassengesetze in Danzig wurde Burckhardt im Januar 1939 durch den Völkerbund als Hochkommissar beurlaubt. Trotz oder wegen seiner neuerlichen Erwähnung durch Hitler im Reichstag am 28. April 1939 („außergewöhnlich taktvoller hoher Kommissar") kehrte er im Mai als Völkerbundkommissar nach Danzig zurück. Im August 1939 hoffte er – in Überschätzung seiner Möglichkeiten – nach einem Besuch bei Hitler am 11. August auf dem Obersalzberg als Hochkommissar konfliktverhütend tätig sein zu können. Mit dem Kriegsausbruch und der Eingliederung Danzigs in das Deutsche Reich am 1. September 1939 endete sein Mandat als Hochkommissar, und er kehrte in die Schweiz zurück.

Dort übernahm er hauptamtliche Funktionen in der Leitung des IKRK als Stellvertreter des IKRK-Präsidenten Max Huber und als „Außenminister" des IKRK.[7] Spätestens seit November 1942 hatte Burckhardt Kenntnis von der „Endlösung der Judenfrage". Im November 1944 wurde er mit Wirkung vom 1. Januar 1945 zum Präsidenten des IKRK ernannt. Vom Amt des IKRK-Präsidenten, das er nominell bis 1948 innehatte, ließ er sich bereits im April 1945 beurlauben, nachdem er am 21. Februar zum Schweizer Gesandten in Paris ernannt worden war und dieses Amt vom 20. März 1945 bis 3. Dezember 1949 ausübte.[8] Offizielle Funktionen für das IKRK hat er in der Folgezeit nicht mehr wahrgenommen. Nach seinem Rücktritt vom Amt des Gesandten in Frankreich Ende 1949 übersiedelte er nach Versailles, 1953 in das waadtländische Vinzel. Ab 1950 widmete er sich vorrangig schriftstellerischen Arbeiten.[9] Im Jahr 1960 legte er unter dem Titel *Meine Danziger Mission* einen Bericht über seine Tätigkeit als Hochkommissar in Danzig vor. Dieser seinerzeit zunächst hochgeschätzte Bericht ist aber mittlerweile als Versuch Burckhardts zu bewerten, seine Rolle in Danzig zu stilisieren.[10] Auch sein 1956 von ihm edierter Briefwechsel mit Hugo von Hofmannsthal gilt unter quellenkritischen Gesichtspunkten nicht mehr als ganz zweifelsfrei.[11] Burckhardt starb am 3. März 1974 in Genf.

---

[7] Über Burckhardts Aktivitäten als hauptamtlicher Rotkreuzfunktionär im zweiten Weltkrieg vgl. Paul Stauffer: „Sechs furchtbare Jahre". Auf den Spuren Carl J. Burckhardts durch den Zweiten Weltkrieg, Zürich 1998 [= Stauffer, Spuren]; Jean Claude Favez: Das Internationale Rote Kreuz und das Dritte Reich. War der Holocaust aufzuhalten?, Zürich: Neue Zürcher Zeitung 1989.

[8] Freundliche Mitteilung des Schweizer Bundesarchivs, vgl. auch die *homepage* der Diplomatischen Dokumente Schweiz www.dodis.ch.

[9] Eine Übersicht der wesentlichen Veröffentlichungen Burckhardts findet sich in Carl J. Burckhardt: Briefe 1908–1974, Frankfurt/Main: S. Fischer 1986 [= CJB Briefe], S. 789 ff.

[10] Vgl. hierzu Stauffer, Facetten.

[11] Stauffer, Spuren, 367 mit Anm. 34.

2. „Dem Chronisten eines seltenen Zeitalters" –
Erwähnungen und Kontakte 1914 bis 1954

Über den Beginn der persönlichen Bekanntschaft zwischen Thomas Mann und Carl Jacob Burckhardt sind wir nicht informiert. In jedem Fall kannte schon der junge Burckhardt Schriften von Thomas Mann, bekannt sind Äußerungen über die *Buddenbrooks* und den *Tod in Venedig*:

Thomas Mann hat mir, schon in meiner frühen Jugend, auf lange hinaus, durch den Abschluß seiner *Buddenbrooks*,[12] den Zahnarzt vergrault, er hat die perfektionierten mechanischen Eingriffe dramatisiert. Das ist wohl ein Teil dieses Realismus, der uns nicht mehr loslässt und ständig nach noch schaurigern Wirkungen des Alltäglichen sucht.[13]

Und am 13. Januar 1914 schrieb er an seinen Freund Franz von Muralt:[14]

Ja *Der Tod in Venedig* ist eine schöne Sache, aber bedrückend. Ich las die Novelle zuerst teilweise in der Norddeutschen Rundschau[15] und kaufte das Buch erst drei Monate später in München, wo ich es dann fertig las. Wir alle haben einen Tadzio in unserem Leben, die gute Psychologie ist es weniger, was mich anzog, als die hohe Kunst dieses Buches und das tiefe Symbol dieses Knaben, der ins Meer davon läuft und im Glanz verschwindet.

Figuren aus den Werken von Thomas Mann schienen Burckhardt zum Teil auch von zeittypischer Bedeutung zu sein, denn anders ließen sich die folgenden Zeilen über Raimund von Hofmannsthal an dessen Vater Hugo von Hofmannsthal vom 20. Februar 1928 nicht erklären:[16]

Er ist ein rechter Sohn dieser zwanziger Jahre, dieses tanzenden Nachkriegs, den wir noch wie eine Ausnahme, wie einen Irrtum ansehen. Für ihn ist das alles volle Wirklichkeit. Er hat viel von den Figuren Ihres Theaters, auch etwas aus der Welt von Thomas

---

[12] Meint die Passage, in der der Besuch Thomas Buddenbrooks beim Zahnarzt und sein folgender Tod geschildert wird, im 7. Kapitel des 10. Teils der *Buddenbrooks*, vgl. 1.1, 741–749.

[13] CJB an Carl Zuckmayer, 8.9.1967, in: Carl Zuckmayer – Carl Jacob Burckhardt: Briefwechsel, ediert und kommentiert von Claudia Mertz-Rychner und Gunther Nickel, in: Zuckmayer-Jahrbuch 3 (2000), hrsg. im Auftrage der Carl-Zuckmayer-Gesellschaft von Gunther Nickel, Erwin Rotermund und Hans Wagener, St. Ingbert: Röhrig 2000, S. 9–243 [= Zuckmayer-CJB], hier: S. 101 (Zeilen 3 bis 6).

[14] CJB Briefe, 35. – Burckhardt meint wohl die im vorletzten Absatz des *Tod in Venedig* (VIII, 524 f.) geschilderte Szene.

[15] Gemeint die Neue Rundschau, in der der Vorabdruck des *Tod in Venedig* erschien (Jg. 23, Hefte 10 und 11, Okt. und Nov. 1912).

[16] Hugo von Hofmannsthal – Carl J. Burckhardt: Briefwechsel, hrsg. von Carl J. Burckhardt und Claudia Mertz-Rychner, erweiterte und überarbeitete Neuausg., Frankfurt/Main: Fischer Taschenbuch 1991 (= Fischer Taschenbuch, Bd. 10833) [= HvH-CJB], S. 273.

Mann. Da er kräftig ist, wird er auf seine Weise seinen Weg machen, sein sehr sicheres Qualitätsgefühl wird ihn leiten.

Es ist reizvoll (aber müßig) zu spekulieren, an welche „Welt von Thomas Mann" Burckhardt gedacht haben mag – an die *Zauberberg*-Welt, an die von *Unordnung und frühes Leid*? Für letztere Annahme spricht einiges, namentlich der Bezug zur Jugend der zwanziger Jahre; an welche Figur Burckhardt aber konkret gedacht haben mag, wird sich wohl nicht mehr eruieren lassen.

Ob es persönliche Begegnungen in den folgenden Jahren gegeben hat, ist nicht überliefert, kann aber auch nicht ausgeschlossen werden. Denkbar ist beispielsweise, daß ein solcher Kontakt zwischen Thomas Mann und Carl Jacob Burckhardt durch Annette Kolb, die mit beiden gut bekannt war, hergestellt worden sein könnte. Im Mai 1933 besuchte Thomas Mann die Mutter Burckhardts in Basel, wobei durchaus der Eindruck einer vertrauten Bekanntheit aufkommt: „Mittagessen bei Frau *Burkardt-Schatzmann*,[17] schönes altes Patrizierhaus, mit Herrn zur Mühlen und seiner Frau, geb. B.,[18] ferner A. Kolb." (Tb, 3.5.1933) Der weitere, teils briefliche, vereinzelt auch persönliche Kontakt wirkt eher distanziert, mit indes erkennbarer wechselseitiger Wertschätzung. Im Briefwechsel über den „Fall Hellmund", auf den weiter unten eingegangen wird, im Herbst 1933 redet Burckhardt Thomas Mann als „Hochverehrter Herr Doctor" an und zeichnet „Mit der Bitte mich Ihrer verehrten Frau Gemahlin aufs Beste zu empfehlen, verbleibe ich in alter Verehrung, Ihr sehr Ergebener",[19] wobei sich die „alte Verehrung" möglicherweise auch auf die langfristige Kenntnis und Wertschätzung des Werkes von Thomas Mann beziehen kann. Thomas Mann hingegen redet Burckhardt mit „Sehr verehrter Herr Professor" an und zeichnet „Mit verbindlichsten Grüßen, Ihr ergebener" (Br I, 337). Seine durchaus förmlich-distanzierte Anrede und Grußformel verwandte Buckhardt fast identisch noch in seinem letzten Brief an Thomas Mann vom 8. Juli 1955, während Thomas Mann in seiner Entgegnung ihn wohl ironisch zwinkernd mit „Lieber Minister Burckhardt"[20] titulierte und sich am Schluß auf ein „Wiedersehn im Schweizerland, wo es ja, after all, doch am besten ist", freut.[21]

---

[17] Aline Hélène Burckhardt geb. Schazmann (1871–1949).

[18] Es handelte sich um den Basler Architekten Hans von der Mühll und seine Frau Theodora geb. Burckhardt.

[19] CJB an TM, 28.10.1933, Genf, TMA, maschinenschriftliche Durchschrift, nicht gezeichnet.

[20] In wohl ironischer Anspielung auf Burckhardts Titel als Gesandter in Paris („Außerordentlicher Gesandter und bevollmächtigter Minister" lautete die korrekte Bezeichnung eines Gesandten im diplomatischen Verkehr).

[21] CJB an TM, Vinzel, 8.7.1955, handschriftliche Ausfertigung, TMA; TM an CJB, 14.7.1955, Noordwijk an Zee (Br III, 411 f.).

Die Bekanntheit beider war offenbar so gut, daß Thomas Mann in seinem
Tagebuch eine von ihm bei Bekannten gesehene neue Buchveröffentlichung
Burckhardts der Erwähnung wert schien: „Abends [...] zu Raschers [...] Ich sah
[...] [f]erner den Richelieu von Burckhardt." (Tb, 16.3.1935) Einen Monat später teilte Annette Kolb Thomas Mann mit, daß Burckhardt in Paris sei, wohl in
der Annahme, daß Thomas Mann dieser Sachverhalt interessieren könnte.[22]
Und nur einen weiteren Monat später gehörte auch Burckhardt zu den
„Schriftstellern und Künstlern" (Thomas Mann), die in die vom S. Fischer Verlag initiierte Kassette einen Glückwunsch zu Thomas Manns 60. Geburtstag
einbrachten:[23]

Dem Meister des gemessenen Richtigkeit im Zeichnen menschlicher Gestalt und der sie
bewegenden Mächte, dem Chronisten eines seltenen Zeitalters das lange nicht wiederkehren wird, dem Deuter geistiger Ursprünge einer Welt die wir auf langehin verlassen,
dem Wahrer dauernder europäischer Werte: mit Dank und Wunsch auf weiteres und
glückliches Gelingen.
Carl J. Burckhardt
Genf im Mai 1935

Thomas Mann dankte Burckhardt, wie auch allen anderen Autoren der Kassette, Ende Juli 1935 mit einem faksimilierten Text:[24]

Zu meinem 60. Geburtstag überraschte mich der S. Fischer Verlag mit einer schön gestalteten Kassette, die handschriftliche Grüße und Glückwünsche von Schriftstellern
und Künstlern vieler Länder umschließt. Mir das herrliche Geschenk recht zu eigen zu
machen, war ich erst nach der Rückkehr von einer Amerika-Reise imstande, die ich fast
unmittelbar nach jenem Tage angetreten habe. – In diesen Blättern wird von ersten Gei-
stern dieser Zeit meinem Leben und Streben große, ergreifende Ehre erwiesen. Sie soll
die Selbstbezweifelung nicht einschläfern, der ich vom allenfalls Erreichten wahrscheinlich das Beste verdanke, mich in der schmerzlichen Erkenntnis meiner Un-
zulänglichkeit nicht beirren. Aber sie wird mir eine Quelle des Trostes, der Stärkung
und des freudigen Stolzes sein, solange ich lebe. – Allen, die zu der unschätzbaren Gabe
beigetragen, sage ich hiermit meinen tiefgefühlten Dank.
Küsnacht am Zürichsee, Ende Juli 1935
Thomas Mann

[22] Annette Kolb an TM, 8.4.1935 (BrAu, 278).
[23] TMA, handschriftliche Ausfertigung; Übersicht aller Gratulanten in BrBF, 663 f.
[24] UB Basel, NL 110, Nr. 4452, 3. – Nicht korrekter Druck: BrBF, 112. – Im Gegensatz zur bisherigen Annahme, die sich auf den Brief Thomas Manns an Gottfried Bermann Fischer vom
29.7.1935 (BrBF, 111 f.) stützte, wurde die Danksagung nicht gedruckt, sondern von der Handschrift faksimiliert. Dies ergibt sich aus der Überlieferung der Danksagung im NL CJB. Gegenüber der im Druck überlieferten Fassung heißt es im ersten Satz statt „so schön" nur „schön".

Im Herbst 1936 besuchte Thomas Mann offenbar mehrfach eine Vorlesung Burckhardts in Zürich.[25]

6 Uhr [...] zur Universität, wo wir ein Kolleg des Prof. Carl Burkhardt über die franz. Religionskriege hörten. Recht anheimelnd. Spanien an der Bartholomäusnacht nicht beteiligt. Übergang des religiösen Prinzips ins nationale. Heute Beginn des umgekehrten Prozesses. – Begegnung mit B.'s Schwester, Frau von der Mühll aus Basel [...]. (Tb, 18.11.1936)

Die zumindest vorübergehende Teilnahme Thomas Manns hielt auch Burckhardt für erwähnenswert:

In Zürich habe ich bei Beginn einer einstündigen Vorlesung von 6 bis 7 Uhr ganze 8 Zuhörer! (Herr Jedlicka[26] hat 250.) Später kamen noch Klages und Thomas Mann hinzu, sie blieben aber bald wieder weg.[27]

In der Folgezeit fanden offenbar keine persönlichen Begegnungen mehr statt: Burckhardt verließ 1937 die Schweiz, um am 1. März sein Amt als Hochkommissar des Völkerbunds in Danzig anzutreten, Thomas Mann übersiedelte im September 1938 in die USA. In den kritischen Tagen des August 1939 fiel das Wirken Burckhardts, in seinen letzten Wochen als Völkerbundskommissar in Danzig, dem vorübergehend in Zürich weilenden Thomas Mann auf:

Die Zeitungen über den Besuch Burckhardts in Berchtesgaden u. seinen Bericht nach London. (Runciman). Mussolini's Plan einer 5 Mächte-Konferenz unter Ausschluß Rußlands. Man hofft die anti-russischen Mächte in Frankreich u. England mobil zu machen. (Tb, 14.8.1939)[28]

---

25 Im Wintersemester 1936/37, das vom 19.10.1936 bis 27.2.1937 dauerte, hielt Burckhardt an der Universität Zürich eine offiziell zweistündige (aus der durchaus eine einstündige geworden sein kann) Vorlesung ab über „Vorgeschichte und Geschichte des 30jährigen Krieges bis zum Westfälischen Frieden". Nachdem CJB seit der Übernahme der Stelle am Institut Universitaire des Hautes Etudes Internationales in Genf seit 1932 in Zürich beurlaubt war, wünschte er am 18.5.1936, im Wintersemester 1936/37 wieder eine Vorlesung in Zürich zu halten, was ihm mit Verfügung der Erziehungsdirektion vom 27.5.1936 gestattet wurde, ohne Ausrichtung von Gehalt, aber mit Auszahlung des Kolliengeldes (Mitteilungen der Archive der Universität Zürich und der ETH).

26 Gotthard Jedlicka (1899–1965), Kunsthistoriker, WS 1934 Privatdozent, WS 1939 ausserordentlicher Professor, SS 1945 ordentlicher Professor an der Universität Zürich. – Jedlicka las im WS 1936/37 im Fach Kunst- und Musikwissenschaft über „Früh- und Spätwerke grosser Meister" und hielt im Fach Kunstgeschichte „Übungen zur europäischen Kunst des 19. Jahrhunderts" ab (Mitteilungen der Archive der Universität Zürich und der ETH).

27 CJB an Max Rychner, 3.1.1937, in: Carl J. Burckhardt – Max Rychner: Briefe 1926–1965, hrsg. von Claudia Mertz-Rychner, Frankfurt/Main: Fischer Taschenbuch 1987 (= Fischer Taschenbuch, Bd. 5661) [= CJB-MR], S. 63. – Vgl. auch Rychner an CJB, 19.5.1955, ebd., S. 180.

28 Weitere Hinweise hierzu u.a. in: Tb 1937–1939, S. 825 f. (Kommentar).

Während der Niederschrift des *Doktor Faustus* stieß Thomas Mann (in einer Rezension) auf einen Satz Burckhardts über Voltaire, den er am 3. Juli 1944 gleich im Tagebuch notierte und dann später, wenngleich mit nicht ganz korrekter Verfasserangabe (*Jakob* statt *Carl Jacob* Burckhardt) in die *Entstehung des Doktor Faustus* (XI, 201) aufnahm:

Voltaire's ‚Karl XII.', über den er urteilt: ‚Außerordentlich, aber nicht groß'. Burkhardt über Voltaire: ‚Bei ihm wird der Rationalismus dichterisch, ja magisch.'[29] (Tb, 3.7.1944)

In den folgenden Jahren tauchte Burckhardt immer mal wieder, in verschiedenen Zusammenhängen, in den Aufzeichnungen Thomas Manns auf: „Erika gegen Carl Burckardt in der Schweizer Nation."[30] (Tb, 10.6.1946) „Abends in Stifters Briefen. Der oesterreichische Konservativismus, verwandt dem Baseler (Burckardt)." (Tb, 14.7.1947) Und: „Die deutsche Zeitschrift mit dem ridikülen Titel ‚Glanz', Artikel von Carl Burkhardt über Hofmannsthal, unerquicklich."[31] (Tb, 4.4.1949) Bemerkenswert ist immerhin, daß eine besondere Ehrung, die Burckhardt 1950 zuteil wurde, die Verleihung des Ehrenbürgerrechts der Stadt Lübeck,[32] von Thomas Mann entweder nicht registriert oder – war er gekränkt, weil er selber noch kein Ehrenbürger Lübecks war? – nicht der Erwähnung für wert gehalten wurde.[33]

Burckhardt seinerseits hatte das literarische und publizistische Wirken Tho-

---

[29] Diese Aussage Burckhardts findet sich ursprünglich in seiner Einleitung von: Voltaire: Geschichte Karls XII., Königs von Schweden. Mit einer Einführung von Carl J. Burckhardt, Zürich: Fretz & Wasmuth 1943, S. V. – Zum weiteren Zusammenhang vgl. die Erläuterungen zu Tb 1946–1948, S. 447. Vgl. auch BrFae, 108 f.

[30] Hierauf wird im Abschnitt 5 kurz eingegangen.

[31] Carl J. Burckhardt: Begegnungen mit Hofmannsthal, in: Glanz, H. 1(1949), S. 34 ff. – Vgl. Tb 1949–1950, S. 397 f. (Kommentar).

[32] Die am 30.11.1950 durch die Bürgerschaft der Hansestadt Lübeck erfolgte (vom Schweizer Reeder Heinz Schliewen aus Genf angeregte) Verleihung des Ehrenbürgerrechts an CJB wurde damit begründet, daß er durch das IKRK dafür gesorgt hat, daß Lübeck im letzten Kriegsjahr vor weiteren größeren Luftangriffen geschützt wurde, nachdem das IKRK den Liebesgüterumschlag für Kriegsgefangene 1944 von Marseille nach Lübeck verlegt hatte: „Hier ist es nun der besonderen Initiative und dem großen Ansehen des Herrn Prof. Dr. Burckhardt, der 1944 [recte: 1945] das Präsidium des I[K]RK übernommen hatte, gelungen, von den Alliierten die Zusage zu erhalten, dass die Lübecker Läger von Luftangriffen verschont bleiben sollten. [...] Die Tatsache, dass Lübeck von den Auswirkungen des verschärften Bombenkrieges im letzten Kriegsjahr verschont blieb und damit kostbare Menschenleben und wertvolle Wohnungs-, Wirtschafts- und Geschäftsbauten erhalten blieben, ist somit in erster Linie Herrn Prof. Dr. Burckhardt zu verdanken." Vgl. Bürgermeister Otto Passarge an den Innenminister des Landes Schleswig-Holstein, 11.10.1950, Historisches Archiv der Stadt Lübeck, Hauptamt 433. – Zum Zusammenhang: Rudolf Drinkuth: Carl Jacob Burckhardt – Ehrenbürger der Hansestadt Lübeck, in: Dauer im Wandel. Festschrift zum 70. Geburtstag von C. J. Burckhardt, München: Callwey 1961, S. 125–130.

[33] Thomas Mann erhielt erst am 20.5.1955 die Ehrenbürgerwürde seiner Geburtsstadt.

mas Manns erkennbar weiter verfolgt und auch den *Doktor Faustus* bald nach seinem Erscheinen gelesen, über den er im Februar 1949 allerdings schrieb: „Jetzt lese ich bei Gide, dass sein mohammedanischer Freund Athman[34] ihm ebenfalls gesagt habe, die Musik sei vom Teufel. Ich glaube, Thomas Mann in dem ungeheuer gekonnten und mir gräßlichen Buche *Dr. Faustus* will das gleiche aussprechen."[35] Daß Burckhardt vom Schriftsteller Thomas Mann unverändert sehr viel hielt, belegen folgende Zeilen an Graf Podewils Ende 1952:

Daß man einem Volk [dem deutschen], das so große Mühe hat, sich an Wortbedeutungen zu halten und jedes Wort willkürlich beständig mit neuen Inhalten füllt, immer wieder die Grenzen zwischen Literatur und Dichtung deutlich machen muß, ist überzeugend. (Es überläuft mich jedes Mal ein Schauder, wenn ich lese ‚Der Dichter Thomas Mann'. Thomas Mann ist ein Schriftsteller, wenn es je einen Schriftsteller gegeben hat.)[36]

3. „Er ist also Jude?" – Der Fall Hellmund

Im Herbst 1933 wandte sich Burckhardt mit einem Hilfeersuchen für einen deutschen Flüchtling an Thomas Mann. Es handelte sich um den zunächst in Hamburg tätigen Schriftsteller und Philosophen Dr. Heinrich Hellmund, der 1933 in die Schweiz emigrierte, später auch zeitweise in Frankreich und Schweden lebte. Hellmund veröffentlichte 1927 sein Hauptwerk *Das Wesen der Welt:*[37]

Dieses Buch enthält nicht mehr und nicht weniger als wieder einmal den Versuch einer einheitlichen Zusammenfassung des menschlichen Wissens von der Welt auf allen Gebieten des Seins und Geschehens unter der Herrschaft oberster, klar erkennbarer Prinzipien [...],

wie es Hellmund in der Vorrede selber formulierte. Nach seiner Flucht in die Schweiz bemühte sich Hellmund offenbar auch bei Carl J. Burckhardt um Unterstützung. Burckhardt wiederum schrieb in dieser Sache am 28. Oktober 1933 an Thomas Mann:[38]

[34] Vgl. CJB Briefe, 691, Anm. 8 zum 9.2.1949.

[35] CJB an Willy Burkhard, 9.2.1949, CJB Briefe, 202.

[36] CJB an Clemens Graf Podewils, 10.12.1952, CJB Briefe, 249.

[37] Von diesem über 1300 Seiten starken Werk konnten drei Ausgaben nachgewiesen werden: 1. Aufl. in einem Band, Zürich: Almathea 1927, eine nicht eigens gekennzeichnete überarbeitete Nachauflage in einem Band, Zürich: Almathea 1927, 2. Aufl. in drei Bänden, Leipzig/Berlin: Deutsche Verlagsanstalt 1928.

[38] CJB an TM, 28.10.1933, Genf, TMA, maschinenschriftliche Durchschrift, nicht gezeichnet.

Hochverehrter Herr Doktor,

Unter den unzähligen Flüchtlingen, die mich hier fast täglich aufsuchen, fiel mir ein merkwürdiger Mann auf, der durch den Grad seiner Verzweiflung, die Bescheidenheit und Diskretion seines Auftretens und die ungeheure bittere Anspannung seines Selbstbewusstseins und Stolzes, mich mehr als andre bewegte und mir einen starken Eindruck hinterliess. Es handelt sich um Dr. Heinrich Hellmund aus Hamburg.

Ich habe versucht für den, jeglicher Mittel entblössten, einsamen Gelehrten, ein Stipendium von der Rockefeller Stiftung zu erhalten, Kelsen,[39] mein jetziger Kollege hat sich im gleichen Sinn an die amerikanische Institution gewandt, die Antwort war abschlägig. Sinken des Dollarkurses, Krise, ungeheure Beanspruchung durch die Not der Zeit sind genügende Gründe für den negativen Bescheid.

In Hellmunds Gespräch kommt nun immer wieder Ihr Name vor, nicht im Sinne einer Absicht oder greifbaren Hoffnung, sondern im Sinne des Vertrauens und des Trostes: Sie haben ihm einmal mit der Äusserung über sein Werk[40] sehr wohl getan und in seiner Verlassenheit zehrt er von dieser Freude.

Ich kann mir denken was alles, in diesen schweren Zeiten, an Ihnen hängt und Sie beschwert, wenn ich es mir trotzdem gestatte, Ihnen den Namen des vertriebenen Hamburgers zu nennen, so ermutigt mich dazu die so besondere Weise, in welcher Hellmund Sie erwähnt. Das worum ich Sie bitten wollte ist folgendes: wäre es Ihnen möglich mir ein kurzes Wort zu seinen Gunsten zu schreiben, das ich einer zweiten Intervention bei der Rockefeller Stiftung beilegen würde, und von dem ich mir die Wirkung einer Ausnahmebehandlung dieses Falles verspreche.

Mit der Bitte mich Ihrer verehrten Frau Gemahlin aufs Beste zu empfehlen, verbleibe ich in alter Verehrung, Ihr sehr Ergebener

Hierdurch wird deutlich, daß die Initiative in dieser Angelegenheit von Burckhardt ausging und nicht, wie Peter de Mendelssohn im Kommentar zu den Tagebüchern feststellte,[41] von Thomas Mann. Dieser „[s]chrieb an Prof. Burckardt, Genf, über Dr. H. Hellmund und sein Buch" (Tb, 4.11.1933) und führte aus, daß ihn das Schicksal Hellmunds „sehr betroffen gemacht" habe. „Auch er also? Warum? Er ist also Jude? Ich habe das nicht gewußt, aber ich sage mir, daß es ihm draußen eigentlich nützlich sein müßte." Thomas Mann geht dann im einzelnen auf das Werk von Heinrich Hellmund ein:

Ich lernte ihn und die Grundzüge seines Denkens durch Emil Preetorius kennen, der eine feine Intuition für intellektuelle Werte hat; und ich muß sagen, daß sein großes phi-

---

[39] Der österreichisch-amerikanische Staatsrechtslehrer Hans Kelsen (1881–1973) lehrte von 1919 bis 1930 in Wien, von 1930 bis 1933 in Köln, 1933 bis 1935 und 1938 in Genf, von 1936 bis 1938 in Prag und von 1942 bis 1945 in Berkeley. Er gilt als Begründer der „reinen Rechtslehre" und ein führender Vertreter des Rechtspositivismus.

[40] Diese ist weder in den Essays noch als Brief überliefert. Was Thomas Mann aber zu Hellmunds 1927 erschienenem Werk *Das Wesen der Welt* gesagt haben mag, ergibt sich mittelbar aus dem im folgenden erwähnten Antwortschreiben an Burckhardt vom 4.11.1933.

[41] Tb 1933–1934, S. 678.

losophisches Werk, ‚Das Wesen der Welt', für dessen Drucklegung ich mich mit eingesetzt, mir mächtigen Eindruck gemacht hat. Es ist eine Leistung großen Stils, ein aus einer Centralidee mit genialem Eigensinn entwickeltes und ausgebautes Gedankensystem
von erstaunlichem Reichtum, das, wie ich wohl gesehen habe, in der philosophischen
Fachwelt die ernsteste Anerkennung gefunden hat, aber darüber hinaus in der verwor-
renen und ratlosen Zeit ordnend und helfend zu wirken vermag.

Vor diesem Hintergrund unterstützte Thomas Mann „herzlich" die Intervention Burckhardts bei der Rockefeller-Stiftung und gab seiner Hoffnung Ausdruck, „daß man dem Falle Hellmund den Ausnahmecharakter zugestehen
wird, den er tatsächlich besitzt". (Br I, 337) Dies war jedoch nicht das Ende
von Thomas Manns Aktivitäten für Hellmund: Einige Wochen später empfing
er Hellmund „zum Thee" (Tb, 11.12.1933) und sprach wenige Tage danach
über Hellmund mit dem Buchhändler Eugen Rentsch (Tb, 13.12.1933). Im
August 1934 schrieb er seinetwegen an den Schriftsteller und Literaturprofes-
sor an der Universität Genf, Gottfried Bohnenblust (Tb, 6.8.1934).[42] Thomas
Manns ursprünglich positive Einschätzung Hellmunds schien jedoch später
kritisch, wenn nicht gar ablehnend geworden zu sein, denn im Februar 1936
notierte er „ein Exposee des Philosophen Hellmund in Genf, das ein typisches
Produkt des Größen- und Verfolgungswahn ist" (Tb, 9.2.1936). Dies ist die
letzte Erwähnung Hellmunds, der ein Jahr später unter ungeklärten Umständen in der Nähe von Dijon zu Tode kam.

4. „Urbaner, kultivierter Mann" – Begegnungen des Jahres 1955

Das Jahr 1955, aus dem die dichteste Überlieferung zum Verhältnis von Thomas Mann und Carl Jacob Burckhardt vorliegt, begann mit einer Mißstim-
mung Thomas Manns:

Kränkung, wohl fälschlicherweise u. aus Überempfindlichkeit, weil Hesse u. C. Burckhardt den Pour le mérite bekommen haben. Fühlte mich feindselig übergangen.[43] Aber
es handelt sich um die Aufnahme von Ausländern,[44] und im Übrigen sollte ich mir kühl

[42] Er hatte Bohnenblust schon Anfang Dezember 1933 in Lausanne, wenige Tage vor Hellmunds Besuch in Küsnacht, getroffen (Tb, 7.12.1933).
[43] Burckhardt und Hesse erhielten den Pour le mérite 1954, Thomas Mann wurde am 10.8.1955
in das Ordenskapitel gewählt und erhielt noch vor seinem Tod Kenntnis von dieser Wahl (siehe
Thomas Mann. Eine Chronik seines Lebens, zusammengestellt von Hans Bürgin und Hans-Otto
Mayer, Frankfurt/Main: Fischer Taschenbuch 1974 [= Fischer Taschenbuch, Bd. 1470], S. 285).
[44] Nach den Statuten der Friedensklasse des Pour le mérite von 1842 sollten dem Orden 30
Deutsche angehören. Zudem konnten bis zu 30 Ausländer aufgenommen werden. Bei der Neufas-
sung der Statuten am 18.6.1956 wurde bestimmt, daß unter den 30 deutschen Mitgliedern „auch

bewußt sein, daß ich in diesen konservativen Ordenskreis, mit Schröder[45] an der Spitze, nicht passe. (Tb, 16.1.1955)

Einige Zeit später notierte Thomas Mann in seinem Tagebuch: „Lion zum Essen. Will mich mit Carl Burckhardt zusammenbringen, der danach (angeblich) verlangt." (Tb, 5.4.1955) Diese Begegnung fand dann am 16. April statt:

Zum Eden au Lac, wo Trebitsch uns, ‚Minister' Burckhardt und Max Rychner ein opulentes Frühstück gab. Burckhard[t] ein urbaner, kultivierter Mann von diplomatischer Haltung. In der Unterhaltung kam vor, daß Hofmannsthal ihm seinerzeit aus dem ‚T.i.V.' vorgelesen habe, damit er höre, wie sich das in Wienerischem Tonfall ausnähme. Merkwürdige Vorstellung. Auch von Schiller, über den er in Berlin sprechen muß,[46] war die Rede. (Tb, 16.4.1955)

Über einige der Inhalte des Gesprächs schrieb Burckhardt am Tag nach Thomas Manns Tod an Annette Kolb:[47]

Vor einigen Wochen, kurz vor seinem [Thomas Manns] achtzigsten Geburtstag, rief mich der alte, noch viel ältere, neunzigjährige Trebitsch an, um mir zu sagen, sein Freund, der Romancier in Kilchberg habe den Wunsch geäussert, mich zu sehen, er habe mir etwas zu sagen. Also frühstückten wir zusammen. Mann war sehr heiter (es war kurz vor seinen Geburtstagfeierlichkeiten) gesprächig, natürlich und frisch, auch Frau Katia zeigte sich von ihrer freundlichsten Seite. In einem bestimmten Moment, man sprach von Paris, meinte Mann: ‚ach ja, Paris, da denke ich an Annette Kolb, eine jahrelange Freundschaft verband mich mit ihr. Sie hat einen Passus aus dem ‚Doktor Faustus' übelgenommen, ich ihr geschrieben, aber sie will nichts mehr von mir wissen.[48] Es würde mir viel daran liegen, mit ihr Frieden zu machen.' Gleich nach dem Frühstück fuhr ich weg und ich sagte mir, der Annette erzähl ich's mündlich, und jetzt ist es zu spät.

Bemerkenswert ist, daß jeder der beiden Gesprächspartner glaubte, die Initiative zur Begegnung ginge vom jeweils anderen aus. Ob Siegfried Trebitsch bei der Vermittlung des Gesprächs ein wenig geflunkert hat, vielleicht um sich als Gastgeber im Lichte zweier Berühmtheiten sonnen zu können? Nach Thomas Manns Tod schrieb Katia Mann an Carl Jacob Burckhardt, Thomas Mann sei „diese Begegnung eine Freude" gewesen und er habe „das

Mitglieder aufgenommen werden [können], die im Zusammenhang mit den politischen Ereignissen der Jahre 1933–1945 sich gezwungen sahen, Wohnsitz und Berufsausübung in das Ausland zu verlegen und eine fremde Staatsangehörigkeit erworben haben" (§ 2 Abs. 2). – Freundlicher Hinweis des Bundespräsidialamtes Berlin.

[45] Der Schriftsteller Rudolf Alexander Schröder.

[46] Zur Schillerrede Burckhardts vgl. CJB-MR, 301 und 167.

[47] CJB an Annette Kolb, 13.8.1955, Stadtbibliothek München, NL Kolb (Kopie UB Basel, NL CJB).

[48] Zum Konflikt Thomas Mann-Annette Kolb vgl. BrAu, 670 f. (Anm. 1 zum 17.5.1948).

Gefühl [gehabt], eine dauernde Freundschaft könne sich daraus entwickeln".[49]

Über die Schillerrede (*Versuch über Schiller*, Ess VI, 290–371), die Thomas Mann anläßlich der Schillerfeiern am 8. Mai 1955 in Stuttgart und am 14. Mai 1955 in Weimar hielt, äußerte sich Burckhardt später gegenüber Carl Zuckmayer recht reserviert, wobei Burckhardts (des gelernten Historikers) Standpunkt doch ein wenig verblüfft:[50]

Thomas Manns Rede war beträchtlich, vor 4 Jahren begeisterte sie die Hörer, aber so viele sagen mir seither: wenn man sie jetzt *nach* 4 Jahren wieder liest, ist man enttäuscht, sie hält nicht, was man schon zu besitzen glaubte. Schwer, eigentlich unmöglich, wie alle Historiographie, eine ewige Fiktion, dieses Schreiben ‚über'. Eine Bemerkung hier und dort, eingestreut in Eigenes, zweifelnd vor sich selbst als Frage gestellt, vor sich u.[nd] den nie erreichbaren Schatten u.[nd] ihrer Zeit, die man zu erklären, zu richten vorgibt.

Burckhardt gehörte (mit seiner Frau) zu den Gästen, die zur Vorfeier von Thomas Manns 80. Geburtstag am 4. Juni 1955 im Muraltengut in Zürich geladen waren.[51] Am eigentlichen Geburtstag, am 6. Juni 1955, wurde im Nordwestdeutschen Rundfunk, in der Sendung „Echo des Tages",[52] folgender, *Thomas Mann* überschriebene Beitrag von Carl Jacob Burckhardt ausgestrahlt:[53]

Am Tage Ihres 80. Geburtstages entfaltet sich in besonderer Weise und uns alle bewegend der mächtige Dialog, den Sie mit sich selbst und mit dem Zeitalter geführt haben. Sie liessen uns teilhaben an Ihrer zur Fülle der Gestalten gewordenen Auseinandersetzung mit dem Leben, die Sie über Spruch und Widerspruch hinweg in nie aussetzender Schaffenskraft vollzogen haben. Kenner der Alten Welt, aber stets zum Opfer für Kom-

[49] Katia Mann an CJB, 26.8.1955, UB Basel, NL 110, Nr. G 4451.

[50] CJB an Carl Zuckmayer, 25.8.1959, in: Zuckmayer-CJB, 43 (Zeilen 87–95).

[51] Thomas Mann – Geburtstagsfeier vom 4. Juni 1955, 12.15 Uhr im Muraltengut [Teilnehmerliste], UB Basel, NL 110, Nr. 4452, 4. – Das Ehepaar Burckhardt steht auf den Nummern 41 und 42 der insgesamt 48 Personen (einschliesslich Thomas Mann!) umfassenden Liste. Von Hand gestrichen sind die Nummern 6 und 7, das Ehepaar Michael und Gret Mann-Moser.

[52] [Begegnungen mit Thomas Mann:] Programmablauf. Zum 80. Geburtstag von Thomas Mann am 6.6.1955, Nordwestdeutscher Rundfunk; Redaktion: Jürgen Eggebrecht; mit Beiträgen von Martin Beheim-Schwarzbach, Carl Jacob Burckhardt, Jean Cocteau, Franz Theodor Czokor, Harold Nicolson, Rudolf Alexander Schröder, Philipp Toynbee, Bruno Walter und Charles Chaplin, [Hannover] 1955 , [21 S.] [Rundfunkskript – Schreibmaschinenschrift] (im TMA). – Laut Mitteilung des Archivs des Norddeutschen Rundfunks (NDR) in Hannover wurden die Beiträge im Originalton gesendet, die Autoren haben also ihre Texte selber gesprochen. Wie das technisch im einzelnen realisiert worden ist, läßt sich nicht mehr feststellen. Das Band der etwa halbstündigen Sendung ist im NDR-Archiv unter den Signaturen W 019087 bzw. 6900386 – *Grüße an Thomas Mann zu seinem 80. Geburtstag* – überliefert.

[53] Ebd. Manuskript des Beitrages von CJB – *Begrüßung an Thomas Mann zu seinem 80. Geburtstag* – in der UB Basel (NL CJB, C II c 4).

mendes bereit, haben Sie durch das Mittel distanzschaffender Ironie diskreterweise viele Abschiede vollzogen, aber das Dauernde, das durch inneren Gehalt zum Leben Berechtigte haben Sie immer erkannt.

So haben Sie auch unser Land geliebt und haben diesem Gefühl Ausdruck verliehen. Sie sprachen einmal von der Schweiz als von dem ‚antipessimistischen Wunder Europas' [15.1, 704] und auch von diesem freien und heiligen Bund verschiedenartiger, verschiedenstämmiger Volksteile. In dem Band ‚Bemühungen'[54] steht Ihr Brief an unseren Freund Max Rychner.[55] Dort heißt es: ‚Ich kannte das kosmopolitische Zürich, das, mit seinem See, seinen Bergen, Heimatlichkeit und demokratische Internationalität, weltweiten Horizont mit den Eigenschaften eines heiteren Luftkurortes vereinigt. Werte Freunde leben mir da, Männer der Universität, der Journalistik, des geistig bestrebten Bürgertums, denen meine Gedanken sich nicht anders, als in herzlicher Achtung zuwenden, und deren Teilnahme an meiner Existenz mich beglückt. Ich kannte das ehrbare Basel, meinem Wesen wohl gar verwandter als die europäische Hauptstadt, durch konservative Luft und breites Familienleben, das mir hanseatische Jugendeindrücke täuschend erneuerte, – und auch das amtliche Bern mit seinen herrlichen Patrizierhäusern war mir nicht fremd geblieben.' [15.1, 699 f.]

Wir sind Ihnen dankbar für die in diesen Worten enthaltene Gesinnung. Die Anerkennung ganz bestimmter und sehr vertrauter Werte bestätigt die Dauer in dem großen Wechsel, welchem Sie wie wenige aufgeschlossen und bejahend gegenüberstehen. Wir freuen uns, dass Sie den heutigen Tag in unserem Kreis, in unserem Land verbringen und es ist für uns ehrenvoll und beglückend, dass Sie innerhalb unseres Bundes eine Heimat gefunden haben. Möge von hier aus Ihr unablässiges Wirken in immer reicherer Ernte sich weiterhin glücklich vollziehen.

Einige Wochen später, Thomas Mann erholte sich von den Strapazen seiner „Schiller-Reisen" und den Feiern anläßlich seines 80. Geburtstages im niederländischen Noordwijk, avisierte ihm Burckhardt eine Weinsendung, wobei er jedoch am Rande auch auf „große Verhältnisse" zu sprechen kommt, nämlich die Vorbereitungen des Viermächtetreffens in Genf:[56]

Sehr verehrter Herr Doktor,
In den nächsten Tagen wird bei Ihnen als nachbarlicher Gruss eine Kiste mit ein paar Flaschen Vinzel 1953 eintreffen: Weisser Wein –
Er wird nach der Reise 14 Tage lagern müssen, um sich zu beruhigen und sich dem Klima anzupassen. Nachher kann er getrunken werden, kalt, aber nicht zu sehr; im Freien genossen gewinnt er an Blume.
Ich denke an Sie und an die vielen Feste[,] die sie zu überstehen hatten. Es ist schön[,] wieder unter dem eigenen Dach zu sein und die grimmigen Winde und Don-

---

[54] Thomas Mann: Bemühungen. Neue Folge der gesammelten Abhandlungen und kleinen Aufsätze, Berlin: S. Fischer 1925 (= Gesammelte Werke in zehn Bänden, Bd. 10).

[55] [Die Schweiz im Spiegel], 15.9.1923 (15.1, 699–705). Erstveröffentlichung in: Wissen und Leben, Zürich, Jg. 17, H. 2 (20.10.1923), S. 77–82. Erste Buchveröffentlichung in: Bemühungen (zit. Anm. 54).

[56] CJB an Thomas Mann, Vinzel, 8.7.1955, TMA, handschriftliche Ausfertigung mit gedrucktem Briefkopf.

nerschläge dieses Jahres zu hören; bei uns brausen bereits die Geschwader des beginnenden Vierertreffens über unsern alten Linden, Nacht für Nacht, ein grässlicher Heerzug.

Darf ich Sie bitten[,] mich Ihren verehrten Damen aufs Angelegentlichste zu empfehlen.

In Verehrung bin Ihr ergebener
Carl J. Burckhardt.

In seiner Antwort vom 14. Juli zeigte sich Thomas Mann über den „liebenswürdigen Brief erfreut und nicht weniger, oder kaum weniger, mit der Meldung von der (Eigenbau?)-Weinsendung, die uns in Kilchberg erwartet. Ihr Wohl! Und vielen Dank!" Nach einer kurzen Reflexion über seinen ihm zusagenden Aufenthalt an der Küste („ist mir unendlich lieb") erzählte er Burckhardt noch von seiner Begegnung mit der niederländischen Königin Juliana, in der wohl berechtigten Annahme, daß dieser Bericht Burckhardt behagen würde:

Vorgestern haben wir die Königin auf ihrem Landsitz,[57] eine Stunde von hier mit dem Wagen, besucht, zum Dank für den wunderbar schönen Orden, den ich von ihr (oder mit ihrer Genehmigung) bekam, eine Pracht, Kommandeur-Kreuz von Oranje-Nassau, das hübscheste Spielzeug für große Kinder. I.[hre] M.[ajestät] labte uns mit Kaffee im Park (11 Uhr vormittags; die Holländer trinken Kaffee zu allen Tageszeiten) und gab sich schlicht und würdig. Sie ist ausgesprochen anti-ceremoniell, was aber auch seine Gefahren hat; denn sie gab einfach nicht das Zeichen zur Beendigung des Empfanges, sodaß wir, glaube ich, viel zu lange blieben. Gottlob stand das nicht in der Zeitung. (Br III, 411 f.)[58]

Zu dem von Thomas Mann in der Schlußformel erhofften „Wiedersehn im Schweizerland, wo es ja, after all, doch am besten ist", ist es wegen Thomas Manns Tod am 12. August nicht mehr gekommen. Nur einen Tag nach Thomas Manns Tod schrieb Burckhardt an Annette Kolb und berichtete ihr – zu spät – von Thomas Manns in ihrem Gespräch im Frühjahr geäußerter Bereitschaft, sein Verhältnis zu ihr zu bereinigen. Über den Tod Thomas Manns sagte er kaum etwas, eher zum Tod allgemein:

Jetzt ist Thomas Mann gestorben. [...] Der Tod –, wie unser Freund Hugo [von Hofmannsthal] sagte, – ordnet vieles. Auch die Bitterkeit lässt er verschwinden. Er hat weder Geschmack noch Farbe. Gerade das macht mir grosse Pein, wenn ich daran denke.

---

57 Schloß Soestdijk.

58 Bemerkenswert noch der folgende Satz, der die damalige Kronprinzessin, spätere Königin Beatrix der Niederlande, meint: „Die älteste Tochter lernt nicht gut, und die Königin zeigte sich besorgt um ihr Abiturienten-Examen. Wir mochten nicht sagen, daß da doch wohl kein ernstlicher Grund zur Ängstlichkeit bestehe. Kann übrigens sein, daß das wirklich falsch gewesen wäre. Das Schul-Studium der Prinzessinnen wird ganz demokratisch ernst genommen."

Dieses Weggehen ist unheimlich, weil es keine Replique, keinen Wiederanfang mehr gibt. Das Verschwinden Ruprechts von Bayern[59] hat mich so sehr mit dem Gefühl des Unwiederbringlichen des Einzigartigen berührt ...[60]

Diesen Brief Burckhardts nahm Annette Kolb zum Anlaß, Katia Mann unter anderem folgendes wissen zu lassen:

Ich dachte oft und je länger je öfter mit Liebe an ihn [TM], hatte aber eine Hemmung, und nun erhalte ich im Augenblick einen Brief von Burckhardt der mir sagt er habe vor wenigen Wochen mit Euch in Kilchberg Stunden verbracht, und es sei auch meiner gedacht worden. [...] Es seien schreibt er mir schöne und heitere Stunden gewesen.[61]

Am 13. August 1955 würdigte Burckhardt Thomas Mann mit einem von Radio Genf ausgestrahlten Nachruf in französischer Sprache:[62]

Une grande présence n'est plus. Thomas Mann nous a quitté.

Profondément émus [?] nous seulons [?] qu'en rechrant [?] dans le silence, il nous a ligné sa parole qui vivra parmis nous et ceux qui nous suivront. Il est une des plus grands témoins de notre époque déchirée et de son espérance.

‚J'etais possédé‘ nous dit-il de[63] lui-même, ‚par un immense besoin d'équilibre, j'ai toujours cherché cet équilibre pour me défendre contre ma propre irritabilité au contact avec les tendances de mon époque, contre ma nature propre si vulnérable et contre ma nervosité de perception.‘ Et encore: ‚Je suis l'homme de l'équilibre et je contrebalance les mouvements de la barque.‘

En art, l'équilibre, c'est l'harmonie. En effet, à travers le chatoiement ironique de son élocution, par un mouvement continue souple et sur, pas un mouvement d'ultime liberté cet auteur a su creé une somme: confés[s]ion à la fois et dialogue avec le siècle.

Il a absorbé les joies fallacieuses et le bonheur inconvivant,[64] les vaines souffrances et les peines réelles, les mirages et les achèvements, les crimes et les grandes actions du siècle, il les a transformé en oeuvre d'art, en chronique du temps et en autobiographie. Il a aimé la vie, et en l'exaltant il a toujours maintenu intacte la faculté de choisir, et le libre arbitre a été pour lui condition de la dignité humaine. Lorsqu'il s'est trompé, il s'est re-

---

[59] Kronprinz Rupprecht von Bayern war am 2. August 1955 in Leutstetten im Alter von 86 Jahren gestorben.

[60] CJB an Annette Kolb, 13.8.1955, Stadtbibliothek München, NL Kolb (Kopie UB Basel, NL CJB). – Hierauf antwortete Annette Kolb am 18.8.1955 (UB Basel, NL CJB): „Es ist seltsam, daß es mir mit Thomas Mann genau so geht wie mit Prinz Rupprecht, dass dieser mir im Juni sagen ließ durch einen seiner Herren ich sollte unbedingt mich bei ihm melden, wenn ich nach Bayern käme. Ich tat es alsbald. Es war schon zu spät! Wann waren Sie in Kilchberg?"

[61] Annette Kolb an Katia Mann, 16.8.1955, BrAu, 315.

[62] Handschriftliches Manuskript und Entwurf, UB Basel, NL CJB, C IIc 5. – Der Beitrag ist überschrieben: *Thomas Mann, Radio Genf, 13. August 1955* und am Schluß mit der Paraphe „CJB" gezeichnet. – Freundliche Hilfestellung bei der Transkription des äußerst schwierig lesbaren Textes leistete meine Kollegin Elisabeth Kremers vom Stadtarchiv Krefeld.

[63] In der Vorlage verschrieben zu „il", laut Entwurf aber zweifelsfrei „de".

[64] Oder „inconsciant".

tracté, lorsqu'il a faillé, il a réparé. Il a toujours été en marche, en progrès, il n'a jamais arrété sa recherche. Issu d'une tradition hanséatique, protestante et quelque peu voltairienne, il a vécu d'après le précepte de son grand compatriote Lessing qui disait: [,]Si j'avais le choix entre la connaissance de la vérité et la faculté de rechercher la verité, je choisirais cette recherche.'

Un des éléments de grandeur, qui caracterisent cet admirable prosateur. Je manifeste pas les contradictions qui ne concerent de conférer a son esprit une tension si alerte et merveilleuse.

Thomas Mann n'appartient pas à une seule nation, lui et sa pensée appartiennent à l'humanité. Nous nous inclinons devant le grand disparue, [*nicht zweifelsfrei zu lesen*: sont *oder* tout] en proscalant [?] à Madame Mann et à ses enfants l'expression très respectueuses de la part que nous prenons à leurs profonde douleur.

5. Exkurs: „Kleine Schwindeleien" – Carl J. Burckhardt im Visier von Erika und Golo Mann

Während Thomas Mann wohl nicht daran interessiert war, hinter die Fassade des „urbane[n], kultivierte[n] Mann[s] von diplomatischer Haltung" zu blicken, scheuten sich zwei seiner Kinder (Erika und Golo) nicht, einige der „Facetten" von Burckhardts Existenz aufzudecken, was diesem seinerzeit in höchstem Maße unangenehm war. „Erika gegen Carl Burckardt in der Schweizer Nation." (Tb, 10.6.1946) Die Zürcher Zeitschrift Die Nation veröffentlichte am 20. Februar 1946 eine Zuschrift von Erika Mann vom 11. Februar 1946 aus Arosa, in der sie die Behauptung aufstellte, Carl J. Burckhardt habe sich im Winter 1940/41 Rudolf Heß, dem „Stellvertreter des Führers", für Friedenssondierungen mit England zur Verfügung gestellt.[65] Die Informationen hierüber hatte Erika Mann kurz nach Kriegsende von Karl Haushofer erhalten, dem Vater von Albrecht Haushofer, der Ende April 1941 im Auftrag von Rudolf Heß mit Burckhardt in Genf zusammentraf.[66] Albrecht Haushofer wurde nach Heß' Englandflug verhaftet und noch kurz vor Kriegsende ermordet. Die Veröffentlichung Erika Manns ist (wohl von ihr unbeabsichtigt) im Zusammenhang einer von Moskau gesteuerten Kampagne gegen Burckhardt, damals schweizerischer Gesandter in Paris, zu sehen, dem der Vorwurf gemacht wurde, in den Monaten vor dem deutschen Angriff auf die Sowjetunion bei dem Versuch geholfen zu haben, Deutschland zu einem Separatfrieden im Westen zu verhelfen. Burckhardt leugnete den Kontakt mit den Worten: „ich kenne diesen Herrn [Haushofer] nicht und bin ihm nie begegnet". Erika Mann indes

---

[65] Vgl. die einschlägigen Textpassagen und den Kommentar von Inge Jens in Tb 1946–1948, S. 375 f.

[66] Zu den Details siehe Stauffer, Spuren, 150–156.

ging es bei ihrer Veröffentlichung weniger um den Kontakt Burckhardts zu Haushofer an sich, als um die Tatsache, daß Burckhardt und das IKRK den Kontakt zu Haushofer einfach abstritten. Hintergrund dieser Haltung Burckhardts wie des IKRK war die Sorge, daß das Bekanntwerden seiner (stattgefundenen) politischen Aktivitäten mit der Neutralitätsmaxime des IKRK nicht vereinbar sei. Die Bemühungen Burckhardts, Erika Mann bzw. Die Nation anwaltlich zu einer „Berichtigung" zu veranlassen, blieben erfolglos.[67]

Hitlers „allermerkwürdigster Ausspruch", nämlich eine nur in Burckhardts *Meine Danziger Mission* überlieferte, gegenüber Burckhardt am 11. August 1939 angeblich gemachte Aussage, er werde zunächst den Westen schlagen und dann die Sowjetunion angreifen, erstaunte dann 1960 den Historiker Golo Mann, dem Burckhardts Buch zur Rezension für die Zeitschrift Der Monat vorlag.[68] Im Entwurf seiner Rezension meinte Golo Mann, diese Sätze Hitlers hätten es „in hohem Grade [...] verdient", in Burckhardts zeitgenössischen, 1939 dem Völkerbund erstatteten Bericht aufgenommen zu werden:

Da sie es aber nicht wurden, ist es dann statthaft sie post festum aus dem Gedächtnis mit dreinzugeben? Es gibt unbewußte Täuschungen des Gedächtnisses, das seine eigene Phantasie hat; Akzentverschiebungen im Lichte späterer Ereignisse. Stünden jene Sätze in Burckhardts authentischem Bericht, so wären sie unter den vielen Hitler-Zeugnissen eines der allererstaunlichsten. Da sie uns aber erst zwanzig Jahre später mitgeteilt werden, so können sie nichts als verwirren.[69]

Diese deutliche, fast vernichtende Kritik ließ der Herausgeber des Monats Carl J. Burckhardt vor der Veröffentlichung zukommen, der sich daraufhin mit Golo Mann in Verbindung setzte und ihm anbot, ihm die fragliche Notiz zu zeigen. Golo Mann verzichtete darauf und bezeichnete in der dann veröffentlichten Fassung seiner Rezension, immer noch deutlich genug, Hitlers Ausspruch als authentisch, das heißt, er werde von Burckhardt „21 Jahre später [...] verstehen wir recht, auf Grund einer damals sofort gemachten Notiz" mitgeteilt.[70]

Auch später hatte Golo Mann manchmal Anlaß, Burckhardt mancher „kleinen Schwindeleien" zu bezichtigen, wie etwa ein angeblich im Winter 1938 in Danzig verfaßtes Schreiben Burckhardts an Marion Gräfin Dönhoff, das seine Empfängerin nie erreicht hat, später auf wundersame Weise wieder aufgetaucht ist und ihr erst 1971 vom Absender persönlich übergeben worden sein

---

[67] Stauffer, Spuren, 297 ff.
[68] Stauffer, Facetten, 178–201.
[69] Zit. nach ebd., 190.
[70] Ebd.

soll,[71] oder seine Feststellung, die Erben Hofmannsthals seien der Meinung, in Burckhardts Edition des Briefwechsels „komme einiges vor, was man in den Briefen an ihren Vater nicht finden könne".[72]

Anhang

Verzeichnis der überlieferten Briefwechsel Thomas Mann – Carl Jacob Burck-hardt[73]

Datum	Ort	Abender/Empfänger	Archivsignatur/ Veröffentlichung
28.10.1933	*Genf*	*CJB an TM*	*TMA*
4.11.1933	Küsnacht	TM an CJB	Br I, 337
Mai 1935	*Genf*	*CJB an TM*	*TMA*
Ende Juli 1935	*Küsnacht*	*TM [an CJB u.a.] Danksagung an die Autoren der Kassette des S. Fischer Verlages*	*UB Basel, NL 110, Nr. 4452, 3 (BrBF, 112[74])*
1955	Ohne Ort	[TM an CJB u.a.] Teilnehmerliste des Geburtstags am 4.6.1955	UB Basel, NL 110, Nr. 4452, 4
8.7.1955	*Vinzel*	*CJB an TM*	*TMA*
14.7.1955	Noordwijk	TM an CJB	Br III, 411 f.
26.8.1955	Kilchberg	Katia Mann an CJB	UB Basel, NL 110, Nr. G 4451

---

71 Stauffer, Spuren, 469 (Anm. 62). Zum „Dönhoff-Brief" siehe ebd., 304–310. – Vgl. auch Eckart Conze: Aufstand des preußischen Adels. Marion Gräfin Dönhoff und das Bild des Widerstands gegen den Nationalsozialismus in der Bundesrepublik Deutschland, in: Vierteljahrshefte für Zeitgeschichte, Nr. 51 (2003), S. 483–508, 489 mit Anm. 21.

72 Stauffer, Spuren, 493 f., Anm. 34. – In der von Claudia Mertz-Rychner 1991 besorgten Neuausgabe des Briefwechsels HvH-CJB wird dieses Thema ausgeklammert (vgl. Editionsbericht S. 305 f.).

73 Die durch Kursivsetzung hervorgehobenen Briefe sind in diesem Beitrag in vollem Wortlaut abgedruckt.

74 In der Textwiedergabe nicht korrekt; vgl. Anm. 24.

Holger Rudloff

Demütige und glückliche Herzen

Über Einflüsse von Bruno Franks Roman *Die Fürstin* auf Thomas Manns
Bekenntnisse des Hochstaplers Felix Krull und *Doktor Faustus*

I.

Quellenkritische Überlegungen zu Thomas Manns *Krull*-Roman decken wiederholt Einflüsse von Bruno Franks Roman *Die Fürstin*, der erstmals 1915 erschien, auf.[1] Franks Text enthält eine Fülle von Anregungen und Parallelen, die
von groben Zügen des Geschehnishintergrunds bis zu „wörtliche[n] Übereinstimmungen" reicht, so dass „kein Zweifel"[2] daran bestehe, Thomas Manns
Erzähler habe einzelne Szenen „nahezu identisch"[3] nachempfunden. Die Textkonkordanzen beziehen sich primär auf die Raumgestaltung und auf sexualpa-
thologische Beschreibungen. Sowohl der Fürstin, Franks Titelheldin, als auch
Thomas Manns Erzählfigur Madame Houpflé seien „das masochistische Begehren nach Erniedrigung"[4] eigen.

Der Autor Thomas Mann beruft sich in seinem essayistischen Werk wiederholt auf Bruno Frank (1887–1945), seinen Nachbarn aus der Zeit in München
und des kalifornischen Exils. Fünfunddreißig Jahre sind die beiden Schriftsteller so eng verbunden, dass Klaus Harpprechts Thomas-Mann-Biographie das
Ehepaar Bruno und Liesl Frank als „Urvertraute"[5] bezeichnet. Ein Urteil, das

---

[1] Werner Frizen: Zaubertrank der Metaphysik. Quellenkritische Überlegungen im Umkreis der
Schopenhauer-Rezeption Thomas Manns, Frankfurt am Main/Bern/Cirencester UK: Lang 1980
(= Europäische Hochschulschriften, Bd. 342), S. 401 f., 592 ff.; ders.: Die Wunschmaid. Zur
Houpflé-Episode in Thomas Manns „Krull", in: Text und Kontext, Bd. 9 (1981), S. 56–74; Hans
Wysling: Narzissmus und illusionäre Existenzform. Zu den Bekenntnissen des Hochstaplers Felix
Krull, 2. Aufl., Frankfurt/Main: Klostermann 1995 (= TMS V), S. 272 ff., 377 f.; Kerstin Schulz:
Identitätsfindung und Rollenspiele in Thomas Manns Romanen „Joseph und seine Brüder" und
„Bekenntnisse des Hochstaplers Felix Krull", Frankfurt am Main/Berlin/Bern: Lang 2000 (= Bo-
chumer Schriften zur deutschen Literatur, Bd. 55), S. 614 ff.
[2] Wysling (1995), S. 273.
[3] Frizen (1980), S. 402.
[4] Ebd.; ebd., S. 59; Schulz (2000), S. 616.
[5] Klaus Harpprecht: Thomas Mann. Eine Biographie, Reinbek bei Hamburg: Rowohlt 1995,
S. 1231. Harpprechts Schrift verzeichnet 42 verstreute Einträge zu Bruno Frank. Systematisch beschäftigt sich Peter de Mendelssohns Biographie mit Frank, dem hier ein eigener Abschnitt gewidmet ist. Vgl. ders.: Der Zauberer. Das Leben des deutschen Schriftstellers Thomas Mann. Erster
Teil 1875–1918, überarb. und erw. Neuausg., Frankfurt/Main: S. Fischer 1996, S. 1399–1405.

bei dem sonst als kalt und menschenscheu beschriebenen „Zauberer" aufhorchen lässt. Seit der Veröffentlichung der *Venedig*-Novelle rezensieren diese Urvertrauten ihre Werke gegenseitig in einschlägigen Fachpublikationen.[6] Frank korrigiert die französischen Wendungen des „Walpurgisnacht"-Kapitels (Tb, 8.5.1921, 12. u. 13.10.1921) aus dem *Zauberberg*. Anlässlich des 50. Geburtstages seines Freundes bekundet Thomas Mann, sie hätten ihre Schriften „an hundert Plauder- und Leseabende[n] an unserem Kamin" (X, 486) diskutiert. Schließlich bleibt es ihm 1945 vorbehalten, Bruno Frank bei der öffentlichen Gedenkfeier als „Ehrenretter der Menschheit" (XIII, 869) zu würdigen.

Überblickt man alle Reden, Aufsätze und Tagebucheintragungen Thomas Manns über Bruno Frank, so fällt auf, dass wiederholt vom Roman *Die Fürstin* die Rede ist.[7] Allerdings bezieht sich keine Eintragung auf Parallelen zum *Krull*-Roman oder auf die von der Forschung festgestellten Textkonkordanzen oder auf die ausgemachte Gestaltung der sexuellen Perversion des Masochismus. Literaturwissenschaftliche Erträge und Selbstaussagen des Autors sind zweierlei. Ein bekanntes Verhältnis. Thomas Mann lobt primär den schopenhauerschen Hintergrund von Franks Mitleidsethik und den Erzählschluss des Romans, in dem sich der Held zum Asketen wandelt. So schreibt er 1928:

Seine Neigung zur Kreatur, sein Mitleid, seine Sympathie mit dem organischen Leben machte ihn wahrhaft zum Dichter an dem schopenhauerisch durchleuchteten und viel bewunderten Schluß des Romans ‚Die Fürstin'. (X, 687 f.)

Und 1937 hebt er den „Schluß der ‚Fürstin'" als „Dichtersympathie mit dem organischen Leben" (X, 487) hervor. Diese Sympathie-Bezeugung mit dem organischen Leben nimmt eine Zentralproblematik der späten Schaffenszeit des *Krull*-Romans vorweg, man denke nur an Professor Kuckucks wiederholte Rede von der „Allsympathie"(VII, 548). Eines scheint also gesichert: In den besagten Plauderstunden am Kamin steht Schopenhauer zur Diskussion. Allerdings hat Franks Romanschluss, die literarische Gestaltung des schopenhauerschen Mitleidsbegriffs, die selbstgewählte Askese des Helden, seine gottesergebene stille Frömmigkeit, sein Streben nach einer Ruhe vor dem Geschlechtsleben sehr wenig mit dem zu heiterer Promiskuität neigenden

---

[6] Vgl. die zahlreichen Eintragungen in: Die Thomas-Mann-Literatur, Bd. 1, Bibliographie der Kritik 1896–1955, bearb. von Klaus W. Jonas in Zusammenarbeit mit dem Thomas-Mann-Archiv Zürich, Berlin: Schmidt 1972, S. 61, 63, 67, 89, 133, 162, 174, 239, 359.

[7] Besonders angetan war Thomas Mann zudem von Bruno Franks Roman *Cervantes* und dessen *Politischer Novelle*. Zur Übersicht über das Schaffen Bruno Franks vgl. Ulrich Müller: Schreiben gegen Hitler. Vom historischen zum politischen Roman. Untersuchungen zum Prosawerk Bruno Franks, Diss. Univ. Mainz 1994.

Felix Krull zu tun. Denn dieser selbstverliebte und verliebte Held gibt als ver-
führter Verführer gern allen Verlockungen nach, seine erotisch unstillbaren
Sehnsüchte treiben ihn wie in einem Kasperletheater von Laune zu Gelegenheit, von Reiz zu erneuter Disposition. Dagegen erzählen andere Werke Thomas Manns von einer Lebensweise der Entsagung. Bereits die Briefe an den Ju-
gendfreund Otto Grautoff fragen eindringlich, wie man vielleicht vom
Geschlechtstrieb loskomme: „Wie komme ich von der Geschlechtlichkeit los?
Durch Reisessen? –" (21, 81)

Von asketischen Idealen, von Selbstüberwindung und Bußgang erzählen *Tonio Kröger, Der Tod in Venedig, Doktor Faustus, Der Erwählte* und viele andere mehr. In der Lebensgeschichte des deutschen Tonsetzers Adrian Leverkühn
scheint der in Askese mündende Erzählschluss der *Fürstin* zur Erzählvoraussetzung zu werden. Über weite Strecken des Romans werden Demut und
Keuschheit zum Motto dieses stolzen Geistes.

Bekanntlich haben eine Vielzahl von Quellen Thomas Mann motiviert, von
Selbstzucht und Knechtung des Willens seines *Doktor Faustus* zu erzählen.
Unberücksichtigt bleiben dabei allerdings Themen und Motive aus Bruno
Franks Roman *Die Fürstin*. Meiner These zufolge liegen hier einzelne Anregungen für den Exilroman vor, und diese determinieren den *Krull*-Roman weit
über das bisher erforschte Maß hinaus. Diese These soll in zwei Schritten dargestellt werden. Zunächst skizzieren wir die bislang erarbeiteten Spuren zwischen der *Fürstin* und *Krull*, um darüber hinaus auf neue Einflüsse hinzuweisen. Daran anschließend werfen wir einen Blick in den *Doktor Faustus*, um
Belege für Beziehungen zu Bruno Franks Roman anzuführen.

II.

Werner Frizen gräbt 1980 Bruno Franks *Die Fürstin* als Quelle für den *Krull*-
Roman aus. Hans Wysling übernimmt die dort erzielten Ergebnisse 1990. Beide
Referenten springen recht voraussetzungslos in die Mitte des Romans ein. Sie
lassen die Entwicklungsgeschichte der Zentralfigur unberücksichtigt. Ein Ausschnitt des Romans steht für die ganze Handlung. In diesem Ausschnitt möchte
sich der Held Mathias gegenüber seiner überlegenen Geliebten Lena als Mann
der Tat beweisen. Er reist nach Nizza, um einen russischen General zu ermor-
den. Die Fahrt endet jedoch nicht mit dem geplanten Attentat, sondern führt ins
Schlafgemach einer reichen russischen Fürstin. Nach dem Liebesabenteuer gelangt Franks Jüngling zur maritimen Forschungsstation des Professors Kosto-
marow, der ihm anhand von Seesternen, Seeigeln und anderen Geschöpfen der

Tiefsee Einblicke in den Lebenskampf verschafft. Der Held erfährt von kosmischer Heimatlosigkeit, von der Suche nach festem Grund, von der Einheit des Verschiedenen im Lebensganzen usw. All das provoziert die Allsympathie im Sinne der schopenhauerschen Mitleidsethik, so dass sich Mathias zum Asketen wandelt und sein Leben in den Dienst der Kreatur stellt. Die Führung durch das Aquarium und die gelehrten Ausführungen des Meeresforschers entsprechen bis zu wortgleichen Textparallelen Krulls Besuch bei Professor Kuckuck im Museo Sciências Naturaes in Lissabon. Doch während Franks Held zum Quietismus neigt, zieht Krull andere Lehren aus dem Wissen um die Vergänglichkeit des Seins.[8] Die bisherigen Untersuchungen stellen das Liebesabenteuer von Franks Helden mit der russischen Fürstin ins Zentrum ihrer Untersuchungen, um dieses mit der Houpflé-Episode in Thomas Manns *Krull* zu vergleichen. Sowohl die Fürstin als auch Madame Houpflé sind liebeshungrige Damen: Sie ergreifen selbst die Initiative, um die jungen Männer in ihre luxuriösen Betten zu locken. Sie genießen ihre Seitensprünge und belustigen sich über ihre gehörnten Gatten, von deren Versagen spöttisch die Rede ist. In einem unaufhaltsamen Redestrom preisen sie die Schönheit ihrer neuen Liebhaber. Dabei gestehen sie ihr „masochistische[s] Begehren"[9], geduzt, gedemütigt und erniedrigt zu werden. Franks Fürstin flüstert ihrem Bettgespielen „masochistischerweise"[10] Liebeserklärungen zu, die sich wie eine Antizipation auf Krulls Laufbahn lesen:

Wenn du etwas bist, was man nicht sagt, um so besser. [...] Wenn du einmal Kellner warst, vielleicht noch in der vorigen Woche – um so besser. Wenn du gestohlen hast, um so besser, um so besser.[11]

An dieser Stelle wird die Affinität der *Fürstin* zum *Krull* besonders signifikant. Krulls Episode als Kellner im Pariser Nobelhotel als auch sein „Liebes- und Diebesgut" (VII, 450), der von Madame Houpflé erbetene Schmuckdiebstahl, sind Kontrafakturen zu Franks Roman.

Als eine weitere Kontrafaktur erweist sich die Gestaltung der bordellhaften Atmosphäre der Schlafgemächer, die in beiden Romanen nahezu identisch ist. In Franks *Fürstin* liest man:

Die Tür war angelehnt, rötlicher Lichtschein drang heraus. [...] Alles Holz zeigte leuchtend helle Lackierung, aber die Stoffe ohne Ausnahme waren lachsrot: die schweren Vorhänge an den drei breiten und hohen Fenstern, die Bespannung von Stühlen und

---

8 Vgl. Frizen (1980), S. 401 f., 593 f.; ders. (1981), S. 58, 68 f.; Wysling (1995), S. 272 ff.

9 Vgl. Frizen (1980), S. 402; ders. (1981), S. 59; Wysling (1995), S. 274 f.

10 Frizen (1980), S. 402.

11 *Die Fürstin* wird zitiert als [Fürstin] nach der folgenden Ausgabe: Bruno Frank: Die Fürstin. Roman eines demütigen Herzens, Berlin: Ullstein 1930 (= Die gelben Ullstein-Bücher). Hier S. 180.

Chaiselongue, der Teppich, der völlig den Fußboden verbarg, und die gesteppte Seidendecke des ungeheuren, nach drei Seiten freistehenden Bettes. (Fürstin, 177 f.)

Im *Krull* heißt es:

Das Zimmer lag im rötlichen Halbdunkel des seidenbeschirmten Nachttischlämpchens, von dem es allein erhellt war. Die kühne Bewohnerin [...] erblickte mein rasch die Umstände erforschendes Auge im Bette, unter purpurner Atlas-Steppdecke, – in der prächtigen Messing-Bettstatt, die, das Kopfende zur Wand gekehrt und die Chaiselongue zu ihren Füßen, freistehend ziemlich nahe dem dicht verhangenen Fenster aufgeschlagen war. (VII, 440)

Frizen und Wysling erkennen die Übereinstimmungen in der Auswahl der beschriebenen Gegenstände, die jeweilige Hervorhebung und attributive Charakterisierung und die gemeinsame farbliche Komposition der beiden Interieurs. Dabei bleiben sie allerdings stehen. Allein die Fülle der Parallelen und Anregungen zwischen der *Fürstin* und dem *Krull* ist damit keinesfalls erschöpft. Die literarische Traditionskette der Perversion des Masochismus bleibt unberücksichtigt, obwohl besonders Frizen wiederholt das Adjektiv „masochistisch" ins Spiel bringt. Man braucht aber diesen Kontext, um Frank und Thomas Mann ernst zu nehmen und zu verstehen. Beide Erzähler scheinen auf ihre jeweilige Weise Ausschnitte aus Leopold von Sacher-Masochs novellistischer Erzählung *Venus im Pelz* (1869) zu bearbeiten, die viele Züge der *fin-de-siècle*-Literatur vorwegnimmt. Das wird im ersten Zugriff wahrscheinlich, wenn man die oben zitierten Textstellen über die Schlafzimmer der beiden liebes- und erlebnishungrigen Damen mit entsprechenden Schilderungen aus Masochs *Venus* vergleicht. Auch hier hält sich die weibliche Hauptfigur Wanda mit Vorliebe in einem rötlichen Halbdunkel auf. In ihrer florentinischen Villa fällt das Licht durch eine „rote Glaskuppel" auf „ein Ruhebett aus roten, sammetnen Polstern", davor liegen „türkische Teppiche"[12] ausgebreitet. Ihre Bettstatt befindet sich in einem durch eine schwere „Portière" (Venus, 131) verhangenen Raum. Dekors und Farben sind dominante Materialien der masochistischen Vorstellungswelt. Bei Masoch verschmelzen die Farben der Kleiderstoffe (Seide, Samt, Pelz) der Venus mit den Farben des Ambientes zu einem Gesamtkunstwerk. Dafür nur eines von zahlreichen Textbeispielen:

---

12 Die *Venus im Pelz* wird zitiert als [Venus] nach der folgenden Ausgabe: Leopold von Sacher-Masoch: Venus im Pelz. Mit einer Studie über den Masochismus von Gilles Deleuze, Frankfurt/Main: Insel 1980. Hier S. 105. – Zum Einfluss von Masochs Roman auf Thomas Manns Werk vgl. Holger Rudloff: Pelzdamen. Weiblichkeitsbilder bei Thomas Mann und Leopold von Sacher-Masoch, Frankfurt/Main: S. Fischer 1994.

Wanda hat es sich bequem gemacht, sie sitzt im Negligé von weißer Mousseline und Spitzen, auf einem kleinen, roten Samtdiwan, die Füße auf einem Polster *von gleichem Stoffe* [...]. (Venus, 78; eigene Hervorhebung)

Die grausame Frau erscheint als ästhetische Figur in einer bestimmten Atmosphäre. Die Farben und Stoffe ihrer schwülstigen Garderobe korrespondieren mit der Raumgestaltung. Bruno Franks Erzähler scheint daran ein Beispiel gefunden zu haben. Die Fürstin tritt „in ihrem ganz losen, ganz dünnen Gewand aus lachsroter Seide" (Fürstin, 178) auf. Und weiter: „Dank einer wohl zufälligen Übereinstimmung herrschte im großen Zimmer die Farbe ihres Gewandes vor." (Ebd.) „Lachsrot" spiegeln sich „die Stoffe ohne Ausnahme" (ebd.): Vorhänge, Stühle und Chaiselongue, der Teppich und die Seidendecke des Bettes.[13]

Auch bei Thomas Mann wird von feinen Gewebestoffen und deren Farben erzählt. Tags ziert Madame Houpflé das „mit Seide gefütterte Pelzwerk" (VII, 438), am Abend erscheint sie „in einem wundervollen weißen Seidenkleid" (VII, 439) und in der Nacht liegt sie „in einem batistenen Nachtgewande mit kurzen Ärmeln und einem von Spitzen umrahmten quellenden Décolleté" (VII, 440) in besagter Bettstätte „unter purpurner Atlas-Steppdecke" (ebd.).

So kehrt Sacher-Masochs Figuren- und Raumgestaltung aus der *Venus im Pelz* in Bruno Franks und Thomas Manns Kontrafakturen wieder. Wie relevant die Schauplatzgestaltung für das Verständnis novellistischer Texte ist, lässt sich aus dem strukturalistischen Ansatz nach Jurij M. Lotman begründen. Lotman vertritt die These, dass die Orte in einem Text nicht nur der fiktiven Handlung als bloße Kulisse dienen, sondern dass sie die Rückschlüsse auf den abstrakten semantischen Raum, also auf poetische Grundmuster der Erzählung erlauben. Raum, Figuren und Handlung werden als untrennbar verbunden angesehen, die Räume werden als durch bestimmte Normen geprägte Bereiche verstanden. Eine Analyse der Raumstruktur bedeutet nicht nur eine Orientierung in der fiktiven Topographie der Erzählung, sie ermöglicht das Aufdecken wesentlicher Zusammenhänge des Textes, also auch solcher, die nicht-räumlich erscheinen. Lotman betont die Funktion des Ortes als „organi-

---

13 Frizen macht in einer Fußnote darauf aufmerksam, Franks Roman erinnere „nicht selten" an die Prosa Heinrich Manns. Frizen (1980), S. 594. Allein den Beweis bleibt er schuldig. Heinrich Manns früher Roman *In einer Familie* (Frankfurt/Main: S. Fischer 2000), synthetisiert Raum und Figur ganz nach dem Muster der Erzählkunst Sacher-Masochs. Von der Hauptfigur Dora liest man: „Die Nüance des Kleides stimmte völlig mit der hell-lila Seide überein, in der alles, Wand- und Möbelbezüge wie Portièren und Teppiche, gleichmäßig gehalten war." (A.a.O., S. 189) Heinrich Manns Debütroman erschien 1894, also 21 Jahre vor Franks *Fürstin* und 25 Jahre nach Sacher-Masochs *Venus im Pelz*. Vgl. dazu ausführlich Holger Rudloff: Zum Einfluss von Leopold von Sacher-Masochs Roman „Venus im Pelz" auf Heinrich Manns frühe Romane „In einer Familie" und „Zwischen den Rassen", in: Leopold von Sacher-Masoch, hrsg. von Ingrid Spörk und Alexandra Strohmaier, Graz: Droschl 2002 (= Die Buchreihe über österreichische Autoren, Bd. 20), S. 72–89.

sierende[s] Element", das geeignet sei, auch die nichträumlichen Aspekte des Textes zu ordnen. Orte der Handlungen sind demzufolge weit mehr als dekoratives Beiwerk: „Das ganze räumliche Kontinuum des Textes, in dem die Welt des Objekts abgebildet ist, fügt sich zu einem gewissen Gesamt-Topos zusammen."[14] Vor dem Hintergrund dieser Gedanken fällt von der Raumgestaltung der jeweiligen Frauenschlafzimmer ein erweitertes Licht auf eine mögliche ästhetische Allianz zwischen Masochs *Venus*, Manns *Krull* und Franks *Fürstin*. Die Raumgestaltung liefert Indizien für Grundstrukturen der Handlung. Bruno Franks Roman erzählt die Lebensgeschichte des Protagonisten Mathias, der aus Demut, Leiden, Unterwürfigkeit und Erniedrigung seine Freuden gewinnt. Bereits der Untertitel des Romans signalisiert das Programm: *Roman eines demütigen Herzens*. Dieses demütige Herz trifft in seinem Lebensweg auf eine Vielzahl liebeshungriger und grausamer Damen, die seinen Reiz im Leiden entfachen. Die von der Thomas-Mann-Forschung berücksichtigte Begegnung mit der russischen Fürstin in Nizza übersieht all jene anderen Fürstinnen, die die Entwicklung des Helden von Kindheit an entscheidend bestimmen. Da ist zunächst jene „Gräfin", eine „straffe junge Dame, mit hellem Haar über einem weißen Gesicht, mit Augen wie aus blauem Stein", der Mathias „jedes Mal mit Herzklopfen" (Fürstin, 19) begegnet. Ihr Gatte steht zu ihr in einem masochistischen Verhältnis. Im Text heißt es:

Schon sehr bald erzählte man auf den Gütern eigentümliche Geschichten: von Nächten, die der Graf in Unterhosen an ihrer Tür verbracht haben sollte; von einem schlecht gegürteten Steigbügel, den sie ihm vor Leuten ins Gesicht geschleudert habe, so daß sein Zahnfleisch anfing zu bluten; und mehr dergleichen. (Ebd.)

In der Lebensgeschichte von Franks Helden folgt eine „Kellnerin", „ein großes starkes Frauenzimmer", das kein langes Federlesen mit dem Jüngling macht: „Sie warf Mathias, mehr als daß sie ihn legte, über den Strohsack, riß ihm die Kleider auf und nahm, in rasender Eile Besitz von ihm." (Fürstin, 17) Ebenso oder ähnlich soll es „seinem Knabenherzen" bei der Frau eines Hilfslehrers ergehen, einer „Kreatur, die ihren blinden Trieben unterlag" (Fürstin, 21), oder bei einer Schauspielerin, die ihm als „die Fordernde, die Gewaltige, die Vernichterin" (Fürstin, 101) erscheint. Diese Erfahrungen lösen bei Franks Jüngling eine „Sehnsucht nach Leiden" (Fürstin, 35) und Buße (Fürstin, 30) aus: „In seiner tiefen Unberatenheit hatte er sich eine schwere Schuld zurechtgelegt, die abzubüßen sei." (Fürstin, 29 f.) Mathias hat sich also, wie der auktoriale Erzähler versichert, eine Schuld „zurechtgelegt". Forensisch wichtig ist, dass er sich schlimmer Fehltritte bezichtigt, die er nicht begangen hat. So be-

---

14 Jurij M. Lotman: Die Struktur literarischer Texte, 4. Aufl., München: Fink 1993, S. 329.

friedigt er seinen Drang nach Sühne, Buße und Unterwerfung. Hier liegt, wie abermals der Erzähler weiß, einer der Hauptgründe zu „seinem innersten Zustand, zu der Erniedrigung, die bei ihm Liebe war und die ihm alle Hoffnung auf fremde Liebe nahm" (Fürstin, 115). Liebesunfähigkeit wird bei Franks Helden zu einer seelischen Notwendigkeit. Aus Leiden gewinnt er, ganz wie es Theodor Reik in seiner bahnbrechenden Schrift über *Masochismus und Gesellschaft*[15] entwickelt hat, seine Freuden. Freuden, bei denen Mathias „einen schönen, süßen Schmerz in der Brust" (Fürstin, 51) auskostet.

Einen derartig wollüstigen Schmerz beim Umgang mit dem ebenso schönen wie grausamen Geschlecht erleben zahlreiche Helden Thomas Manns seit der Erzählung *Der kleine Herr Friedemann* immer wieder aufs Neue. Friedemann erfährt, wie ein „süßlich beizender Zorn" (VIII, 89) und eine „ohnmächtige, süßlich peinigende Wut" (VIII, 96) in ihm aufsteigt. Und auch Sacher-Masochs trauriger Held aus der *Venus im Pelz* hat es derartig durchlitten. Er gibt das Muster vor. Bei der Begegnung mit der zum Idol imaginierten Frau fühlt er „eine süße Qual, eine prickelnde Grausamkeit" (Venus, 25).

Orientiert an Textbeispielen aus der *Venus im Pelz* hat Richard Freiherr von Krafft-Ebing in seiner *Psychopathia Sexualis* seit 1890 den Begriff ‚Masochismus' als klinische Kategorie eingeführt. Dort heißt es:

Diese im folgenden zu besprechenden Perversionen der Vita sexualis mögen Masochismus genannt werden, da der bekannte Schriftsteller Sacher-Masoch in zahlreichen seiner Romane, ganz besonders in der *Venus im Pelz*, diese eigene Art der sexuellen Perversion zum Lieblingsgegenstand seiner Schriften gemacht hat.[16]

Wo die Begriffe aus Definitionsnot fehlen, hilft über Umwege das literarische Bild aus. Masochs Roman wird zum Paten eines Begriffs. Er liefert Krafft-Ebing das Textmaterial zur Erklärung des Masochismus:

Unter Masochismus verstehe ich eine eigentümliche Perversion der psychischen Vita sexualis, welche darin besteht, dass das von derselben ergriffene Individuum in seinem geschlechtlichen Fühlen und Denken von der Vorstellung beherrscht wird, dem Willen einer Person des anderen Geschlechts vollkommen und unbedingt unterworfen zu sein, von dieser Person herrisch behandelt, gedemütigt und selbst misshandelt zu werden.[17]

---

[15] Vgl. Theodor Reik: Aus Leiden Freuden. Masochismus und Gesellschaft, Hamburg: Hoffmann & Campe 1977.

[16] Richard von Krafft-Ebing: Neue Forschung auf dem Gebiet der Psychopathia Sexualis, Stuttgart: Enke 1890, S. 2. Zwar veröffentlicht Krafft-Ebing sein Buch *Psychopathia Sexualis* bereits 1886, der Begriff des Masochismus wird jedoch erst seit 1890 angeführt und steht seitdem in den zahlreichen Folgeauflagen.

[17] Richard von Krafft-Ebing: Psychopathia Sexualis, 9. Aufl., Stuttgart: Enke 1894, S. 89.

Auf den ersten Blick liest man den Wunsch des Masochisten, von einer Frau „gedemütigt" zu werden, wie einen Kommentar zu Bruno Franks *Die Fürstin*, dessen Untertitel, wie bereits oben erwähnt, *Roman eines demütigen Herzens* lautet. Dabei übersieht man freilich den wesentlichen *Spiel*charakter der Literatur. Versteht man Literatur literarisch, so gehorcht sie der Kategorie des Besonderen. Sie ist weit mehr als eine Bestätigung oder Verdopplung bereits festgeschriebener Beobachtungsgegenstände der psychiatrischen und sexualpsychologischen Forschung. Als Literatur *spielen* die Texte Bruno Franks und Thomas Manns mit menschlichen Schwächen, mit romantischen Kindheitsintrospektionen und mit erotischen Prägungen aus der Jugendzeit ihrer Figuren.

Für Franks Spiel steht das Frauenbild seines Helden seit einem frühen Zusammentreffen mit der ersten grausamen Gräfin, der Gutsbesitzerin, unwiderruflich fest. Selbstqual und Bußleistung bestimmen die *Libido* des Heranwachsenden. Alle weiteren erotischen Abenteuer variieren nur die fest umrissenen Erfahrungen. Spielarten einer großen Mutter, ältere, sexuell erfahrenere Frauen verlangen nach dem Jüngling, der begehrt wird, ohne selbst zu lieben. Das gilt zunächst fast gleichartig für Felix Krull. Eine frühkindliche Mutter*imago* prägt seine Sinnlichkeit. Ältere Frauen nehmen ihn im wahrsten Sinne des Wortes zur Brust. Die Erlebnisse „an dem Busen einer ausgezeichneten Amme" (VII, 270) wiederholen sich an Genofevas „weißer und wohlgenährter Brust" (VII, 314), bei der Prostituierten Rozsa und bei Madame Houpflé, bis er schließlich am „königlichen Busen" (VII, 661) der Mutterfigur Dona Maria Pia landet. Allerdings kommt dabei beim glücklichen Felix kein notorisch schlechtes Gewissen auf; kein Gefühl des Unrechtmäßigen, der Schuld und der Scham oder gar von Buße peinigt ihn. Im Gegenteil, sorglos darf er sein Glück bei den Frauen genießen. Der Erzähler entwirft seine Figur als *Bel Ami*, als Lebenskünstler und Narziss; seine Welt verwandelt sich nach seinen Vorstellungen zu einem Wunschbild, zur „großen Freude'" (VII, 312).

In diesem Sinne erscheint Krulls Glück als Gegenentwurf zu Franks Helden Mathias, dessen sexuelle Sozialisation von Selbstqual bestimmt ist. Freilich kann man es so nicht stehen lassen. Denn auch Bruno Franks Held muss dem narzisstischen Typus zugerechnet werden. Seine Liebesunfähigkeit, seine Dünnhäutigkeit gegenüber dem weiblichen Geschlecht folgt dem Kult des eigenen Ichs. Seine Verletzlichkeit resultiert aus einer narzisstischen Kränkung. Wichtige Symptome teilt er mit Krull. So wie Mathias steht Felix von Kindesbeinen an „mit dem Leiden auf vertrautem Fuße", er ist „von jeher im tiefsten Grunde leidend und pflegebedürftig" (VII, 299). Worin besteht nun bei aller Gemeinsamkeit der Unterschied zwischen dem Glückskind Krull und dem demütigen Herzen aus Franks Roman? Eine mögliche Antwort liefert der Titel einer früheren Erzählung Thomas Manns: *Der Wille zum Glück*. Krulls Natur *will* glücklich sein. Sie ringt sich zur Selbstbejahung empor. Allerdings nicht aus Selbstzucht, sondern durch die günstige Gabe seiner Gemütskräfte. Zwar ist sein Glück als „ein Produkt der Selbstüberwindung, ja als eine sittliche Leistung von hohem Range zu würdigen" (ebd.). Aber weil er wie ein Märchenheld aus der Sammlung der Brüder Grimm in einer „Glückshaut"[18] geboren ist, weil er „aus feinem Holz geschnitzt ist", ist es ihm gegeben, „seine Merkmale durch innere Anschauung" spielerisch zu „beherrschen" (ebd.). So folgt er *von Natur aus* der sprichwörtlichen Devise eines preußischen Generals: Glück hat auf die Dauer doch zumeist wohl nur der Tüchtige! Hans Wysling bringt das ähnlich auf den Punkt: „Spiel und Disziplin".[19] Beides soll in seiner Figur zur Balance gebracht sein. Der Gegensatz von Freiheit und Notwendigkeit ist heiter versöhnt.

Wie sehr Krull das für ihn bestimmte Glück durch Disziplin und lustvolle Arbeit zufliegt, illustriert ein abschließender Blick auf die Houpflé-Episode. Felix kann sein Liebesspiel mit Houpflé genießen, da er zuvor durch „eine gründliche Schule" (VII, 381), die „schlimme Liebesschule" (VII, 385) der Prostituierten Rozsa ging. Rozsa bewahrt stets den „strengen, fast finsteren Ernst" (VII, 381) einer „strengen Geliebten und Meisterin" (VII, 384); ja sie soll „die Führerin" (VII, 381) genannt sein. Einschlägigen Annoncen aus Tageszeitungen zufolge laden vor, neben und nach Thomas Manns Lebenszeit sogenannte strenge Herrinnen bestimmte Klienten zu sado-masochistischen Erziehungsspielen in ihre Studios ein. Rozsa gehört zu diesen Anbieterinnen. Allerdings meint sie es gut mit ihrem Schützling. Abermals löst sich Strenge im heiteren Spiel auf. Rozsa erscheint wie eine Helferin oder Fee aus den Zaubermärchen, die den Lebensweg des Helden bahnt. Sie bereitet Krull bestens auf Madame Houpflés spätere erotische Offerte vor: „Da liegen deine Hosenträger, nimm sie, Liebster, drehe mich um und züchtige mich aufs Blut!'" (VII, 447) Die Anforderung „drehe mich um" wird zu einem Schlüsselwort dieser Szene. Madame Houpflé bekennt sich durchgängig zu einem Lebensprinzip der „Verkehrtheit" (VII, 445). Für unsere Fragestellung ist diese „Verkehrtheit" nur insoweit relevant, wie sie die sexuelle Perversion des Masochismus betrifft. Denn Krulls „Hosenträger" sind in Bruno Franks und Masochs Romanen vorgezeichnet, in denen, wie oben gesehen, strenge Herrinnen ihre Prügelknaben mit dem „Steigbügel" (Fürstin, 19) oder der Peitsche züchtigen. Führt Frank seinen Helden von der Demut bis zur Liebesunfähigkeit und zur Askese, so dreht Thomas Manns parodistisches Spiel vieles um, er spielt das Motiv der „*Vertauschbarkeit*" (VII, 491) variantenreich aus: Krull und Diane feiern eine angedichtete Götterhochzeit als Hermes und Diana, beide

---

[18] Der Teufel mit den drei goldenen Haaren, in: Brüder Grimm: Kinder- und Hausmärchen, Ausgabe letzter Hand mit den Originalanmerkungen der Brüder Grimm, hrsg. von Heinz Rölleke, Bd. 1, Stuttgart: Reclam 1986, S. 167.

[19] Wysling (1995), S. 143.

nehmen sich als Künstler (Houpflé schreibt unter Pseudonym galante Liebesromane) die Freiheit, die Grenzen konventioneller Sexualmoral zu überschreiten, wobei Krull die Bitte um Züchtigung ebenso selbstsicher wie selbstverliebt ausschlägt. Sie dürfen glücklich sein, sie sind Erwählte. Erniedrigung und Demut verwandeln sich, so will es hier der Geist der Erzählung, zum Mummenschanz, zur „Erniedrigungsnarretei" (VII, 447). Auf diesem Hintergrund ist der Roman vom Glückskind, vom Hermeskind doch ein Gegenentwurf zu Franks *Roman eines demütigen Herzens*. Freilich noch weit mehr. Denn die Selbstqual gehört zu Thomas Manns ureigenster Thematik von Tonio Kröger über Aschenbach bis zu Leverkühn. Franks Fürstin ist nur ein kleiner Teil davon.

III.

Unterwerfung und Liebesunfähigkeit bestimmen den angstbesetzten Lebensweg von Franks Protagonisten Mathias. Der Weg führt ihn vom devoten Liebhaber dominanter Frauenfiguren zu der asketischen Haltung, der Welt dienen zu wollen. Sein Erzählende wird im *Doktor Faustus* zur Erzählvoraussetzung. Bereits im ersten Kapitel gibt der Dr. phil. Serenus Zeitblom das Lebensmotto seines Freundes Adrian Leverkühn preis: „Um ihn war *Kälte*" (VI, 13). „Wen", so fragt der Chronist, „Wen hätte dieser Mann geliebt? Einst eine Frau – vielleicht." (Ebd.) Leverkühns spätere Paktleistung, der Liebesverzicht und die Preisgabe der Seele nach Ablauf der Paktzeit, ist eine früh beschlossene Sache. Ebenso früh beschlossen scheint Leverkühns lebenslange Fixierung auf fordernde Frauen zu sein, die ihn ähnlich wie Franks Helden bestimmt. Eine „Stallmagd namens Hanne, einer Person mit Schlotterbusen und nackten, ewig mistigen Füßen", mit der „der Knabe Adrian [...] eine nähere Freundschaft unterhielt" (VI, 35), verbindet sexuell-animalische Ausstrahlung mit dem sinnlichen Aspekt der Musik. Auf „dem Hofe der Schweigestills, Adrians späterem Aufenthaltsort" befindet sich, wie der Erzähler versichert, „gewiß nicht überraschenderweise, auch eine Stallmagd mit Waberbusen und ewig mistigen Barfüßen [...], die der Hanne von Buchel so ähnlich sah [...], und die im Wiederholungsfalle Waltpurgis hieß". (VI, 41) Leverkühns Umgang mit Frauen entspringt also einem durchgängig vorherrschenden Grundmuster. Es ist wiedergekehrt und es determiniert während der ganzen erzählten Zeit seinen Umgang mit dem weiblichen Geschlecht. So schließt sich der Erzählkreis vom frühkindlichen Umgang mit dem „Urbilde Hanne", diesem „tierisch duftende[n] Geschöpf" (ebd.), bis zu Leverkühns Mannesalter. Der „Wiederholungsfall Waltpurgis" spielt auf die orgiastisch transzendenten Hexen in der Walpurgisnacht auf dem Blocksberg an. Im Banne von

Kindheitserinnerungen bleibt Adrian generell gefangen. Im Leipziger Bordell tauft er eine Prostituierte auf den Namen „Esmeralda", weil sie ihn an einen durchsichtig-nackten Schmetterling aus der Sammlung seines Vaters erinnert.

Adrians erotisches Begehren beim Haschen des exotischen Schmetterlings richtet sich weniger nach den „gepuderte[n] Halbkugeln im spanischen Mieder" (VI, 198). In erster Linie elektrisiert ihn eine Körpergeste. Die Schöne der Nacht „streichelt" ihm „mit dem Arm die Wange". (VI, 191) Wie entscheidend diese Geste ist, verrät die Betroffenheit des Chronisten Zeitblom, wenn er nachdrücklich betont: „Tagelang spürte ich die Berührung ihres Fleisches auf meiner eigenen Wange und wußte dabei mit Widerwillen, mit Schrecken, daß sie seither auf der seinen brannte." (VI, 198) Was Adrians Verhalten nach dem Verführungserlebnis anbelangt, so versucht er, ein „ganzes Jahr lang" gegen die „empfangene Verwundung" anzukämpfen, allein er kehrt dann zurück zu „derjenigen, deren Berührung auf seiner Wange brannte". (VI, 204) Zeitblom gibt dieses Verhalten als eine „*Fixierung* der Begierde auf ein bestimmtes und individuelles Ziel" aus. (Ebd.) Der Chronist hebt den Sachverhalt durch Kursivsetzung hervor. Und er spricht unmittelbar folgend erneut von der „Fixierung" Adrians, die bewirkt habe, dass jener nach dem „Weib" verlangt, „das ihn berührt hatte". (VI, 205) Durch die sinnliche Lockung des weiblichen Arms bahnen sich Zwangsimpulse und Zwangsvorstellungen in imperativer Weise ihren Weg in Adrians Gemüt. Die Entsprechung zwischen Leverkühns Verfassung und der Situation von Franks Helden ist bis zur Textgleichheit fast eindeutig. Denn auch die Fürstin lädt ihren jungen Liebhaber durch eine Gebärde ihres Armes zum nächtlichen *Rendezvous* ein:

> Da strich sie ihm rasch, ganz flüchtig, mit sicherer duftenden Hand über Augen und Lippen, schritt rauschend aus, überquerte den freien Raum vor der Treppe und ging auf der anderen Seite tiefer in den Korridor hinein. (Fürstin, 172)

Sowohl Mathias als auch Adrian folgen in einem unwiderstehlichen Zwang dem Zeichen weiblicher Arm-Erotik. Ganz ähnlich ergeht es Hans Castorp in der Schlussszene der „Walpurgisnacht". Hier ermuntert die Schöne der Nacht, die schöne Russin Clawdia Chauchat, ihren „prince Carnaval" zum Schäferstündchen, indem sie bezeichnenderweise „einen ihrer nackten Arme erhoben" (5.1, 520) hält.[20] Das zentrale Motiv, das den Gang der Handlung im *Zau-*

---

[20] Es lohnt sich durchaus, den ganzen Abgang von Chauchat mit der oben zitierten Szene aus Franks Roman zu vergleichen. Beide Textausschnitte erscheinen wie Vorlagen zu bewegter Hollywood-Machart. Wie die Fürstin, die „rauschend" den freien Raum überquert, so schlüpft auch Chauchat über ihr Spielfeld: „Damit glitt sie vom Stuhl, glitt über den Teppich zur Tür, in deren Rahmen sie zögerte, halb rückwärts gewandt, einen ihrer nackten Arme erhoben, die Hand an der Türangel." (Ebd.)

berberg und in *Doktor Faustus* als psychischen Prozess antreibt, ist in Franks *Fürstin* wiederholt vorgezeichnet. So beordert die Fürstin ihren Liebhaber mit „ihrer duftenden Hand" zur Bettstelle, daselbst spielt sie „erhobenen Armes triumphierend" (Fürstin, 182) ihre überlegenen Karten aus.

Betrachtet man die Liebesbegegnung zwischen der Fürstin und ihrem Mitspieler genauer, so deutet einiges darauf hin, sie verstärkt als stoffliche Vorlage zum *Doktor Faustus* und zum *Krull*-Roman zu bewerten. Dafür spricht die Rozsa-Episode aus dem *Krull* und die Tolna-Episode aus dem *Faustus*. Diese Erwägung wird etwas plausibler, wenn wir die Lebensgeschichte der Fürstin hinzunehmen. Sie beichtet ihrem Liebhaber:

,Ich trat im Varieté auf, meine Tournee ging zu Ende, ich wollte wieder nach Rumänien zurück. [...] Ich bin eine Bauerntochter aus der Gegend von Jassy, mein Freund. Ich bin eine Bäuerin, mein Freund, ganz einfach eine Bäuerin. Als ich sechzehn Jahre alt war, hat mich einer verführt. Ich kam dann nach Bukarest [...] zu einem Café-Pächter, weißt du, so ein großes Konzert-Café [...].' (Fürstin, 184)

Aus dem als „Konzert-Café" beschriebenen Bordell befreit sie der russische „Fürst Lanskoj" (ebd.) durch Heirat. Leicht vorzustellen, wie dieser Ehebund nicht ohne pekuniäre Beigaben an den Kaffeehausbetreiber gestiftet sein mag. Leicht vorzustellen ebenso, wie Thomas Manns Erzähler diese Szene für seine Zwecke nutzt. Denn die bewegte Vergangenheit der Fürstin entspricht bei allen Variationen der *Vita* Rozsas. Über Roszas Werdegang berichtet Krull:

Rozsa, so hieß meine Gegenspielerin, war aus Ungarn gebürtig, doch ungewissester Herkunft; denn ihre Mutter war in einem Wandercirkus durch Reifen, mit Seidenpapier bespannt, gesprungen, und wer ihr Vater gewesen, lag völlig im Dunkel. Früh hatte sie stärksten Hang zu grenzenloser Galanterie gezeigt und war, noch jung, doch nicht ohne ihr Einverständnis, nach Budapest in ein Freudenhaus verschleppt worden, wo sie mehrere Jahre verbrachte, die Hauptanziehung der Anstalt. Aber ein Kaufmann aus Wien, der glaubte, nicht ohne sie leben zu können, hatte sie unter Aufbietung großer List und sogar mit Beihilfe eines Verbandes zur Bekämpfung des Mädchenhandels aus dem Zwinger entführt und bei sich angesiedelt. (VII, 382)

Mit Reminiszenz an die Mutter*imago* überblendet Thomas Mann die Textvorlage. Die Auftritte der Fürstin im „Varieté" auf „Tournee" werden Rozsas Mutter im besagten „Wandercirkus" angedichtet. Dem Wechsel der Generationen folgt ein Wechsel in der Raumgestaltung. Der *Krull*-Roman verlagert die Handlung der *Fürstin* aus Rumänien ins benachbarte Ungarn. Folglich tauscht die Hauptstadt Bukarest ihren Platz mit der Metropole Budapest. Im sehr ähnlichen Klang der Städte zeigt sich eine Art von Verwandtschaft. Sie verbindet das Schicksal der zwei Frauenfiguren. Beide landen im Schatten ihrer jungen Mädchenblüte (die Fürstin war „sechzehn Jahre alt", Rozsa war „noch jung") am gleichen Ort: im Freudenhaus. Aus diesen Etablissements erlösen sie wohlhabende Liebhaber und erwählen sie zu ihren Lebensgefährtinnen. Dabei nimmt Thomas Manns Erzähler eine weitere Variation vor. Das gesellschaftliche Spielfeld ändert sich vom Adel zum Großbürgertum, der russische „Fürst" aus Franks Roman mutiert im *Krull*-Roman zu einem „Kaufmann aus Wien". Allein die Wertvorstellungen und Verhaltensweisen der männlichen Protagonisten bleiben konstant: Ihr sozialer Status erlaubt es ihnen, Frauen aus dem Bordell loszueisen und für sich zu gewinnen.

Ein analoges Kompositionsprinzip liegt möglicherweise im *Doktor Faustus* vor. Es betrifft das Problem der Identität von Hetaera esmeralda mit Frau von Tolna. Hetaera esmeralda, jene Dirne, bei der sich Adrian Leverkühn mit der Syphilis infiziert, scheint im letzten Drittel des Romans durch ihre Heirat mit einem ungarischen Großgrundbesitzer in Frau von Tolna verwandelt zu sein. Der Chronist Zeitblom führt Frau von Tolna als „eine unsichtbare Figur" (VI, 518) in die Handlung ein. Er weiß von ihr, dass sie eine „ungarische Aristokratin" (ebd.) ist, die auf einem „fürstentumgroße[n] Gutsgebiet" (VI, 525) „südlich der Hauptstadt" (VI, 519) residiert. Auch Frau von Tolna ist also eine Fürstin. Und wie in Bruno Franks Roman wird die Figur erst durch Heirat in den Aristokraten-Stand erhoben:

Madame de Tolna war eine reiche Witwe, die von einem ritterlichen, aber ausschweifenden, übrigens nicht an seinen Lastern zugrunde gegangenen, sondern beim Pferderennen verunglückten Gatten als Besitzerin eines Palais in Pest [...] kinderlos zurückgelassen worden war. (VI, 519)

Aber teilt die Fürstin Tolna darüber hinaus mit Franks Fürstin das Schicksal ihrer Herkunft? Sollte auch der als ausschweifend und lasterhaft ausgewiesene Aristokrat von Tolna seine spätere Gattin aus einem sogenannten Konzert-Café heraus geholt haben? Derartige Fragen bleiben im beabsichtigten Dunkel der Erzählkunst. Licht in das Dunkel der Herkunft Frau von Tolnas bringt der amerikanische Germanist Victor A. Oswald bereits 1948, also kurze Zeit nach der Veröffentlichung des *Faustus*. In einer akribischen Detailstudie deckt er zahlreiche verschlüsselte Querverweise zwischen Frau von Tolna und der Dirne Hetaera esmeralda auf und behauptet deren strukturelle Identität.[21] Sollte Oswalds These verifizierbar sein, sollte die Prostituierte Esmeralda aus ihrem Pressburger Freudenhaus von einem Adeligen vom Fleck weg geheiratet worden sein, dann wäre die Annahme um so wahrscheinlicher, dass Franks *Fürstin* zu den Textvorlagen des *Faustus*-Romans zählt.

---

21 Victor A. Oswald: Thomas Mann's „Doktor Faustus". The Enigma of Frau von Tolna, in: The Germanic Review, vol. 23, no. 4, New York: Columbia University Press 1948, S. 249–253.

Das von Oswald thematisierte Rätsel der Frau von Tolna hat eine Diskussion ausgelöst, die von direkter Ablehnung über verhaltene Relativierung bis zu begeisterter Zustimmung führt.[22] Oskar Seidlin gibt grundsätzlich zu bedenken, man müsse einige Kröten schlucken, um Frau von Tolna für Hetaera esmeralda zu halten:

Um diese Behauptung zu akzeptieren, müssen wir freilich einige unwahrscheinliche Vorgaben schlucken, deren wenigst unwahrscheinliche die Annahme ist, daß ein ungarischer Aristokrat eine abgenutzte und geschlechtskranke Insassin eines zweitklassigen Provinzstadt-Bordells zur Frau nehmen würde, eine dubiose Voraussetzung, aber nicht ganz unmöglich, da Herr von Tolna, nach dem was wir von ihm hören – und das ist so gut wie nichts –, offenkundig ein ausgepichter ‚roué‘ gewesen ist.[23]

Frau von Tolnas Herkunft aus einem Bordell und ihre folgende Heirat mit dem ungarischen Aristokraten scheint also „nicht ganz unmöglich" zu sein. Allerdings liest man das nach dem Willen des Erzählers nicht eindeutig aus dem *Faustus*-Roman heraus. Die Abstammung der unsichtbaren Figur Frau von Tolna soll eine Leerstelle bleiben. Zieht man jedoch die oben zitierte Textstelle über den Werdegang von Bruno Franks Fürstin heran, so stimmt dieser in groben Zügen mit dem möglichen Schicksal Frau von Tolnas überein. Die Fürstin wird ja von einem wohlhabenden Aristokraten aus dem Bordell heraus geheiratet. Ähnlich geht es Rozsa aus dem *Krull*-Roman, auch sie heiratet ein wohlhabender Liebhaber aus dem Freudenhaus heraus. Dabei spielt das Ungarn-Motiv eine nicht zu übersehende Rolle. Rozsa ist „aus Ungarn gebürtig" (VII, 382). „Doch", so wird vom Erzähler betont, ist sie „ungewissester Herkunft" (ebd.). Gerade diese Steigerung der Ungewissheit teilt Rozsa mit Tolna. So ist es nicht ausgeschlossen anzunehmen, dass Thomas Mann die Rozsa-Episode als ein Selbst-Zitat aus dem *Faustus* gestaltet. Ein Selbst-Zitat freilich, das in Bruno Franks Roman *Die Fürstin* seinen erzählerischen Ursprung hat.

---

[22] Rosemarie Puschmann: Magisches Quadrat und Melancholie in Thomas Manns „Doktor Faustus". Von der musikalischen Struktur zum semantischen Beziehungsnetz, mit Notenbeispielen, Zeichnungen und Abbildungen, Bielefeld: Ampal 1983, S. 139 ff.; Oskar Seidlin: Doktor Faustus reist nach Ungarn. Notiz zu Thomas Manns Altersroman, in: Heinrich Mann Jahrbuch 1 (1983), hrsg. von Helmut Koopmann und Peter-Paul Schneider, Lübeck: Senat der Hansestadt Lübeck, Amt für Kultur 1983, S. 187–204; Helmut Koopmann: Der schwierige Deutsche. Studien zum Werk Thomas Manns, Tübingen: Niemeyer 1988, S. 134; Brigitte Prutti: Frauengestalten in „Doktor Faustus", in: TM Jb 2, 1989, 73 ff.; Doris Runge: Hetaera Esmeralda und die kleine Seejungfrau, in: Wagner–Nietzsche–Thomas Mann. Festschrift für Eckhard Heftrich, hrsg. von Heinz Gockel, Michael Neumann und Ruprecht Wimmer, Frankfurt/Main: Klostermann 1993, S. 391–403; Holger Rudloff: Hetaera esmeralda. Hure, Hexe, Helferin. Anklänge ans „Märchenhafte" und „Sagenmäßige" in Thomas Manns Roman „Doktor Faustus", in: Wirkendes Wort, Jg. 47, H. 1 (April 1997), S. 61–74, 70 ff.

[23] Seidlin (1983), S. 194 f.

Aber wir wissen, dass die Erzähler in Thomas Manns Werken mit dem Komponisten Adrian Leverkühn die folgende Vorliebe teilen:

Leverkühn war nicht der erste Komponist und wird nicht der letzte gewesen sein, der es liebte, Heimlichkeiten formel- und sigelhafter Art in seinem Werk zu verschließen, die den eingeborenen Hang der Musik zu abergläubischen Begehungen und Befolgungen, zahlenmystischen und buchstabensymbolischen, bekunden. (VI, 207)

Und wir wissen, wie häufig sich Thomas Mann in seinem essayistischen und literarischen Werk mit außergewöhnlichen Ehegeschichten herumgeschlagen hat. „Es gibt Ehen, deren Entstehung die belletristisch geübteste Phantasie sich nicht vorzustellen vermag." (VIII, 168) Mit diesem Satz beginnt die frühe Erzählung *Luischen*. Er klingt wie ein *Präludium* zur Esmeralda/Tolna-Episode. Bemerkenswert ist zudem die Ehe zwischen Thomas Buddenbrook und Gerda Arnold, die Ehe von Bruder Christian mit Aline Puvogel, die Ehe von Madame Chauchat mit einem Gatten, den sie alle Jubeljahre einmal weit hinter dem Kaukasus besucht, schließlich Josephs „Staatsheirat" (V, 1522), bei der sich die Liebe als eine Anstrengung guten Willens finden möge. Zahlreiche Beispiele ließen sich fortsetzen. So spricht vieles dafür, Thomas Mann habe in dem von ihm so hochgeschätzten Roman Bruno Franks seine eigene Thematik erkannt, um die Ehe- und Lebensgeschichte der *Fürstin* in Teilen des *Doktor Faustus* und des *Krull*-Romans variiert zu gestalten.

Walter Louis Schomers

Buddenbrooks und die Krise des französischen Romans

Bourget, Thibaudet und Thomas Mann

I.

Im März 1908 erschien im Journal des Débats der Artikel „*Les Buddenbrooks*" *par Thomas Mann* von Maurice Muret.[1] Es ist die erste nachgewiesene Arbeit über Thomas Mann in Frankreich, und Thomas Mann hat es in den *Betrachtungen eines Unpolitischen* mit Genugtuung registriert. Murets Artikel führt mitten in die französische Diskussion über die Krise des Romans um 1900.

Auf den Krieg von 1870/71 und das Ende des Zweiten Kaiserreiches folgen Auseinandersetzungen um die richtige Republik, der Streit um die Repräsentanz der „âme française", die französische Identität, die das politische und geistige Fundament des Landes bedeutet.[2] Es sind Strömungen und Auseinandersetzungen, die schließlich den sozialkritischen Naturalismus Zolas umfassen, um dann in die europäische *décadence* zu münden. Alles in allem bedeutet das republikanischer Neubeginn und Epochenwende mit tiefgreifenden Folgen für die politisch-geistige Lebenswirklichkeit.[3] Für die Jahre zwischen 1900 und dem Beginn des Ersten Weltkrieges erkennt Jean Lacouture als Signatur das Suchen nach Klarheit. Unter Tasten im Halbdunkel sei das neue Jahrhundert geboren, das Schlüsselwort sei nicht „Konflikt", sondern „confusion": Verwirrung; die Suchenden nicht mit dem Schwert, sondern mit der Fackel bewehrt.[4]

Indessen gab es um die Jahrhundertwende durchaus Konflikte. Das impe-

---

[1] Maurice Muret (1870–1956): Kritiker und Schriftsteller. Studium in Deutschland, Frankreich und der Schweiz. Im Journal des Débats für deutsche Literatur zuständig. Hier: Maurice Muret: „Les Buddenbrooks" par Thomas Mann, in: Journal des Débats politiques et littéraires, Jg. 120, Nr. 83 (24.3.1908), S. 1. – Als eigenes Kapitel übernommen in ders.: La Littérature allemande d'aujourd'hui, Paris: Payot 1909.

[2] Vgl. François Caron: La France des patriotes de 1851 à 1918, Paris: Fayard 1985, S. 7.

[3] Für detaillierte Darstellung vgl. Maurice Agulhon: La République. L'élan fondateur et la grande blessure. 1880–1932, Tome 1, Paris: Hachette 1990; ferner François Caron (zit. Anm. 2) und Charles Seignobos: Geschichte der französischen Nation, Bad Kreuznach: Kohl 1947.

[4] Jean Lacouture: Une Adolescence du siècle. Jacques Rivière et la NRF, Paris: Éditions du Seuil 1994, S. 7: Das 20. Jahrhundert sei geboren „dans une pénombre peuplée de tâtonnements innombrables. Le maître mot, alors, n'est pas conflit, mais confusion. L'air est moins chargé de bourrasques que de brouillards. [...] Ceux qui s'avancent en bégayant ne rêvent pas de mettre à leur poing une épée, mais une torche."

riale Gepränge, das Frankreich Glanz und Ansehen verliehen hatte, war nationaler Unsicherheit gewichen. Zu den Auseinandersetzungen um die Republik
kamen Kirchenkampf[5] und die Dreyfus-Affäre, in das politische Gerangel
spielten monarchistische Bemühungen hinein, ein katholisch-religiöser Nationalismus, der eine Einheit von Kirche und Staat anstrebte.[6] Der Antiklerikalis-
mus indessen ist die Religion der Republik[7] und Homais in *Madame Bovary*
mit seinen rationalistischen Platitüden einer seiner bekanntesten literarischen
Vertreter. Diese innenpolitischen Querelen sind in der Literatur greifbar. Die
Diskussion über den Roman und seine Krise, die schließlich auch den ausländischen Roman miteinbezieht, geht über ästhetische Ansichten und Stellung-
nahmen hinaus und macht – vor allem in der konservativen Kritiker-Schule –
die nationale Grundsubstanz sichtbar.

Zwei Romanauffassungen stehen einander gegenüber. Die Vertreter beider
Seiten lassen sich jeweils den skizzierten gesellschaftlichen Grundhaltungen
zuordnen.[8]

II.

Die Diskussion über die Krise des Romans in Frankreich, etwa zwischen 1885
und 1914, erinnert an die *Querelle des Anciens et des Modernes*, die von Charles Perrault 1687 in der Académie Française ausgelöst und 1700 durch Boileau,
einen seiner Gegenspieler, durch einen versöhnlichen Brief an Perrault mit
großen Zugeständnissen im wesentlichen beigelegt wurde. Es ging um die alleinige Vorbildlichkeit der Antike in Inhalt und Form, die von den *Anciens*
vertreten wurde. Der antiken Mythologie (*mythologie païenne*) setzte Perrault
seine Forderung nach Freiheit des Denkens in Themenwahl und Ausführung
entgegen. Als Freiheit der Inspiration gilt ihm die christliche Mythologie (*le
merveilleux chrétien*) wie auch der mögliche Bezug auf Aktualität.[9]

Zweihundert Jahre später geht es nicht mehr um die Antike und ihren Vor-
bildcharakter. Indessen werden von der konservativen Schule Normen gesetzt

[5] 1905 kam es zur Trennung von Kirche und Staat; die katholische Kirche freilich ging gestärkt
aus den Auseinandersetzungen hervor.

[6] Vgl. Caron (zit. Anm. 2), S. 7.

[7] Agulhon (zit. Anm. 3), S. 243.

[8] Die Konservativen sind z. B. gegen Dreyfus, setzen sich für gesellschaftlichen Einfluß der Kirche ein und bestimmen auch die Mehrheitshaltung der Académie Française in der Dreyfusangele-
genheit.

[9] Dieses war bereits vorgebildet von zeitgenössischen Autoren. Charles Perrault (1628–1703):
Parallèle des Anciens et des Modernes en ce qui regarde les Arts et les Sciences, Paris: o. A. 1688.

für den „idealen" französischen Roman. Die Gründe hierfür wie auch die Auseinandersetzung selbst waren recht komplexer Natur. Einerseits geht die neue *Querelle* aus von der Ablehnung des Naturalismus und des Symbolismus durch die *Anciens*.[10] Andererseits, angeregt durch die aktuelle Situation Frankreichs und dessen „maladie" – hier berufen sich die *Anciens*, wie die klassischen *Modernes*, auf einen aktuellen Anlaß, freilich in rückwärtsgewandter Zielsetzung – und fordern schließlich, in Ablehnung des ausländischen Romans,[11] den „roman collectif",[12] nach dem Vorbild von Barrès' *L'Appel au Soldat* (1900), der die geschichtsträchtige Heimaterde zur Findung und Stärkung französischer Identität verherrlicht.

Gegen sie meldet sich die junge Generation zu Wort, begabt, eigenwillig und entschlossen, literarische Berühmtheit zu erlangen, die *Modernes*. Im Januar 1891 bereits wendet sich Gide gegen eine dogmatisch-starre Literaturauffassung: „Ars non stagnat, ganz gewiß!", schreibt er an Valéry und bezeichnet sich „als Haupt dieser Schule" und als „Apostel neuer Wahrheiten".[13] Valéry ahnt, wie schwer es sein wird, sich gegen die *Anciens* durchzusetzen: „Die Menschen ahnen ja kaum, wie schmerzlich es für das *Kind* ist, den Mond herabzufordern und gegen das unerreichbare Gestirn seine kleinen, seine schwachen Hände auszustrecken".[14] In *Paludes* (1895) parodiert Gide das Literatur-

[10] In Anlehnung an die klassische *Querelle* sollen die Vertreter der konservativen Schule um Ferdinand Brunetière (1849–1906), Paul Bourget (1852–1935) und die sehr konservative und sehr einflußreiche Revue des Deux Mondes, mit Brunetière als Direktor, als *Anciens* bezeichnet werden, die Befürworter von Freiheit und Fortschritt um André Gide (1869–1951) und die 1909 gegründete Nouvelle Revue Française, zu der auch Albert Thibaudet (1874–1936) stößt, die *Modernes*. Zu nennen sind noch Paul Adam und Edmond Jaloux (1878–1949); als Mitbegründer der NRF: Jean Schlumberger (1877–1968), Jacques Copeau (1879–1949) und Gaston Gallimard (1881–1975). – Gide engagiert sich zeitweilig in dem noch jungen, der modernen Literatur zugewandten Mercure de France, der auch der ausländischen Literatur gegenüber aufgeschlossen ist, und publiziert ebenfalls in der kurzlebigen Zeitschrift L'Ermitage.

[11] Des „roman étranger". Der Begriff ‚étranger', auch vielfach verwendet in „roman étranger" (neben „roman septendrional" oder „roman russe" etc.), verfügt über eine weit ausgreifende Bedeutungsskala: von „nicht französisch" über „fremd" im Sinne von „nicht einsichtig" bis hin zu „nicht ernst zu nehmen" und „exotisch", vgl. Le Robert. Dictionnaire de la Langue Française, Bd. 4, Paris: Le Robert 1985.

[12] René Doumic (1860–1937): Professor und Literaturkritiker der Revue des Deux Mondes. Ab 1909 Direktor der Zeitschrift und Mitglied der Académie Française. Anti-Dreyfusard, Vertreter eines politischen Katholizismus. Literatur: Traditionalist, Dogmatiker.

[13] In: André Gide – Paul Valéry: Briefwechsel 1890–1942, eingeleitet und kommentiert von Robert Mallet, Nachwort von Daniel Moutote, übers. von Hella und Paul Noack, Frankfurt/Main: S. Fischer 1987. Brief vom 26.1.1891, S. 55 f.

[14] Brief Valérys an Gide, 21.12.1890, ebd., S. 49 f. – Nach der „Nacht von Genua" (1892) mißtraut er den ästhetischen Werten des Symbolismus und wendet sich der reinen *ratio* zu, ohne jedoch auf die Literatur zu verzichten. Vor Genua, jedenfalls, sucht er mit gleichem Ehrgeiz wie Gide literarischen Ruhm: „Eines Tages kennt Paris einen Namen. Es ist der Ihrige [...]. Wann aber werde ich es schaffen?": Brief an Gide, 19.1.1891, ebd., S. 55 f.

leben. Am Ende des Romans stellt der Erzähler fest, daß er unfähig sei, einen Roman zu schreiben. Narzißmus und Authentizität leuchten auf. Im Rückblick auf *Les Nourritures terrestres* (1897), in der Ausgabe von 1927, sagt Gide, es sei das „Buch eines Rekonvaleszenten", die damalige französische Literatur sei „gekünstelt und muffig" gewesen, er aber habe „den nackten Fuß auf den Boden setzen" wollen.[15] Nach dem brüsken, dem erleuchtenden Erlebnis von Genua findet Valéry eine Anstellung beim Kriegsministerium und arbeitet zurückgezogen weiter. Gide ist sich seiner Sache so sicher, daß er in dem Brief an Valéry vom Januar 1891, in dem er sich als Haupt der neuen Roman-Schule bezeichnet, das „MICH" in Großbuchstaben setzt.[16] Im Vorwort zu diesem Briefwechsel hebt der Herausgeber Robert Mallet hervor, daß bereits die frühen Briefe „in aller Klarheit die Linien ihrer Reife andeutete[n]".

Der ausländische Roman fördere kritisches Denken und führe zum Zweifel. Dies steht dem Denken und Streben der *Anciens* nach einem „gesunden" Frankreich entgegen. Daher wird auch der naturalistische „Pessimismus" verworfen, „ce noir pessimisme", sagt Muret über *Buddenbrooks*, denn Pessimist sei Thomas Mann „avec un acharnement où il doit trouver une volupté". Seinem Pessimismus erkennt er die Bedeutung einer wichtigen literarischen Kategorie zu, denn: „Le pessimisme, dans les *Buddenbrooks*, est un système", das er im Nachsatz als Irrtum bezeichnet.

André Gide veröffentlicht 1914 *Les Caves du Vatican*. Zur Forderung des „idealen" Romans und seines linearen Aufbaus, an der die *Anciens* festhalten, nimmt er im Einleitungsbrief an Jacques Copeau Stellung. Es sei kein richtiger Roman wie auch die früheren Veröffentlichungen: „peu m'importe qu'on les prenne pour tels, pourvu qu'ensuite on ne m'accuse pas de faillir aux règles du ‚genre'; et de manquer par exemple de désordre et de confusion".[17] Unordnung und Verwirrung oder „désordre" und „confusion": das Gegenteil von „Ordnung" und „Klarheit", Schlüsselbegriffe der *Anciens*. Maurice Muret macht es Thomas Mann zum Vorwurf: In *Buddenbrooks* herrsche eine „confusion extrême". Auf die sterile Dogmatik der konservativen Schule antwortet André Gide nur noch mit Spott, in sachlich-ernsthaftem Ton vorgetragen. Seine *Pointe* unterstreicht er durch den Handlungsaufbau seiner „sotie ironique"[18] in fünf Kapitel, eine Anspielung auf Brunetières Vorliebe für das klassische Drama, dessen strenge Komposition dieser als Vorbild für den Roman ansieht. Der

---

[15] Zit. nach Kindlers Literaturlexikon, München: Kindler 1988, Bd. 6, S. 299.

[16] Vgl. Anm. 13, S. 57.

[17] Edition de la Pléiade, Paris: Gallimard 1958, S. 679. – Übers.: „es ist mir ziemlich gleichgültig, ob man sie dafür hält, wenn man mir nur nicht vorwirft, gegen die Regeln der ‚Gattung' zu verstoßen und, zum Beispiel, es an Unordnung und Verwirrung fehlen zu lassen."

[18] „Sotie" ist eine Farce.

Vorwort-Brief zu *Les Caves du Vatican* wird dadurch zum literarischen Manifest. Albert Thibaudets Antwort auf Bourgets Tolstoi-Nachruf von 1912 in der Nouvelle Revue Française ist Höhepunkt der neuen *Querelle* und zeigt einen Epochenwandel an.

III.

Der Wechsel von Alt zu Neu ist eine Gesetzmäßigkeit der europäischen Geistesgeschichte und wird begleitet von verzögernden Gegenbewegungen. Wesentliche Ursache für die Auslösung des Literaturstreites war die schon erwähnte „maladie" Frankreichs. Darauf verweisen die Äußerungen der konservativen Schule, die, bevor eine moderne Strömung[19] sich Gehör verschaffen konnte, das Feld beherrschten und in dogmatischer Einseitigkeit die Normen festlegten und mit außerliterarischen Begründungen rechtfertigten. Die von Muret diagnostizierte „confusion" in *Buddenbrooks* ist Gegenbegriff zu „composition", der im Mittelpunkt des Streites um den Roman steht. Brunetière fordert eine „composition stricte",[20] ergänzt durch „l'équilibre de ses parties, la logique intérieure de son développement". Seine Arbeiten über Taine und den Positivismus[21] lassen seine Vorliebe, sein Beharren auf Regeln und feststehenden Gesetzen erkennen. Die Idee „Gesetz" spielt in seinem Denken eine zentrale Rolle; in seinen literaturtheoretischen Äußerungen weist er dem Gesetz der „composition" eine gleichbleibende Gültigkeit zu. Seine Dogmatik bezieht er aus seiner Vision des siebzehnten Jahrhunderts, mit dessen absolutistisch verordneter Einheit von Staat, Kirche und Literatur.[22] Das Dilemma zur Möglichkeit einer Gegenentwicklung sieht Agulhon im nationalen Grundzug der Epoche: Sie sei gekennzeichnet durch „le respect des hiérarchies institutionnelles, Église, armée, pouvoir ou nation".[23] Paul Bourget fordert mit Brunetière den „idealen" französischen Roman; die klare Komposition ist auch für ihn wichtigstes Kriterium: Der „ideale" Roman hat einen Anfang, eine Mitte und ein Ende, wie eine Sonate. Der „roman social", wie Paul Bourget und Brunetière ihn verstünden, schreibt Eugène Gilbert 1908, befasse sich vor allem

---

[19] Eines der von Charles Perrault vorgebrachten Argumente war denn auch der Fortschritt der Wissenschaften.

[20] Ferdinand Brunetière: Le Roman de l'avenir, in: Revue des Deux Mondes, 1.6.1891, S. 689: „que la composition redeviendra, comme il convient, l'une des parties essentielles du roman".

[21] Ferdinand Brunetière: L'œuvre critique de Taine, in: Revue des Deux Mondes, T. 11 (1.9.1902), S. 220–240. Ders.: La Métaphysique positiviste, ebd., S. 578–601.

[22] Vgl. Agulhon (zit. Anm. 3), S. 153.

[23] Ebd.

mit dem Kampf zwischen Vergangenheit und Gegenwart, „des conflits qui surgissent entre l'idéal d'hier et celui de demain".[24] In der Nachfolge Bourgets faßt er die „idées sociales" zusammen, nämlich „la défense de la famille, de l'Église, de la monarchie et de l'aristocratie". Auch Barrès teilt diese Auffassung: „le respect de la tradition est essentiel dans la vie d'un peuple".[25] Zu den traditionellen Werten zurückzufinden gebiete der Zustand der Gesellschaft, die Gilbert mit „confusion" und „anarchie" kennzeichnet. Desgleichen sind Frankreichs „maladies morales" für René Doumic Ausgangs- und Bezugspunkt seiner Kritik. Dazu zählt er neben der christlichen Religion auch, als Negativ-Matrix, den Naturalismus. Diesem wirft er „grossièreté" vor,[26] und Ferdinand Brunetière sieht in dem von Muret in *Buddenbrooks* festgehaltenen „noir pessimisme" eine der naturalistischen Hauptverfehlungen. Der naturalistische Roman ist für Brunetière „synonyme de pessimisme", schließlich „de morosité cynique, de bassesse et de vulgarité".[27] Er ziehe die Werte des Bürgertums in den Schmutz; er hält ihn für bankrott, und Léon Bloy sieht ihn bereits zu Grabe getragen, wie eine jüngste Veröffentlichung aussagt.[28] In Form und Aussage war der Naturalismus der Gegenpol der Schule von Bourget. Indessen war er in den achtziger Jahren an sein Ende gelangt, und selbst Zolas Jünger der „soirées de Médan" wandten sich von ihm ab und gingen eigene Wege. Joris-Karl Huysmans etwa hatte, auf der Suche nach Auswegen aus der Dokumentationsliteratur, mit der Figur von des Esseintes in *A rebours* (1884) einen *décadent* in Reinkultur geschaffen und damit eine Gegenposition zu Zola eingeleitet.[29] Die Komplexität der literarischen *Querelle* um 1900 wird in ihren Verästelungen deutlich, denen in der vorliegenden Untersuchung nicht nach-

[24] Eugène Gilbert: Dix années de roman, in: Revue des Deux Mondes, Jg. 78, Nr. 44 (1.3.1908), S. 174.

[25] Zitiert nach Gilbert, ebd., S. 177. – Henry Bordeaux sucht, in gleicher Absicht auf Breitenwirkung, Unterstützung bei Émile Faguet: „La vie intellectuelle et morale des hommes d'autrefois était faite de religion, de patriotisme, d'art et de littérature." Vgl. La Crise du Roman, in: Le Correspondant, 25.2.1902, S. 761.

[26] René Doumic: Le Bilan d'une génération, in: Revue des Deux Mondes, Jg. 70, Bd. 157 (1900), S. 434–445.

[27] Brunetière (zit. Anm. 20), S. 689.

[28] Léon Bloy (1846–1917): Les Funérailles du Naturalisme, hrsg. von Pierre Glaudes, Paris: Les Belles Lettres 2001. Enthält acht Vorträge des ultramontanen Léon Bloy, die dieser gegen Zola und den Naturalismus, „cette littérature d'abattoir", 1891 in Dänemark gehalten hatte. Die Manuskripte wurden erst kürzlich wiedergefunden und 2001 zum ersten Mal vollständig veröffentlicht. – Michel Raymond (La Crise du Roman. Des lendemains du Naturalisme aux années vingt, Paris: Corti 1966) erwähnt Bloy. Raymond verdanke ich einige Hinweise.

[29] Zwar hatte es den Anschein, als sei der romantische „ennui" in ein Endstadium getreten, indessen weist Marc Fumaroli im Vorwort einer Neuausgabe des Buches nach, daß die französische Literatur nach 1945 – Sartre, Malraux, Genet – das Erbe von *A rebours* angetreten habe. Vgl.: Joris-Karl Huysmans: A rebours, Paris: Gallimard 1977 (= Edition de Marc Fumaroli).

gegangen werden kann. Die im Titel bereits vorgenommene Abgrenzung weist hin auf die beiden einander entgegenstehenden Schulen, deren Positionen sichtbar gemacht werden in ihrer Beziehung zu *Buddenbrooks*, wie sie sich aus Maurice Murets Abhandlung von 1908 erkennen lassen.[30]

Henry Bordeaux spricht als erster aus der traditionellen Schule von der Krise des Romans: „Il est vrai que la crise frappe plus spécialement la littérature proprement dite, le roman".[31] Bordeaux wendet sich gegen den „scepticisme moral et social", unterstreicht es durch eine Bezugnahme auf Brunetières Vortrag über *Le Besoin de croire*:

Notre époque haletante, oppressée, consciente de ses maux et rebelle à s'y résigner, n'a que faire des dilettanti et des sceptiques. D'instinct, elle se tourne vers les croyants. [...] Or elle ne découvre chez nos romanciers qu'une inquiétante anarchie morale.[32]

Damit übernimmt Bordeaux Brunetières und Bourgets Kritik am Zustand der Zeit und unterstützt Brunetières Rückgriff auf die klassische französische Tradition als Richtschnur für einen zukünftigen Roman.

Deutlicher noch als Brunetière fordert Paul Bourget in der Einleitung zu seiner Gesamtausgabe die Notwendigkeit christlichen Glaubens als Voraussetzung gesellschaftlicher Gesundung.[33] Henry Bordeaux, als Schüler Bourgets, verlangt von der Kunst, „de donner des visions d'ensemble sur la vie" und über sie „de réunir les hommes dans un sentiment général".[34] Diese Vision liefert vor allem Ferdinand Brunetière im Rückgriff auf das siebzehnte Jahrhundert. In diesem Klima versuchen die *Anciens*, Brunetières Vision über und im Roman zu verwirklichen. Folgerichtig werden die „maladie de la France", Mutlosigkeit und mangelnde Dynamik der jungen Generation, die allgemeine moralische Verkommenheit wie auch die „sécheresse des auteurs" in grelles Licht gerückt und die „âme française", die französische Identität dagegengestellt.

---

30 Dadurch grenzt unsere Betrachtung sich notwendig ab zu bereits bestehenden Arbeiten zur Frage der *Querelle des Anciens et des Modernes* und zur Krise des Romans in Frankreich um 1900.

31 Henry Bordeaux (1870–1963) (zit. Anm. 25), S. 742. Das Theater sei nicht davon betroffen. Tatsächlich war das Theater auch ein Foyer der Geselligkeit. Tagebücher der Zeit belegen es (z. B. Gide oder die Brüder Goncourt). Man besuchte die gleiche Aufführung auch mehrmals, wenn man zufällig Freunde traf, die auf dem Weg in eine Vorstellung waren.

32 Ebd., S. 758. – Die Skepsis, die um sich greife und sich gegen die Religion und die tradierten literarischen Formen wende, wird von Brunetière und Bourget dem ungeliebten Ernest Renan, aber auch dem ausländischen Einfluß angelastet.

33 Paul Bourget in: Introduction au Tome 1 des œuvres complètes, Paris: [Plon] 1900: „pour les individus comme pour la société, le christianisme est à l'heure présente la condition unique et nécessaire de santé et de guérison".

34 Bordeaux (zit. Anm. 25), S. 745.

Gegen Renans gelehrte skeptische Indifferenz, die den Zweifel bestärke, helfe laut Brunetière die Stärke des Glaubens.[35] Dies gelte auch für die Literatur.

Ein gemeinsamer Zug der Äußerungen der *Anciens* liegt in ihrer auffallend gleichgestalteten Anlage, daß man nämlich in literaturtheoretischen Texten, über die Durchsetzung eines als „ideal" verstandenen Romans, mit außerliterarischen Kriterien argumentiert:[36] Familie, Kirche, Monarchie, Adel.[37] Die dazugehörigen Werte sind weitgehend der vorrevolutionären Gesellschaft entliehen, denen man, sie der erwähnten „débilité de l'âme française" entgegensetzend, den Anschein des Aktuellen und Notwendigen zu geben versteht, um die „brèche" des „cosmopolitisme littéraire" zu schließen.

Ferdinand Brunetière sah kein Dilemma darin, 1895 zu behaupten, „que le progrès lié à la science est un leurre, notamment sur le plan moral",[38] und 1902 die Entwicklung der Literatur mit den Evolutionsgesetzen in Botanik und Zoologie zu vergleichen, diesen „lois scientifiquement démontrées", um die, wie er sagte, strenge sachliche Methode Taines zu beschreiben, auf die er sich angeblich stützte.[39] In Gesellschaft und Literatur will er ein „équilibre", das seiner Philosophie entspricht. Für den Liebhaber des klassischen französi-

---

[35] Schon der Historiker Fustel de Coulanges (1830–1889) hatte Renan wegen seiner Germanophilie kritisiert, die er als antifranzösisch bezeichnete.

[36] So auch noch Gilbert 1908 (zit. Anm. 24) und auch René Doumic nochmals in seinem Nachruf auf Téodor de Wyzewa in der Revue des Deux Mondes, 1917. – In mehreren Artikeln unterstützt Doumic seine Vorbilder und fordert christliche Gesinnung als Voraussetzung, die moralische Krankheit Frankreichs zu überwinden. In dem Verlangen nach christlicher Orientierung der Gesellschaft wird die Literatur, die schon bei Brunetière mit Staat und Religion eine Trias bildete, vor allem jedoch der Roman als vermeintliches Mittel dazu bestimmt, die den *Anciens* gemeinsame Vision zu verwirklichen. In dieser Konstellation erscheint die Forderung nach dem „idealen" Roman konsequent. Die liberale Moderne erscheint als nicht hinnehmbar und soll politisch (Dreyfus), kirchlich (Kirchenkampf) mit Hilfe der Literatur zurückgeführt werden in die als ideal gepriesene Gesellschaftsform des traditionellen Frankreich. Die mit den *Anciens* verbundene Welthaltung tritt in ihren Publikationen in besonderer Schärfe hervor und hat ihre Entsprechung in ihrer starren ästhetischen Position.
Über Bourget heißt es aus heutiger Sicht: „un des maîtres à penser de la droite catholique des années 1890–1914". Über Brunetière: „il était le guide incontestable de la pensée contemporaine". Beides in: Dictionnaire des intellectuels français, hrsg. von Jacques Julliard und Michel Winock, Paris: Éditions du Seuil 1996, S. 177 u. 194.

[37] Gilbert (zit. Anm. 24).

[38] Zitat im Dictionnaire (zit. Anm. 36), S. 194. Damit greift er zurück auf den anti-wissenschaftlichen Standpunkt der klassischen *Anciens*.

[39] Brunetière (zit. Anm. 21), S. 227. Indessen sagt er, das Dilemma marginalisierend: „Une méthode n'est qu'un instrument: il faut savoir la manier" (ebd., S. 228). Die Ausführungen über Taine nimmt er zum Anlaß, den eigenen ästhetischen Standpunkt als unfehlbar, als Dogma zu verkünden. Er unterscheidet zwischen „jugement" und „constatation": Es sei kein Urteil, sondern eine Feststellung, daß Racine über Pradon stehe. Das heißt: „le jugement critique, en devenant scientifique, perd le caractère de subjectivité qui permettait d'en discuter".

schen Dramas,[40] den Katholiken und Royalisten Brunetière, gibt es daher für den Roman nur ein Modell, das formal lateinische Ausgewogenheit verkörpert und ineins damit die „âme française" widerspiegelt. Es ist die einzig gültige Norm der *Anciens* und ihres „roman idéal". Aus dieser Gewißheit fordert Brunetière „que la composition redeviendra, comme il convient, l'une des parties essentielles du roman".[41] Paul Bourget sieht es nicht anders, faßt es jedoch knapper: Ein Roman habe „un commencement, un milieu et une fin",[42] manchmal fügt er hinzu „comme une sonate". Die Literatur, vor allem der Roman,[43] wird als Ausdruck der Latinität begriffen,[44] und Maurice Muret kritisiert die Anlage von *Buddenbrooks* und spricht von einer „incohérence pénible à nos intelligences latines". Brunetière fährt fort, der Roman habe den Kriterien der Klarheit zu entsprechen, der „précision de son contour, l'équilibre de ses parties" und „la logique intérieure de son développement".[45] Durch eine klare Komposition soll die Idee[46] stärker ins Licht gerückt werden. Die Goncourts notieren am 27. Januar 1886, daß Bourget ihnen gesagt habe, er wolle eine Reihe von Romanen schreiben, „à la façon d'un roman simple d'autrefois, à la façon d'un ADOLPHE, mais avec la complication nerveuse d'aujourd'hui".[47] Brunetière stellt seine Vorstellung vom „roman idéal" über die von ihm selbst – in *Taine* – formulierte Erkenntnis, daß die Zeit die durch die Gesellschaft bedingten Lebensformen ständig verändere. Dogmatisch streng hält er an der von den *Anciens* propagierten Romanform fest. Diesem Dilemma, daß andere Lebensbedingungen und Denkweisen sich auch in der Kunst widerspiegeln sollten, kann er nur durch eine Rechtfertigung auf der moralischen Ebene entkommen.[48] Seit jeher, bemerkt Teodor de Wyzewa, „notre goût

---

[40] Die Goncourts lassen die Meisterwerke von der zwanzigjährigen Renée so beurteilen: Man führe sie nur in die Comédie Française „quand on y joue des chefs-d'œuvre... C'est moi qui trouve ça tannant [langweilig], les chefs-d'œuvre." Vgl. Edmond et Jules de Goncourt: Renée Mauperin, hrsg. von Nadine Satiat, Paris: Flammarion 1990 (= GF, vol. 578), S. 51.

[41] Brunetière (zit. Anm. 20), S. 693.

[42] Paul Bourget: L'Erreur de Tolstoï, in ders.: Pages de critique et de doctrine, Bd. 2, Paris: Plon 1912, S. 161–171.

[43] Bordeaux (zit. Anm. 25, S. 742), bezeichnet den Roman als „la littérature proprement dite".

[44] Im Hof des Palais Royal steht die Latinität als Statue, das verkörperte Erbe: *Ad ingenii latini gloriam.*

[45] Brunetière (zit. Anm. 20), S. 693.

[46] Bourget wies Thibaudets Vorwurf, er schreibe Thesen-Romane, zurück und bezeichnete sie als Ideen-Romane.

[47] Edmond et Jules de Goncourt: Journal. Mémoires de la vie littéraire, vol. 2, 1866–1886, hrsg. von Robert Ricatte, Paris: Laffont 1956 (= Bouquins), S. 1215.

[48] Siehe hierzu seinen zit. Artikel, vor allem S. 690. – Gustave Lanson lobt den brillanten Kritiker, der sein Augenmerk auf „la force de la tradition littéraire" lege. Indessen, indem Brunetière willkürlich sein Kriterium der „évolution des genres" anlege, führe dies zu subjektiven Urteilen: „On ignore systématiquement de grandes œuvres, parce que la loi de l'évolution des genres ne semble pas s'y manifester." Gustave Lanson: Histoire illustrée de la Littérature française, Paris:

français continue à regarder le roman comme une sorte de drame écrit", dessen Handlung um eine Idee oder eine Begebenheit angelegt sei,[49] der deutsche Roman „n'a besoin ni d'action, ni d'intrigue; il peut même se passer d'un centre".[50] Maurice Muret unterstreicht in seinem Beitrag über *Buddenbrooks* ebenfalls diese Vorstellung der *Anciens*: Es sei kein „roman modèle", was kein Vorwurf sei. „Mais j'observe cette discordance et je déclare qu'on ne saurait voir à l'étranger dans le chef-d'œuvre de M. Thomas Mann un chef-d'œuvre au sens absolu du mot".[51] Wie de Wyzewa vermerkt auch Muret das völlige Fehlen lateinischer Klarheit und des französischen Geschmacks.[52] Dagegen kann auch Thomas Manns Hinweis auf Fontane und die ihnen beiden „beinahe" gemeinsame Blutmischung[53] nichts ausrichten, zumal er im Falle *Buddenbrooks* betonte, nicht Zola habe Pate gestanden, Anregungen seien vielmehr aus dem Norden gekommen.

IV.

Die ästhetischen Vorstellungen der *Anciens* greifen zurück auf ein literarisches Ideal, für das zu dieser Zeit, um 1900, die Vertrautheit abhanden gekommen war, wie ihre Klagen belegen.[54] Dem gegenüber strebt Paul Valéry nach dem ästhetisch Schönen und lehnt folglich, in Gegenposition zu den *Anciens*, deren Determinismus ab: „Ein Kunstwerk", schreibt er André Gide, „das *logisch*

Hachette 1923, Teil 2, S. 391. Die französische Literatur sieht Lanson damals „dans des formules surannées", ebd., S. 386.

[49] Teodor de Wyzewa: Le Roman allemand en 1907, in: Revue des Deux Mondes, Jg. 77, Bd. 41 (1.9.1907), S. 899.

[50] Er fügt hinzu: „Une chronique, sans le moindre souci de ces ‚unités' d'action, de temps, et de lieu que notre éducation latine nous contraindra à exiger dans un roman: tel a été, depuis Goethe jusqu'aux dernières années du siècle passé, en Allemagne, l'idéal favori du roman." Ebd., S. 900.

[51] Maurice Muret (zit. Anm. 1).

[52] Teodor de Wyzewa berichtet 1900, das deutsche und das französische Ideal seien grundverschieden voneinander. Vgl.: Cent ans de littérature allemande, in: Revue des Deux Mondes, Jg. 70, Bd. 157 (1900), S. 462.

[53] Brief Thomas Manns an Maximilian Harden vom 30.8.1910: „Um recht dankbar zu empfinden, was er [Fontane] für den deutschen Roman gethan hat, muß man wohl Romancier sein – und zwar einer mit Bedürfnissen, wie sie in Deutschland nicht häufig sind und wie sie vielleicht nur durch die Fontane'sche Blutmischung, die beinahe auch die meine ist, hervorgebracht werden." Siehe: Frank Wedekind/Thomas Mann/Heinrich Mann: Briefwechsel mit Maximilian Harden, hrsg., komm. und mit einem einl. Essay von Ariane Martin, Darmstadt: Häusser 1996 (= Pharus, Bd. 5), S. 150.

[54] „Nous ne connaissons pas assez notre propre littérature. C'est la plus claire, la plus universelle, la plus franche dans l'expression de la sensibilité. Que nos romanciers continuent cette tradition [...]", schreibt Henry Bordeaux im erwähnten Artikel, S. 766.

WAHR wäre: ist eine monströse Verneinung der Schönheit".[55] „Jede Kunst",
heißt es im gleichen Brief, „ist nur die Formgebung des *Eritis sicut dei*", und
meint damit die Vollendung in der Schönheit. Der Unterschied zwischen beiden Schulen liegt in der Perspektive, in der man die Gegenwart wahrnimmt.
Die *Anciens* propagieren eine Verengung der Perspektive, da man den Blick auf
ein einzelnes Phänomen richtet, dessen Bedingtheit in der Gegenwart man
nicht wahrnehmen will und eine Lösung in der Vergangenheit sucht. Im Gegensatz hierzu steht die hermetische Kunst eines Mallarmé, zu dessen Anhän-
gern Paul Valéry gehört. Deren Individualismus wird von den *Anciens* abgelehnt.[56] In einem Brief von 1897 spricht Valéry von der „Fließbandproduktion
berühmter Männer mit Hilfe von Traditionen".[57] Valéry und Gide streben
nach künstlerischer Vollkommenheit, in Vermeidung eines wie auch immer gearteten Epigonentums. In ihrer gegensätzlichen Eigenwilligkeit forschen sie
nach neuen Formen, die man beim jeweils anderen vermuten könnte. Der Ana-
lytiker Valéry sucht „eine Magie[...], die neuartiger ist [als Poe, Rimbaud,
Mallarmé]. Meine großen zukünftigen Gedichte suchen ihre Form",[58] und Gide träumt „von einem Stück, in dem alle überflüssigen Noten ausgelassen
wären".[59] Weltoffenheit bei den *Modernes* und *La France des Collines* bei den
Anciens. Gide und Valéry, ohne publizistischen Erfolg,[60] sehen natürlich den
Gegensatz. Im Zusammenhang mit Gides Stück *Saül* erwähnt Valéry brieflich
Davids Erwachsenwerden, das er auf die literarische Gegenwart bezieht, auf
ihre Gegenwart:

Es ist die außergewöhnliche Gegenüberstellung – der etablierten Macht und der persönlichen Macht –, die Gestalt annimmt. Dieser Konflikt ist der philosophische Untergrund der gegenwärtigen Zeitläufte...[61]

---

[55] Gide – Valéry: Briefwechsel, Brief Valérys an Gide vom 5.12.1891, S. 166.

[56] Obwohl es sich bei den Symbolisten vorwiegend um Lyrik handelt, soll diese poetologische
Praxis doch als Grundhaltung erwähnt werden.

[57] Gide – Valéry: Briefwechsel, Brief an Gide vom 21.11.1897.

[58] Ebd., September 1892, S. 147.

[59] Ebd., Gide an Valéry, Februar 1891, S. 64. – Vgl. Thomas Manns Tonsetzer Adrian Leverkühn.

[60] Gide hat dies im Figaro vom 2. November 1947 rückblickend bestätigt: „Mes livres, durant
longtemps, n'eurent aucun succès, et je ne m'en affectais guère, car je ne doutais pas qu'ils méritas-
sent d'être lus ... plus tard, me disais-je." So in seiner Reaktion auf den Nobelpreis.
Am 27. November 1897 hatte er, während der Lektüre der *Déracinés* von Barrès an Rouart geschrieben: „Je continue à lire *Les Déracinés*. Ces gens-là me suppriment; je n'ai de raison d'être
qu'en leur étant hostile." Zit. nach André Gide: Essais critiques, Edition établie et annotée par
Pierre Masson, Paris: Gallimard 1999 (= Pléiade), S. 952.

[61] Gide – Valéry: Briefwechsel, Valéry an Gide, 22.10.1898 (Poststempel), S. 394 f. – „Etablierte
Macht", das sind die *Anciens*, mit den Galionsfiguren um die Revue des Deux Mondes. Die Generation der *Modernes* ist sich dessen bewußt. Sie publizieren in kleinen Zeitschriften, die lediglich

Während Valéry feststellt, daß „Frankreich nur noch Übersetzungen" mache[62] und dann folgert, „daß unsere besten literarischen Epochen die waren, in denen gute Übersetzungen erschienen", lehnen die *Anciens* den ausländischen Roman kategorisch ab, der immer stärker zum Gegenstand ihrer ausschließenden Ästhetik wird. René Doumic nimmt 1900 in zwei Beiträgen Stellung, in denen er Bilanz zieht und sich zum kosmopolitischen Aspekt der Literatur äußert.[63] Mit *Le Roman russe* (1886) lenkt Eugène Melchior de Vogüé die französische Aufmerksamkeit auf die russische Literatur.[64] „A la lecture de ce livre généreux, le public s'éveilla», schreibt René Doumic im Jahre 1900.[65] Als „Einbruch" bezeichnet er das stärkere Interesse an ausländischer Literatur: „C'est vers 1885 et par les Russes que la trouée a commencé." Während Valéry in der Zunahme der Übersetzungen eine für die französische Literatur positive Wirkung erkennt,[66] spricht Doumic von einer „invasion des littératures étrangères, leur poussée tumultueuse et violente".[67] Die aggressive Dynamik der Wortwahl zeigt eine Steigerung in der literarischen Auseinandersetzung an. „La dernière en date de ces importations étrangères", sagt er an anderer Stelle, „ç'a été une importation allemande, celle de la philosophie de Nietzsche".[68] Die Theorien der neuen Vorbilder Ibsen, Tolstoi oder Nietzsche, die zur geistigen und moralischen Anarchie verführten, werden als Gegensatz zum französischen Erbe abgelehnt. Konsequent folgert Doumic, daß der Kosmopolitismus

---

Gleichgesinnte erreichen und daher ohne Breitenwirkung sind. Dennoch greifen sie weiter nach den Sternen. Valéry ermahnt Gide am 12. Juli 1899: „Arbeite. Es ist Zeit" (ebd., S. 408). – Gide fragt am 21. Oktober 1900 bei Valéry an, ob er *Agathe* nicht in L'Ermitage veröffentlichen möchte: „wenn Du weder Geld noch Ehre damit einheimsen wolltest. Aber ich verhehle mir nicht, daß das kein besonderes Sprungbrett ist" (ebd., S. 439).
L'Ermitage wurde 1890 von Henri Mazel gegründet. Die Zeitschrift hatte eine Auflage von ca. 200 und wurde 1906 eingestellt. In den beiden letzten Jahren war Gide einer der beiden Chefredakteure. – Ihr Freund Pierre Louÿs gründete 1891 die symbolistische Zeitschrift La Conque mit niedriger Auflage.

[62] Gide – Valéry: Briefwechsel, Valéry an Gide, 12.7.1899, S. 408.

[63] René Doumic: Le Bilan d'une génération, in: Revue des Deux Mondes, Jg. 70, Bd. 157 (1900), S. 434–445 und ders.: Le Cosmopolitisme littéraire en 1900, in: La Revue Bleue, Jg. 37, 4. Serie, Bd. 13 (10.3.1900), S. 289–295.

[64] Eugène Melchior de Vogüé: Le Roman russe, Paris: o.A. 1886.

[65] Doumic: Le Cosmopolitisme littéraire, S. 289.

[66] Vgl. zit. Brief vom 12.7.1899 an Gide.

[67] Doumic: Le Bilan d'une génération, S. 440. Die bereits erwähnte „maladie de la France" habe eine seelische Leere bewirkt, die die Invasion erleichtert habe.

[68] Doumic: Cosmopolitisme, S. 290. Abwertend dann: „car pour celle de Schopenhauer, vous savez qu'elle est déjà bien ancienne, démodée, fanée et vieux jeu" (ebd.). Hier folgt er wohl Bourget, der im *Avant-propos* von 1885 zu den *Essais de psychologie contemporaine* (Paris: Plon) Schopenhauers Einfluß in Frankreich relativiert: „quand on a signalé l'influence de Schopenhauer, on n'a rien dit". Denn, fährt er fort: „Nous n'acceptons que les doctrines dont nous portons déjà le principe en nous." Vgl. Verf.: Thomas Mann und Paul Bourget, in: TM Jb 15 (2002), 193–199, 195.

unmoralisch sei[69] und erinnert hierbei an die „fatales conséquences de la vie cosmopolite" aus Bourgets Vorwort zu seinen *œuvres complètes* aus dem gleichen Jahr. Dahinter werden, wiederum, die Abwehrmechanismen der *Anciens* gegen kritisch-liberales Denken sichtbar. Der dem ausländischen Roman vorgeworfene chaotisch-konfuse Aufbau, der dem geradlinig vorgeschriebenen Verlauf des „idealen" Romans widerspricht, wird als Ausdruck „du doute", des Zweifels, als Widerspruch zur Klarheit des Denkens und damit zur französisch-lateinischen Identität bezeichnet. Maurice Muret, wiederum, stellt die „discordance" fest, die *Buddenbrooks* von einem „roman modèle" unterscheide, denn es herrsche darin, wie wir schon wissen, „une confusion extrême".

Die Einsicht in eine derzeitige krisenhafte Phase des französischen Romans veranlaßt Doumic zu einem rhetorischen Balanceakt, der einerseits für Anregungen aus dem Ausland Offenheit suggeriert, unter der Voraussetzung, daß man ihnen, als Rohstoff, die eigene französische Form aufpräge.[70] Nachahmung schließt er aus. In einer scheinbaren Öffnung zeigt sich das zwiespältige Verhältnis zur Kunstauffassung der *Modernes*. Jede Entwicklung, die erst erwünscht scheint, wird aufgehoben, die Tür zum Ausland geschlossen, wenn der französischen Literatur *per se* Vollkommenheit bescheinigt wird: „notre littérature française, et par cela même classique". Doumic hat einem wirklichen literarischen Kosmopolitismus eine Absage erteilt. Selbst mit der Einsicht in die Krise des Romans, die als „passagère" und „légère" bezeichnet wird, bringt der Kollektivismus keine Antwort auf die Frage, wie die Krise zu überwinden sei.[71] Der Fortschritt sollte dem patriotischen Gebot der Stunde Genüge tun. In dieser zwiespältigen Situation kamen den *Anciens* voneinander unabhängige Strömungen zu Hilfe, die ein gemeinsames Bindeglied aufwiesen: „l'hérédité du peuple". Im Zusammenhang mit neueren Untersuchungen über Erbanlagen vollzieht sich in der Psychologie eine auf die „collectivité" ausgerichtete Neuorientierung. Man beschäftigt sich mit der „psychologie de l'hérédité". Man

---

[69] Doumic: Bilan (zit. Anm. 63), S. 441 f. – Die Revue des Deux Mondes, berichtet Doumic, sei immer neugierig auf die Vorgänge im literarischen Ausland gewesen und nehme gern Anregungen auf, freilich unter der Voraussetzung, daß sie der französischen Tradition entsprächen. Auch Henry Bordeaux spricht von „invasion étrangère" (zit. Anm. 25, S. 759).

[70] Doumic: Cosmopolitisme (zit. Anm. 63), S. 290: „A de certaines périodes de son développement, la littérature d'un pays a besoin de se renouveler; elle peut trouver hors de chez elle ces éléments nouveaux, qu'elle s'appropriera, qui lui fourniront la matière à laquelle elle imposera sa forme". Dies vermittelt einen Eindruck der Offenheit, der Pferdefuß jedoch folgt unmittelbar: Die französische Literatur ist als solche klassisch und duldet keine fremden Einflüsse (ebd., S. 292). In der Literatur des Nordens gäbe es keinen Sinn für Ordnung und Komposition. „La confusion la plus absolue règne dans les romans de là-bas" (ebd., S. 293).

[71] Edmond Jaloux fordert 1905, daß man die Romantechnik erneuern solle, anstatt die Technik des neunzehnten Jahrhunderts (Krise und ihre Auflösung) zu perpetuieren. Für Paul Valéry heißt dies, die Themen miteinander zu verzahnen, anstatt sie um eine Intrige anzuordnen.

nutzt die gesellschaftliche Modeerscheinung, münzt sie um und schafft eine geistige Tradition als „hérédité du peuple".[72] Mit der Einsicht in die Funktionalität solcher Vorgänge entwickeln sich „des courans d'idées", die umgewertet werden in „des courans de sensibilité".[73] Andererseits entstand ausgangs des neunzehnten Jahrhunderts eine Memoirenliteratur in Romanform, die sich an Begebenheiten des Kaiserreiches orientierte, von unterschiedlicher literarischer Qualität, beim Publikum indessen beliebt.

Das gesellschaftlich Wünschenswerte stößt sich an der Ambivalenz des Ergebnisses, selbst wenn die große Mehrzahl anspruchsloser Produkte unberücksichtigt bleibt. Zu Beginn des neuen Jahrhunderts, 1901, erscheint *L'Enfant d'Austerlitz* von Paul Adam. Omer, das Kind eines durchreisenden Offiziers der napoleonischen Armee, ist die Hauptperson. Das Buch, das in der Anlage den Vorstellungen des „roman collectif" der *Anciens* zu entsprechen scheint, stößt auf eine geteilte Aufnahme. Neben den belobigten historischen Szenen des Rußlandfeldzuges, der Rückkehr Ludwigs XVIII., werden andere für die Entwicklung des Kindes Omer wichtige Passagen als Digressionen von Doumic abgelehnt, als „entassement de matériaux" verworfen.[74] Das Individuelle im Werdegang des Kindes Omer, so ist mit Doumic zu folgern, deckt sich nicht mit den kollektiven Interessen des Landes, deren Dienerin die Literatur zu sein hat. Die Demonstration einer stärkenden Identität, die dem Land Gesundung verspreche, liest er in *L'Appel au soldat* (1900)[75] von Maurice Barrès, der die nationale Identität als Prinzip seiner Nach-Wende-Dichtung kultiviert. Doumic beschränkt sich auf ein Kapitel, das modellhaft die eigene literaturpolitische Zielsetzung illustriert. Dieses bemerkenswerte Kapitel, erklärt er, sei dasjenige, in dem zwei seiner Romanfiguren, Sturel und Saint-Phlin, das Tal der Mosel durchstreifen, um ihre nationalen Wurzeln zu suchen: In Gedanken waren sie damit beschäftigt, Menschen und Dinge

---

[72] René Doumic: Le Roman collectif, in: Revue des Deux Mondes, Jg. 72 (15.5.1902), S. 442. Vgl. auch die Arbeiten des Psychologen Alfred Binet (1857–1911) über die Entwicklung der Intelligenz.

[73] Hinzuweisen ist auf die veraltete Schreibweise im Plural von Substantiven auf -ant und -ent, bei denen im Plural das t wegfällt. Vgl. oben.

[74] Entgegen der zuvor in Aussicht gestellten Öffnung wird deutlich, daß Doumic mögliche Beeinflussungen französischer Autoren durch den fremden Roman ablehnt und ohne nähere Begründung als mißglückt und überflüssig bezeichnet.
Paul Adam lehnt, nach Michel Raimond, das Korsett traditioneller Komposition ab und bezeichnet den Roman als „une grande fresque d'idées générales".

[75] Maurice Barrès: *L'Appel au soldat*; erschienen als mittlerer Teil der Trilogie *Le Roman de l'énergie nationale*. Der erste Band, *Les Déracinés* (1897), war von René Doumic abgelehnt worden (Revue des Deux Mondes, 15.11. 1897). Er warf ihm „confusion" und „incohérence" vor.

in ihr historisches Milieu zurückzuversetzen, aus dem sie hervorgegangen sind. Selbst die Erdscholle, die ohne Seele zu sein scheint, ist voll von Vergangenheit, und ihr Zeugnis erschüttert uns, wenn wir Sinn für Geschichte haben und die Saiten unserer Einbildungskraft erklingen lassen.[76]

André Gide nimmt in diesen Jahren, ab 1897, regelmäßig in verschiedenen Zeitschriften Stellung zu ästhetischen Fragen, denen hier nicht nachgegangen werden kann. Dabei plädiert er immer wieder für die Selbstverantwortung des Künstlers und fordert, die Literatur zu schaffen, die die Zeit brauche. Er verwahrt sich gegen die fremde Werke ausschließende Doktrin der *Anciens,* die Genialität nur bei französischen Autoren vermuten. Gegen Téodor de Wyzewa und letzten Endes auch gegen Maurice Muret bemerkt er: „Un admirable fonds commun semble unir les artistes des grandes époques".[77] Gegen Gides kosmopolitische Praxis entwarf Doumic das pathetische Bild einer existentiellen Bedrohung Frankreichs durch den ausländischen, den fremden Roman:

En effet c'est dans les heures critiques que se manifeste l'âme collective. En dehors des momens de convulsion et de bouleversement, le lien social est peu apparent [...]. Mais que la menace d'un danger se lève à l'horizon, alors la communauté des intérêts refait celle des sentimens. [...] Quand la frontière est envahie, quand chaque jour se marque par un progrès de l'armée ennemie, quand la question est de savoir ce que sera la destinée d'un peuple entier, il est clair que tout s'efface de ce qui faisait la vie de chacun de nous distincte de celle de ses voisins; toutes les différences se perdent, tout se mêle et tout se noie dans l'angoisse générale. [...] de tout cela une seule âme se dégage.[78]

---

[76] Ils s'occupaient à replacer mentalement les individus et les choses dans „le milieu historique auquel ils survivent. La motte de terre elle-même qui paraît sans âme est pleine de passé, et son témoignage ébranle, si nous avons le sens de l'histoire, les cordes de l'imagination." Maurice Barrès: L'Appel au soldat, zit. nach Doumic, Roman collectif (zit. Anm. 72), S. 447.
André Gide hat auf Barrès' These der Verwurzelung in der Heimaterde als Voraussetzung nationaler Identität auf seine Herkunft als in Paris geborener Sohn eines Vaters aus Uzès und einer Mutter aus Rouen die Frage gestellt, was er denn nun tun solle. Seine ironische Antwort lautete: Also reise ich. (Vgl. A propos des „Déracinés" de Maurice Barrès, in: L'Ermitage, Februar 1898, abgedruckt in Gide, Essais, S. 4). – Allerdings schien ihm dieses Buch so bedeutsam, daß er noch mehrmals darauf zurückkam.
[77] In der Revue Blanche vom 1. Mai 1900 (S. 73 ff.) setzt er sich mit de Wyzewas *Le roman contemporain à l'étranger* auseinander und schreibt: „Le mauvais goût allemand peut différer du mauvais goût français; le génie allemand n'être pas le génie français, mais il m'est impossible de ne pas croire que toute œuvre puissamment belle repose sur un fonds commun à tous les hommes, et que seul ce qu'elle peut avoir d'‚universelle' dans l'espace lui permettra d'être ‚éternelle' dans le temps." Neudruck in: Pléiade (zit. Anm. 17), S. 101.
[78] Die konservative Revue des Deux Mondes behält eine veraltete Schreibweise bei. Vgl. Anm. 73. Übersetzung: „In der Tat, in kritischen Stunden zeigt sich die kollektive Gesinnung. Wenn es keine Krisen und Erschütterungen gibt, ist der soziale Zusammenhalt locker [...]. Aber sobald eine Gefahr am Horizont droht, dann schmiedet die Gemeinschaft der Interessen eine Solidargemeinschaft der Gefühle. [...] Wenn die Grenze überrannt wird, wenn jeder Tag bestimmt wird nach dem Vorrücken der feindlichen Heere, wenn man wissen will, welches Schicksal das ganze Volk erwar-

Wenn ein renommierter Kritiker – Doumic übernahm wenige Jahre später die Leitung der Zeitschrift und wurde Mitglied der Académie Française – sich zu einem solchen Bild genötigt sieht, das auch Zeitgenossen als grotesk empfinden mußten, das den nationalen Notstand ausruft, muß man sich die Frage stellen, ob das Erlebnis von 1870 noch nachwirkt oder ob der Kritiker die zum Trauma gewordene Erinnerung neu beleben, sie literaturpolitisch – und ästhetisch – instrumentalisieren will. Es ist wie ein Ruf aus höchster Not, aber auch ein Symptom der Krankheit mit anderen Vorzeichen, wenn der Untergang Frankreichs befürchtet wird, des französischen Geistes, wenn dies denn durch eine Handvoll Bücher zu bewerkstelligen wäre. Umstellt ist nicht das Land, umstellen möchte der Verfasser, in Umkehrung seines Bildes, durch eine zur Ideologie geronnene Ästhetik, die fremden Literaturen, die indessen dem Bedürfnis der *Modernes* entsprechen.[79] Wenige Jahre zuvor sprach Nietzsche Frankreich seine Bewunderung aus, er schreibt von „den Bedürfnissen der *âme moderne* im Frankreich des Geistes",[80] das, so heißt es dann, „auch ein Frankreich des Pessimismus ist".

André Gide hat Nietzsche früh kennen- und schätzen gelernt (1892). Bewunderung empfand er, und er verdankt ihm den Mut, er selbst zu sein, jedenfalls in den Jahren seines Werdens und der Suche. Im sechsten *Brief an Angèle*[81] setzt er sich mit ihm auseinander, angeregt durch Henri Lichtenberger.[82] Es stimme, bekennt er der fiktiven Adressatin Angèle, Nietzsche sei ein Zerstörer, aber nicht aus Verzweiflung, sondern, um Neues zu bauen. Im Januar 1905 erscheint in L'Ermitage ein fiktives Interview von André Gide,[83] der den Inter-

---

tet, dann ist klar, daß alles, was bis dahin das Leben eines jeden einzelnen ausmachte und vom Nachbarn unterschied, bedeutungslos ist; alle Unterschiede verwischen sich, alles verliert sich und geht unter in allgemeiner Furcht. [...] aus all dem erhebt sich ein einziges heiliges Wollen." Vgl. Doumic: Roman collectif (zit. Anm. 72), S. 444.

[79] Im *Dictionnaire des Intellectuels français* heißt es zur Revue des Deux Mondes: „Brunetière fit souvent de la *Revue* un organe de combat pour la défense de la cohésion sociale et nationale." Weiter wird gesagt, sie verfüge über ein „prestige incontestable" und bilde einen „rempart de la tradition" (zit. Anm. 36, S. 971).

[80] Nietzsche bescheinigt den *Modernes* (die in „âme moderne" anklingen), sie seien „die ersten Künstler Europas von *weltliterarischer* Bildung. [...] geborene Feinde der Logik und der geraden Linie, begehrlich nach dem Fremden, dem Exotischen, dem Ungeheuren [...]. Aber krank." Vgl.: Nietzsche contra Wagner, Werke in drei Bänden, hrsg. von Karl Schlechta, Darmstadt: Wissenschaftliche Buchgesellschaft 1997, Bd. 2, S. 1050. Obiges Zitat ebd., S. 1049.

[81] Lettre à Angèle [VI], in: L'Ermitage, Januar 1899, mit Untertitel *Friedrich Nietzsche*. Neudruck in: Pléiade, S. 34–43. Angèle ist die fiktive Adressatin.

[82] Henri Lichtenberger: La Philosophie de Nietzsche, Paris: o.A. 1898. Im gleichen Jahr erschienen *Ainsi parlait Zarathoustra* und *Par-delà le bien et le mal*.

[83] André Gide: *Première visite de l'interviewer*, unter dem Sammeltitel *Chronique Générale*, als *Lettre à M. Edouard Ducoté*. Neudruck in: Pléiade, S. 126–132. Es folgen noch, als *Chronique*

viewer kaum zu Wort kommen läßt. Er bekennt sich zu gedanklicher Offenheit, zum individuellen Standpunkt des Künstlers und zum persönlichen Geschmack als Grundlage eines Kunstwerkes, auch wenn man damit der Masse nicht entspreche. Für den Erfolg dürfe der Künstler nicht seine Freiheit verkaufen.

In der *Seconde visite* kommt der Interviewer nicht mehr zu Wort, und Gide entwickelt in einem Gleichnis seine Gegenposition zu den *Anciens*. Er fordert „un aliment de ferveur", Nahrung also, die innere Leidenschaft entfache, es seien „des aliments tout neufs", für die man einen neuen Magen brauche und die daher für die Alten ungeeignet seien. Die Nahrung der Väter habe nicht genügend Saft, und er bedaure diejenigen, die die Speisen nicht verlangten, „que le temps nous passe": die die Zeit für uns bereithält. Es ist die Antwort auf Doumics Notschrei. „Raisonner bien comme il faut", fährt er fort, heiße rückständig sein. Dann wendet er sich der Latinität zu, die den *Anciens* als alleiniger Maßstab gilt und von Muret als „intelligences latines" übernommen wurde.[84] Von draußen, stellt Gide fest, akzeptierten sie nur, was deren Vorstellung von „juste", „belle" und „éducante" entspreche. Indessen, wendet er ein, Frankreich bestehe nicht nur aus Lateinern, die bereits eine Schrift-Kultur mitgebracht hätten. In ihrem Vorbild erschöpfe sich nicht das Wesen Frankreichs. Denn, bemerkt er dann, „nous avions d'autres cousins: les Barbares, – qui s'efforçaient enfin vers la parole, qui commençaient à peine à parler [...]: ces cousins germains".[85] Worin andere, die *Anciens*, einen Verlust für unsere raffinierte Kultur sehen, darin kann ich nur Gewinn erkennen, folgert Gide. „Notre race" nämlich, wie sie sagten, ist eine gemischte Sache. Und diese Mischung gebe dem „esprit français" seine „souplesse, son aventure et sa curiosité". Frankreich sei ein „carrefour", ein Schmelztiegel, und es sei normal, daß das lateinische Element, das einzige, das sprachlich vorgelegen habe, für das Ganze genommen worden sei. Aber was noch nicht gesagt worden sei, seien eben die schwierigsten Dinge. Was noch zu sagen bleibe, werde nicht weniger franzö-

---

Générale, der zweite Besuch: *Seconde visite de l'interviewer* (in: L'Ermitage, 15.2.1905, Pléiade, S. 133–136); und, als letzte Folge, nur noch überschrieben als *Chronique Générale* (in: L'Ermitage, 15.3.1905, Pléiade, S. 136 ff.). Sie stehen in Zusammenhang mit einer zeitgleichen Auseinandersetzung über „l'art social", in der die Unabhängigkeit des Künstlers gefordert wird. – Ducoté ist keine Fiktion wie Angèle, sondern der Herausgeber der Zeitschrift, deren Chefredakteur Gide seit Ende des Jahres 1904 ist. Die Besetzung wichtiger Ressorts mit gleichgesinnten Freunden kann als Vorbereitung für die Gründung der Nouvelle Revue Française gesehen werden.

84 Maurice Muret, in Paris lebender Westschweizer aus Morges, bekennt sich in seinen unveröffentlichten Erinnerungen (*Ainsi ma plume au vent... Souvenirs d'une vie dispersée*) der französischen Kultur zugehörig, während er Deutschland mehr und mehr kritisch gegenüberstand. In den Erinnerungen fällt der Name Thomas Mann nicht, obwohl er wesentlich zur Thomas-Mann-Rezeption in Frankreich beitrug und Thomas Mann 1926 in Paris begegnet ist.

85 Seconde visite (zit. Anm. 83).

sisch sein, weil es nicht lateinisch sei. Der „esprit français", im Verständnis der *Anciens*, sei nichts als glänzender Lack banaler Gedanken.

Es beginnt mit einem Gleichnis, wird zur Herausforderung und dann zur Absage an die *Anciens*, die bis dahin noch nie so klar formuliert wurde. Vor dem Hintergrund von *Buddenbrooks* ist Gides Hinwendung zu den „Barbaren", den „cousins germains" (mit seiner wortspielerischen Ironie) bedeutsam. In den *Betrachtungen eines Unpolitischen* zitiert Thomas Mann in den Kapiteln „Das unliterarische Land" und „Der Protest" ausgiebig Dostojewski (vgl. XII, 42 ff. und 88), dessen Äußerungen über Deutschland aus dem *Tagebuch eines Schriftstellers*, Aussagen, die er sich zu eigen macht: Es war „nicht sein Wort", das Deutschland der römischen Zivilisation entgegengestellt habe, „denn es hatte kein Wort". Daher sei es von der Zivilisation als „barbarisch" empfunden worden. In den *Betrachtungen* stößt man zuerst auf das Stichwort von der „Suche des neuen Wortes". Thomas Mann kannte Gides Artikel ganz gewiß nicht. Und es ist auch keine „confluence d'idées". Die Antwort auf die Frage, wie es zu diesem Zusammentreffen kam, ergibt sich aus dem Wortlaut der für uns zentralen Äußerung:

... und wenn es auch sein eigenes Wort nicht aussprach [...], so glaube ich, war es doch im Herzen immer überzeugt, daß es noch einmal imstande sein werde, dieses neue Wort zu sagen [...].

Mehrmals wird „das Wort" und „das neue Wort" angeführt. Zwischen Gide und Thomas Mann bestand zu dieser Zeit keine Beziehung. Gide las und schätzte Goethe, er kannte Nietzsche, von *Buddenbrooks* wußte er nichts. Indessen beschäftigte er sich eingehend mit Dostojewski, den er seit den frühen neunziger Jahren las.[86] Da die vollständige französische Ausgabe des *Journal*

---

[86] 1886 erschien in Paris *Le Roman russe*, von Eugène Melchior de Vogüé. Von diesem Buch nahm die Beschäftigung mit Dostojewski in Frankreich ihren Ausgang. Obwohl de Vogüé, der einige Jahre an der französischen Gesandtschaft in St. Petersburg verbracht hatte, Vorbehalte gegen den „skythischen" Charakter des Autors hatte. De Vogüé hob vor allem die Anteilnahme russischer Autoren am Erzählten hervor. Aus der Sicht der *Anciens* förderte dies kritisches Denken und führte zu Zweifel. Andererseits bemängelte er Längen und Digressionen sowie die für den „lateinischen" Geist verworrene Komposition. – Mir liegt die 8. Auflage von 1910 vor, 1924 erreichte das Buch bereits die 19. Auflage, ein Hinweis auf das französische Interesse an der russischen Literatur, das Thomas Mann völlig unterschätzt hatte, wie eine Eintragung im Notizbuch 12 (Notb II, 312) erkennen läßt: „Die große russische Dichtung, die ‚heilige' – soll in Frankreich, dem Lande des ‚leichtesten Drucks' am besten verstanden sein! Frechheit! Hamsun, Bang, ich." Laut Vorbemerkung der Herausgeber 1917 notiert. Über die Rezeption Dostojewskis in Frankreich war Thomas Mann offensichtlich nicht informiert. – Nach de Vogüé erschien dann 1913 eine Dostojewski-Biographie von André Suarès (1921 bei Kurt Wolff in der Übersetzung von Franz Blei gedruckt). Serge Persky folgte 1918 mit *La Vie et l'œuvre de Dostoïevsky* (Paris) und Maurice Muret mit *Les idées politiques de Dostoïevsky* (in: ders.: Les Contemporains étrangers, Paris: Payot 1920). – An-

d'un écrivain bei der Niederschrift der *Seconde visite de l'interviewer* vorlag, geht der Hinweis auf die „Barbares qui s'efforçaient enfin vers la parole" zweifellos auf Dostojewski zurück, zumal „einmal imstande sein werde" dem „s'efforçaient vers" entspricht. Gegen die École de Bourget (*Anciens*) begriff Gide auch 1911 den Roman als „une œuvre déconcentrée".[87] Nochmals läßt sich zwischen Thomas Mann und André Gide eine Entsprechung ihrer ästhetischen Vorstellungen erkennen. In seiner Reaktion auf Murets Besprechung im Journal des Débats von 1908 greift Thomas Mann in den *Betrachtungen* in die französische Roman-Querelle ein, ohne von ihr zu wissen, und plädiert zu Gunsten der *Modernes*. Es geht um *Buddenbrooks* (und *implicite* gegen Murets Vorwurf der „confusion"):

Es ist geworden, nicht gemacht, gewachsen, nicht geformt und eben dadurch unübersetzbar deutsch. Eben dadurch hat es die organische Fülle, die das typisch französische Buch [der ideale Roman] nicht hat. Es ist kein ebenmäßiges Werk, sondern Leben. Es ist, um die freilich sehr anspruchsvolle kunst- und kulturgeschichtliche Formel anzuwenden, *Gotik*, nicht *Renaissance* ... (XII, 89)

Sodann widerlegt er die literarische Einflüsse abweisende Bourget-Schule, indem er *Buddenbrooks* über Nationalliteraturen stellt: Sie seien „von künstlerisch internationaler Verfassung, europäisierender Haltung". Er trifft in seinem Vergleich den entscheidenden Punkt, der moderne Literatur auszeichnet, die, nach Gide, die Zeit verlangt. „Leben" umfaßt und erfordert auch das, was die Alten als Digressionen ablehnen. Murets ambivalenter Begriff des ‚chef-d'œuvre', den er Thomas Mann sowohl zuerkennt als auch verweigert, bestätigt ihm dennoch die eigene Einschätzung, er habe dazu beigetragen, „die deutsche Prosa-Erzählung zu europäisieren". (XII, 88) *Königliche Hoheit* sei,

dré Gide hat 1908 sein aus Vorträgen entstandenes Buch *Dostoïevsky. Articles et causeries* veröffentlicht, mir vorliegend in der Collection idées, Paris: Gallimard 1970. – In Deutschland und Frankreich erschienen die ersten Übersetzungen in den achtziger Jahren. Die deutschen Ausgaben beginnen 1881 mit *Raskolnikov*, die französischen 1884 mit *Crime et Châtiment*. Aus dem *Tagebuch eines Schriftstellers* erschien der Auszug *Krotkaia* 1886 in Paris, die vollständige Ausgabe, *Le Journal d'un écrivain*, 1904 in Paris. – Die deutsche Übersetzung des *Tagebuchs* erschien, in Auswahl, in der Piper-Gesamtausgabe, hrsg. von Arthur Moeller van den Bruck, München: Piper 1906–1919. Das *Tagebuch eines Schriftstellers* umfaßt die Bände 12 und 13, als *Literarische Schriften* [= LS] und *Politische Schriften* [= PS] – ich übernehme dankbar die Siglen von Hermann Kurzke. Für die LS stütze ich mich auf die Auflage von 1920, für die PS auf die 2. Auflage von 1917. Der neue *Kindler* erwähnt die Piper-Ausgabe merkwürdigerweise nicht. Sie jedoch muß Thomas Mann benutzt haben (später erwarb er die Insel-Ausgabe in 25 Bänden, Leipzig 1921.) – Jedenfalls kann man festhalten, daß in beiden Ländern, in Frankreich wie in Deutschland, das Interesse an Dostojewski groß war. Der Briefwechsel zwischen Gide und Charles Du Bos belegt zusätzlich die Bedeutung, die man ihm in Frankreich beimaß: Lettres de Charles Du Bos et réponses de André Gide, hrsg. mit Vorwort von Juliette Charles Du Bos, Paris: Corréa 1950.

[87] André Gide: Œuvres Complètes, Paris: Gallimard 1911, Bd. 6, S. 361.

wird im gleichen Kapitel der *Betrachtungen* mitgeteilt, zwar nicht geworden, sondern gemacht, aber dennoch „eine wahre Orgie des Individualismus" (XII, 97 f.), den Gide als Ausdruck des „génie d'une race" wertet.[88]

Das Prinzip der Nation, in Verbindung mit ihrem geschichtlichen Denken, wie die *Anciens* es vertreten, begreift Geschichte nicht als Fortschreiten und Entwicklung. Dies zeigt sich etwa in Brunetières Taine-Interpretation. In den *Origines de la France contemporaine* übt Taine heftige Kritik am siebzehnten Jahrhundert, befürwortet das achtzehnte, beides in Gegensatz zu Brunetière, der ein selektives Taine-Bild vorstellt, in dem er Einsichten herausarbeitet, die seine eigenen Forderungen bekräftigen. Ähnlich verhält sich Bourget in einem Nachruf auf Tolstoi.[89] Seine Definition des Romans ist im wesentlichen unverändert, erweitert nur durch den Zusatz: „et un point de vue". Er geht zurück auf Melchior de Vogüé, der in seinem *Roman russe* die Anteilnahme russischer Autoren hervorgehoben hatte. Bourgets Artikel und Albert Thibaudets Antwort bilden einen neuen Höhepunkt und vorläufigen Abschluß des Literaturstreits zwischen Alt und Neu. Es ist nicht überraschend, daß in Bourgets versammelten Kritiken und Abhandlungen von 1912 der Begriff ‚Doctrine' bereits im Titel verwandt wird, der denn auch den im November 1910 geschriebenen Nachruf *L'Erreur de Tolstoï* bestimmt. Bourget setzt ein mit einem Lob für Tolstois Beschreibungskunst kleiner Szenen und Porträts, nach dem gleichen Muster, das auch Muret in seiner *Buddenbrooks*-Rezension anwendet.[90] Seine beiden wichtigsten Romane, so Bourget, *Anna Karenina* und *Krieg und Frieden,* aus der Zeit seiner Reife, zeigten eine tiefe Gleichgewichtsstörung („déséquilibre") des Autors, wie die letzten fünfundzwanzig Jahre seines Lebens zeigten. Er nennt die beiden Romane „ces maîtres livres" – Muret spricht im Falle von *Buddenbrooks* zuerst von „chef-d'œuvre". Ihnen allerdings fehle eines: die Komposition, was Muret ebenfalls von *Buddenbrooks* behauptet. Sie hätten weder Anfang, Mitte noch Ende. Folglich sei Tolstoi ein „Génie informe et inachevé". Es sei ein großes chaotisches Durcheinander („pêle-mêle" werfe er alles zusammen, wie Kraut und Rüben). Die fehlende Ordnung führt Bourget auf die intellektuelle Unfähigkeit des Au-

---

[88] „... les œuvres les plus humaines, celles qui demeurent d'intérêt le plus général, sont aussi bien les plus particulières, celles où se manifeste le plus spécialement le génie d'une race à travers le génie d'un individu." Vgl. André Gide: Nationalisme et littérature, in: La Nouvelle Revue Française (NRF), Juni 1909. Neudruck Pléiade, S. 177.

[89] Paul Bourget: Pages de Critique et de Doctrine, 2 Bde., Paris: Plon 1910, die verschiedene Arbeiten vorstellen; darunter *L'Erreur de Tolstoï,* die eher einer literarischen Hinrichtung gleichkommt.

[90] „Ses personnages sont médiocrement sympathiques, mais d'une vérité générale qui fait des Buddenbrooks plus et mieux qu'un document humain: un document national. [...] Au premier chapitre, l'auteur décrit un banquet de famille et cette scène a le mérite de situer, dès le début, gens et choses avec précision." Etc.

tors zurück: „La vie n'est incohérente que pour les intelligences incapables de démêler les causes".[91] Bei *Anna Karenina* und *Krieg und Frieden* handele es sich um eine enorme Stoffsammlung, aber es seien keine Romane.

Albert Thibaudet antwortet ihm im gleichen Jahr in der Nouvelle Revue Française. In *Réflexions sur le Roman*[92] vertritt er eine offene Romanform und weist am Beispiel von *Krieg und Frieden* nach, daß Tolstois Roman die Längen, Digressionen, Situationen und Schauplätze in die von Zeit und Raum vorgegebene Kunstform organisch integriert. Als erster in dieser Literaturdebatte weist Thibaudet auf die Bedeutung der Zeit im Ablauf des Erzählgeschehens hin, und im Falle von *Krieg und Frieden* spiele auch der Raum, die Weite Rußlands, eine Rolle.

Alexandre Ier et Tolstoï, comment eussent-ils renoncé à ces deux trésors de la force russe, l'espace et la durée? Nous sommes ici au cœur même de la vérité littéraire: un écrivain dont l'art est consubstantiel à son sujet et dont le sujet est consubstantiel à la race.[93]

Dies bedinge die sogenannten Längen im Erzählen, „par ses tours et retours", das Aufbrechen in einzelne Episoden, Mittel, durch die dem Leser die Stärke des Widerstandes sinnlich erfahrbar gemacht werde. Diese Technik spiegele Widerstand und Sieg wider.[94] Thibaudet erkennt die Besonderheit eines Romans in seiner lockeren Komposition, die Digressionen zuläßt und nicht auf eine einzige thesenförmige Lösung zugespitzt ist, die er dem Thesenroman vorwirft. Längen und Digressionen gehören zu einem offenen Roman, bei dem nicht, wie Muret es fordert, alles Geschehen sich aus dem Vorhergehenden ergeben müsse: „de faire découler nécessairement ce qui suit de ce qui précède". Eine Regel, um die Thomas Mann sich so wenig kümmerte wie Tolstoi.

V.

Der Literaturstreit setzt sich fort, über den Ersten Weltkrieg hinaus. Im Zusammenhang mit *Buddenbrooks* erbringt er keine neuen Ergebnisse. Seit 1909

---

91 Bourget: L'Erreur, S. 226.
92 Albert Thibaudet: Réflexions sur le Roman. A propos d'un livre récent de M. Paul Bourget, in: La Nouvelle Revue Française, 1912, S. 207–244.
93 Ebd., S. 227.
94 Napoleon habe vergeblich auf ein Friedensangebot des Zaren gewartet. Und Thibaudet listet, in ironischer Manier, wie als schlagenden Beweis der Angemessenheit der Tolstoischen Konzeption die sonst üblichen fünf Akte der napoleonischen Siege auf: „marche sur la capitale, grande bataille, entrée dans la capitale, traité de Paix, rentrée dans Paris par les Champs Elysées". (Ebd., S. 227.)

verfügen Gide und sein Freundeskreis mit der Nouvelle Revue Française über ein eigenes Publikationsorgan, das sich zur wichtigsten Literaturzeitschrift der ersten Hälfte des Jahrhunderts entwickelt.

Der Streit bietet in der dargestellten Phase ein Stück Mentalitätsgeschichte, deren Kernaussagen sichtbar werden. Vieles spielt hinein. Aus einer innerfranzösischen Angelegenheit wird mehr und mehr die ausländische Literatur zum Gegenstand, weil sie, formal wie inhaltlich, von den Alten wegen der individualistisch-liberalen Erzählhaltung ihrer Autoren als Gefahr für Frankreich gesehen wird. Die von Doumic geforderte Abschottung war natürlich nicht durchsetzbar. Eine Umfrage des Mercure de France von 1895 ergab, daß die überwältigende Mehrheit der Befragten sich für kulturelle Beziehungen mit Deutschland aussprachen. Téodor de Wyzewa, Herausgeber der Revue Wagnérienne und Literaturkritiker der Revue des Deux Mondes für ausländische Literatur, sprach sich dezidiert dagegen aus. Er denke auch nicht daran, die deutsche Literatur durch seine Beiträge zu fördern. Im Grunde sei es gleich, was er im einzelnen schreibe (*Un Roman de mœurs berlinois*, 1910), die Deutschen hätten keinen Geschmack, ihre Romane seien nur Nachahmungen englischer und französischer Literatur (*Cent ans de littérature allemande*, 1900), ließen keinen Aufbau erkennen und seien sowieso im Ausland unbekannt. Da de Wyzewa vorzugsweise deutsche Trivialliteratur rezensiert, fordert Félix Bertaux ihn 1913 in der Nouvelle Revue Française auf, sich doch mal mit Thomas Mann zu beschäftigen, anstatt die Leser mit drittrangiger Literatur zu langweilen.

Eine weitere Umfrage des Mercure nach einer anmaßenden Rede des Kaisers, ob man von Deutschland lernen könne (1902), fiel für Deutschland verheerend aus. Wenn man all dies bedenkt, die Ästhetik der *Anciens*, de Wyzewas abwertende Kritik deutscher Romane, die Umfrage von 1902, dann war es nicht überraschend, daß Thomas Mann in Frankreich lange auf Übersetzungen warten mußte, obwohl ihm sehr daran gelegen war, seine Bücher „in der Sprache Voltaires" oder, ein anderes Mal, „in der Sprache Flauberts" in Händen zu haben.

Anschließend an Murets *Buddenbrooks*-Artikel nimmt auch die französische Universitätsgermanistik die Auseinandersetzung mit Thomas Mann auf. Bemerkenswert ist, daß sie außerhalb der Literaturdebatte steht. Sie hat eine andere Zielsetzung. Joseph Dresch, von der Universität Bordeaux, der mit Thomas Mann einen Briefwechsel unterhält, der freilich 1913 abbricht, hebt auffallend die Rolle Tonys hervor, und Tonnelat in Paris bereitet seine Leser darauf vor, daß in dem Roman fast nichts geschehe.

Bedeutsam war und bleibt die Abhandlung von Maurice Muret. Trotz seiner Einschränkungen hat er als erster in Frankreich auf Thomas Mann hingewiesen, und sein Schlußsatz, daß dieser Autor für die Weltliteratur noch nicht verloren sei, weist voraus auf Dreschs Fazit, Thomas Mann sei „un génie plastique". Muret jedenfalls gibt Auskunft darüber, warum man in Frankreich so lange auf Übersetzungen warten mußte. Die Bereitschaft, Thomas Mann in die „Sprache Flauberts" zu übersetzen, wurde durch die *Betrachtungen eines Unpolitischen* und die anschließende Diskussion nicht gefördert. In *Pariser Rechenschaft* erwähnt Thomas Mann die Begegnung mit Muret am 25. Januar im „ernst-repräsentativen" Salon des Grafen und der Gräfin de Ponge:

Während des Krieges war er, sonst erklärter Freund meiner Schriften, sehr schlecht auf mich zu sprechen und wird mir die ‚Betrachtungen eines Unpolitischen‘ wohl nie ganz verzeihen. Auch sein Begrüßungsartikel im ‚Journal des Débats‘, eben jetzt, hatte der ironischen Spitze nicht ganz entbehrt, doch hielten wir während der Mahlzeit freundliche Nachbarschaft. (15.1, 1180)[95]

Der Besuch vom Januar 1926 erbrachte zwar einen Vertrag über eine Gesamtausgabe, für die Ausführung fehlte dem kleinen Verlag Simon Kra dann die Möglichkeit, so daß Pierre-Quint eine gekürzte *Buddenbrooks*-Ausgabe vorschlug, die abgelehnt wurde. Erst nach dem Nobelpreis hat Fayard die Mann-Romane in sein Programm aufgenommen, und *Buddenbrooks* erschien 1932 in zwei Bänden, in der Übersetzung von Geneviève Bianquis und einem *Avant-propos* von André Levinson, der nun, nach den vergangenen Querelen, zu dem Buch feststellt: „Sa masse de mille pages est ordonnée et maîtrisée par l'esprit classique." Und: „Ce livre est un chef-d'œuvre!"

---

[95] Nach 1918 hatte sich Murets Einstellung Thomas Mann gegenüber grundlegend geändert, was insbesondere dessen Essays und politische Äußerungen betraf. Bereits 1919, in *L'Appel de M. Erzberger* (Gazette de Lausanne, 23.2.1919 [nicht bei Jonas]), wirft er ihm Widersprüchlichkeit vor. Dann, in *Les deux frères Mann* (Revue Mondiale, 7e série, Nr. 135 [1920], S. 414–429), unterstreicht er Thomas Manns antidemokratische Äußerungen: „une attitude mesquinement chauvine". Es ist eine vernichtende Kritik, nach den Fakten, indessen ohne den Versuch zu differenzieren und aus einer peinlich anmutenden Haltung der Überheblichkeit. – Schließlich sei noch erwähnt *La République allemande et les écrivains. Le ralliement de M. Thomas Mann* im Journal des Débats, 29.7.1926, also nach Thomas Manns Parisbesuch. Dieser Beitrag ist gemäßigt, mit einigen auch von Thomas Mann angemerkten ironischen Spitzen: „Le recueil d'essais récemment paru [*Bemühungen*, insbesondere *Von deutscher Republik*] montre ce conservateur d'hier rallié, sinon totalement converti, à la république." Er ironisiert Thomas Manns Wandel, den dieser mit Hilfe von Novalis und Whitman vollzogen habe, nachdem er gestern noch in den *Betrachtungen eines Unpolitischen* die Demokratie bekämpft habe.

Thomas Vormbaum

Der „Zwippel" – Verrostet? Geröstet?

Das *Rabenaas-Lied* in den *Buddenbrooks*

Buddenbrooks-Leser wissen, daß die Konsulin Buddenbrook nach dem Dahinscheiden ihres Gatten dessen Vermächtnis, aber auch eigene, jetzt noch stärker hervortretende Neigungen in der Weise pflegt, daß sie Missionare sowie Erweckungs- und Erbauungsprediger zu Andachten in ihr Haus lädt; dort wird aus der großen Familienbibel vorgelesen – oder auch aus einem

der Predigt- und Erbauungsbücher mit schwarzem Einband und Goldschnitt, diesen Schatzkästchen, Psaltern, Weihestunden, Morgenklängen und Pilgerstäben, deren beständige Zärtlichkeit für das süße, wonnesame Jesulein ein wenig widerlich anmutete und von denen allzuviele im Hause vorhanden waren (1.1, 304).

Einer der eingeladenen Prediger läßt die Hausgemeinde zu einer „feierlichen, glaubensfesten und innigen Melodie" folgenden Text singen:

,Ich bin ein rechtes Rabenaas,
Ein wahrer Sündenkrüppel,
Der seine Sünden in sich fraß,
Als wie der Rost den Zwippel.
Oh Herr, so nimm mich Hund beim Ohr,
Wirf mir den Gnadenknochen vor
Und nimm mich Sündenlümmel
In deinen Gnadenhimmel!'

Heiterkeit stellt sich hier ohne Reflexion ein – vor allem bei Lesern, die selber noch solche Pastoren-Charaktere erlebt haben. Gesellt sich aber zur Heiterkeit die Reflexion, so ist die Frage unabweislich: Was, in aller Welt, ist ein „Zwippel"? Offenbar handelt es sich um ein Ding, dem der „Rost" etwas anhaben kann. Nun ist das Wort „Rost" ein Homonym bzw. Äquivok (*vulgo:* ein „Teekesselchen"): Es kann sowohl den Vorgang und das Produkt der Metallzersetzung bezeichnen als auch jenes Gitter, das vor allem als Bratrost populär ist. Ist also „Zwippel" etwas, das „verrosten" kann, oder etwas, das „geröstet" wird? Meine Rückfragen bei Thomas-Mann-Kennern, von denen einige den Vers auswendig herzusagen wußten, blieben ebenso erfolglos wie die Konsultationen des *Thomas-Mann-Handbuchs* und des *Buddenbrooks-Handbuchs*. Ein glücklicher Zufall fügte es jedoch, daß ich gerade in dieser Suchphase eine Einladung erhielt und daß unter den Miteingeladenen sich einige veritable Literaturwissenschaftler befanden. Nach einer bis zum Ende des *Hors d'œuvre* durchgehaltenen Anstandsfrist stellte ich also der versammelten Fachkompetenz die Frage nach dem Zwippel. Die Angelegenheit, der ich ein Zeitkontingent von wenigen Minuten beigemessen hatte, erwies sich als abendfüllendes, nur gelegentlich vom Speisegeschäft und vom Austausch über Tagesaktualitäten unterbrochenes Gesprächsthema: Die Befragung des direkt abrufbaren Wissens ergab kein Ergebnis; *Thomas-Mann-Handbuch* und *Buddenbrooks-Handbuch* – erneut befragt – versagten sich auch den Fachleuten. Es folgte die Phase der exegetischen Bemühungen. Selten ist mir die Parallelität literaturwissenschaftlichen Tuns mit meiner juristischen Alltagstätigkeit klarer vor Augen geführt worden. – „Zwippel": Die wissenschaftliche Unvoreingenommenheit erlaubte sogar – nach einigen verlegenen Umschreibungen, die der Anwesenheit von Damen geschuldet waren – die Frage nach etwa vorhandenen obszönen Konnotationen; aber auch sie blieb unbeantwortet. Mehrere erneute Anläufe – „Mir geht immer noch der ‚Zwippel‘ im Kopf herum"; „Ich komm immer noch nicht von dem ‚Zwippel‘ los" – versandeten.

Der Montag nach diesem Wochenende begann, wie Montage zu beginnen pflegen: Man spricht über das vergangene Wochenende. Also berichtete ich meinen Mitarbeitern auch von der „Zwippel"-Erörterung. Einer von ihnen tat das, was Angehörigen der jungen Generation das Nächstliegende ist: Er „ging" ins Internet – und wurde fündig. Die Suchmaschine gab – neben der Einsicht, daß einige Zeitgenossen den wohl doch nicht obszönen Familiennamen „Zwippel" tragen und daß Pfarrer Heinz Joseph Loeckmann in seiner Predigt in der Kirche St. Joseph zu Paderborn-Marienloh zum dritten Fastensonntag des Jahres 2002 (über das Tagesgebet „Lass uns Vergebung finden durch Fasten, Gebet und Werke der Liebe") das *Rabenaas-Lied* thematisiert hat – eine einzige Fundstelle preis: einen Aufsatz von Friedrich Engels! Die Fundstelle ist heute fast wieder apokryph. Vor dreißig Jahren war sie es nicht. Der Besitzer der damals preiswert zu erstehenden *MEW*[1] kann sie leicht nachschlagen. Engels berichtet von dem im zweiten Viertel des 19. Jahrhunderts recht populären Schriftsteller Wilhelm Wolff, der vor allem durch seine antiklerikalen Schriften, deretwegen er von der Zensur verfolgt wurde, Aufsehen erregte. Er schildert, wie Wolff der Zensur manches Schnippchen dadurch schlug, daß er wirkliche oder angebliche Originaltexte aus dem Kirchenbereich, gegen die der

---

[1] Marx-Engels-Werke, hier: Friedrich Engels: Wilhelm Wolff, in: Karl Marx/Friedrich Engels: Werke, hrsg. vom Institut für Marxismus-Leninismus beim ZK der SED, Bd. 19, 2. Aufl., Berlin: Dietz 1969, S. 53–88, 58.

Zensor schlecht vorgehen konnte, publizierte und dadurch beim kirchenkriti-
schen Publikum Heiterkeitserfolge verbuchte. Einer dieser Texte war das *Rabenaas-Lied*. Engels zitiert die Wolff'sche Version des Liedes, die dieser – so
Engels – in einem alten Kirchengesangbuch entdeckt hatte, folgendermaßen:

‚Ich bin ein rechtes Raabenaas,
Ein wahrer Sündenkrüppel,
Der seine Sünden in sich fraß
Als wie der Russ' die Zwippel.‘
[...]

Das Lied – so fährt Engels fort – ging

wie ein Lauffeuer [...] durch ganz Deutschland, das schallende Gelächter der Gottlosen,
die Entrüstung der ‚Stillen im Lande‘ hervorrufend. Der Zensor bezog einen derben
Rüffel, und die Regierung begann mit der Zeit wieder ein wachsames Auge auf den Pri-
vatlehrer Wolff, diesen unruhigen Schwindelkopf, zu werfen, den fünf Jahre Festung
nicht hatten zähmen können.

So einfach also kann die Antwort auf die „Zwippel"-Frage sein. Ob die Vorliebe für die Zwiebel wirklich eine russische Nationaleigenschaft ist oder ob hier
nicht auch antisemitische Anspielungen (wie etwa bei Wilhelm Busch: „Die
Zwiebel ist der Juden Speise") mitschwingen, die ja neuerdings auch in den
Buddenbrooks dingfest gemacht worden sind, vermag ich ebensowenig zu entscheiden wie die Frage, woher Thomas Mann seine Version genommen hat.
Ob auch er sie in einem alten Gesangbuch gefunden hat (warum dann aber die
unverständliche Fassung?), ob er sie falsch aus dem Gedächtnis zitiert hat, ob
er sie bewußt verfremdet hat (warum aber?) – jedenfalls ist der Text in der
Wolffschen Fassung schlüssig.
   In der neuen großen Thomas-Mann-Gesamtausgabe freilich nennt der
Kommentarband zu den *Buddenbrooks* (1.2, 311 f.) zwar Wilhelm Wolff als
möglichen Urheber des Textes, nicht aber dessen Textversion; die Variante „die
Zwibbel" anstelle von „den Zwippel" findet Erwähnung, nicht aber „der
Russ'" anstelle von „der Rost". So bleibt der Leser der *Buddenbrooks* und des
zugehörigen Kommentarbandes mit der Frage zurück, wieso ein offenkundig
nichtmetallenes Gebilde – egal, ob nun der Zwippel, die Zwippel oder die
Zwibbel – vom Rost zerfressen werden kann. Sollte er aber die Bratrost-Vari-
ante favorisieren, so müßte er sich mit dem Einwand auseinandersetzen, daß
auch dieser Rost – jedenfalls bei sachgerechter Bedienung – die auf ihm gerö-
stete Zwiebel nicht zu fressen pflegt. Die obigen Ausführungen mögen ihm
weiterhelfen.

Rezension

Klaus W. Jonas/Holger R. Stunz: *Golo Mann. Leben und Werk. Chronik und Bibliographie (1929–2003)*, Wiesbaden: Harrassowitz 2003.

Urs Bitterli: *Golo Mann – Instanz und Aussenseiter. Eine Biographie*, Zürich: Buchverlag der Neuen Zürcher Zeitung sowie Berlin: Kindler 2004.

Er stand im Licht der Öffentlichkeit und war einsam. Er war scheu und mitteilsam. Er litt unter seinen Eltern und duckte sich doch, als Mann von sechzig, siebzig Jahren, in ein Leben mit der greisen Mutter, bis sie starb. Er war Aussenseiter und Instanz. Er war, was er über Wallenstein gesagt hatte, „ein Nest von Widersprüchen".

Golo nannte man ihn, weil jedermann wusste, dass er ein Mann war. Der Vorname hob ab, indem er verband; indem er band. Als Historiker und Figur zog er grösste Beachtung auf sich; und doch auch und vielleicht zuerst als bedeutendstes Kind Thomas Manns. Er war selbst ein ausgezeichneter Schriftsteller, dessen Sprache Vergnügen bereitet, worüber immer sie sich auslässt. Er beweist die Möglichkeit, sich vom Stil eines tief prägenden Vorbilds glücklich abzusetzen und aus den Energien der Opposition zu hoher Eigenständigkeit zu gelangen, zu Leichtigkeit, Deutlichkeit, Anschaulichkeit, Weisheit, was mehr. Wenn es so etwas gibt wie melancholische Serenität, dann bei Golo Mann, dem Musiker, dessen Lebensgrundtonart Moll war. „In tiefster Seele", schrieb er in der *Deutschen Geschichte*, müsse jeder Historiker „traurig bleiben, bis er stirbt". Neben das existentielle Leiden an der Dominanz des Vaters trat jenes sehr andere, überpersönliche, das Leiden an den Schrecken des Nationalsozialismus.

Ein selbständiger Denker, keiner Schule angehörend, keine begründend, wurde er zum Phänomen in der deutschen Geschichtswissenschaft; keiner Partei angeschlossen noch zurechenbar, ein unkonventioneller, gelegentlich überraschender, hocherfolgreicher Einzelkämpfer in der politischen Publizistik der Bundesrepublik.

Zur Revolte war Golo nicht der Mann. Immer hat er es mit der Obrigkeit gehalten. Und so blieb das Hadern, der Trotz mit schlechtem Gewissen, die stolze Demut, die aufsässige Unterwerfung. Geschichte war ein Ausweichen. In ihr leistete er jenes Eigene, das ihn zu Luft und Atem kommen liess. Geschichte war der Umweg und Ausweg, auf dem Golo Mann dem Vater schreibend nahe bleiben konnte. Redlich-besorgter Zeitgenosse, bescheidener *Grandseigneur*, hasste er das Genialische, das seine lauteren Geschwister Erika und Klaus sich überzogen. Geschichtsschreibung war Literatur für ihn; wie schon die römischen Historiker, mit Ausnahme Cäsars, Literatur gemacht hatten. Auch das Erzählen dessen, was sich wirklich zugetragen hat, war für ihn Deuten. Er liebte den biographischen Essay, das bildmächtige Porträt; mit Bildung und Intuition wollte er sich in die historische Persönlichkeit hineinfühlen. In der sympathetischen Annäherung an den Helden ging er auch über die Quellen fabulierend hinaus; das Farbige war ihm wichtiger als das bloss Faktische. Auch dies schuf ihm eine grosse und anhaltende Wirkung. In den siebziger und achtziger Jahren, als das Interesse mehr den gesellschaftsprägenden Strukturen als den grossen Einzelnen galt, sprach man seinen Darstellungen Wissenschaftlichkeit ab. Er nahm's hin und blieb Erzähler von Geschichten. Er blieb auch ein Unzeitgemässer, der sich instinktiv von Ideologien fernhielt. In seinem liberalen Konservatismus stellte er sich gegen Marx und seine deterministischen Brüder: Geschichte war für ihn nicht berechenbar, nicht vorhersehbar.

Alle Welt wollte etwas von ihm, und er konnte nicht nein sagen. In unzähligen Zeitungsartikeln, Radio- und Fernsehsendungen hat Golo Mann sich zu Wort gemeldet. Immer wieder hat er politische und historische Ereignisse kommentiert. Dass eine Übersicht über sein Wirken fehlte, hat vor Jahrzehnten schon Klaus W. Jonas, den hochverdienten Bibliographen, veranlasst, mit der Arbeit an einer Golo-Mann-Bibliographie zu beginnen. Jetzt hat er sie mit seinem jungen Mitstreiter Holger R. Stunz fertiggestellt, in Zusammenarbeit mit dem Schweizerischen Literaturarchiv in Bern – eine Grosstat der Philologie. Sie fällt zwischen den dritten Band der Thomas-Mann-Bibliographie, der 1997 abgeschlossen wurde, und den unterdessen bereits in Arbeit genommenen vierten. In einem Werkstatt-Bericht schildert Jonas die lange Genese dieses Buchs, das ein von Golo Mann schon 1984 verfasstes Vorwort enthält. Nicht genug kann man seine zu allem entschlossene Geduld, seinen stillen Fanatismus, den sammelnden und sichtenden Eifer rühmen. Golo Manns eindrucksvoll über Kontinente, Jahrzehnte, über Verlage, Zeitschriften, Zeitungen, Anthologien mehrsprachig verstreutes Werk ist nun beieinander. Die Zusammenstellung umfasst 1750 Nummern und versammelt Monographien, Reden, Essays, Interviews, Übersetzungen und Artikel. Verzeichnet wird auch Unveröffentlichtes, werden auch die im Nachlass aufbewahrten Briefwechsel sowie eine repräsentative Auswahl der Sekundärliteratur über Autor und Werk zwischen 1951 und 2003. Ferner führt das Buch die Preise, Ehrungen und Nachrufe an. Es wird mit einem ausführlichen biographischen Abriss und vier umfangreichen Registern abgerundet.

Auch eine Lebensbeschreibung war Golo Mann bisher nicht gewidmet. Die erste erscheint nun, zu seinem 10. Todesjahr, von Urs Bitterli, bis 2001 Ordinarius an der Universität Zürich für Allgemeine Geschichte, Verfasser von mehreren eminenten Werken zur Geistesgeschichte der europäisch-überseeischen Beziehungen, mit Irene Riesen zudem verdienstvoller Herausgeber der Werke des Historikerkollegen Herbert Lüthy. Seine gründliche Arbeit, an der die weitere Beschäftigung mit Golo Mann nicht mehr vorbeikommen wird, stützt sich auf dessen wissenschaftliches und journalistisches Hauptwerk und bezieht auch den Nachlass im Schweizerischen Literaturarchiv ein.

Das Buch gliedert sich in sieben Kapitel. „Die frühen Jahre" beschreibt die komplizierte Kindheit und Jugend, das ungeliebte Kind – es war nicht hübsch, linkisch und störrisch, die Eltern fanden seinen Charakter schwierig –, den Heranwachsenden, die Studienjahre. Dann das Exil, wo sich sein Talent entfaltet, in Frankreich, über das wir auch von Golo Mann selbst wissen, die Flucht aus Europa, die Jahre in Amerika, am College und in der Armee. Was für eine zurückgezogen-bescheidene, perspektivenlose Existenz damals, im fernen Winkel, im Schatten der Seinen. In Kalifornien schreibt Golo Mann das Erstlingswerk über den antinapoleonischen Diplomaten und Metternich-Vertrauten Friedrich von Gentz, einen Wesensverwandten. Es folgen Publikationen zu Amerika, Kommentare zum Zeitgeschehen. 1958, als bald 50-jähriger, kehrt Golo Mann in der Uniform der amerikanischen Armee und mit einer *Deutschen Geschichte* nach Deutschland zurück. Die *Deutsche Geschichte* traf den Nerv der Zeit. Eine Professur in Münster, dann in Stuttgart. Max Horkheimer und Theodor W. Adorno hintertrieben Golo Manns Berufung auf einen Frankfurter Lehrstuhl, unter anderem mit dem Hinweis auf dessen Homosexualität.

Nach der Niederlassung in der Schweiz begann die politische Publizistik so recht. Bitterli geht ihr im längsten Kapitel des Buchs nach und zeigt den Boden, auf dem sie blühte. So wird sein Buch zu einer Geschichte der Bundesrepublik dieser Jahrzehnte. Golo Mann verehrt Konrad Adenauer, unterstützt seine Westpolitik, wirbt für Willy Brandts Ostpolitik, später auch für Franz Josef Strauß, den er Helmut Schmidt vorzieht. „Geht mir das Pendel etwas zu weit nach der anderen Seite", sagte er, „dann wirke ich wieder entgegengesetzt." (Genau gleich hatte es sein Vater gehalten.) Er wird zum politikumschäumten Wahlkämpfer, was er halb und halb geniesst und was ihn erschreckt. Denn natürlich lässt er sich, in seiner Servilität, Eitelkeit und Naivität, der Sehnsucht nach fraglos bejahbarer Autorität, auch übel missbrauchen. Daneben, dazu, davor die weiteren Hauptwerke: der *Wallenstein*; der Autobiographie erster Teil *Erinnerungen und Gedanken. Eine Jugend in Deutschland*. Gesellig vornehmlich mit Jünglingen und Hunden, blieb er einsam. Am Ende liess er sich in Kilchberg begraben, aber nicht im Familiengrab; oder auch: nicht im Familiengrab, aber doch auf dem Kilchberger Friedhof.

Dezent zieht Urs Bitterli die Linien dieses eigenartigen Lebens nach. Behutsam, mit unaufdringlicher Eindringlichkeit interpretiert er das historische Werk. Er will „Informationen vorlegen und Kenntnisse vermitteln", die es den Leserinnen und Lesern „erlauben, sich ihre eigenen Fragen zu stellen und ihr eigenes Bild zu machen". Ein unprätentiöser Ansatz, ein vornehmer und fruchtbarer. Es ist eine eher intellektuelle, mehr politische als psychologische Biographie, mehr Werkanalyse denn Beschreibung der Lebenstatsachen. Die materiellen Seiten treten in den Hintergrund. Manche Ereignisse wie die Adoption einer Familie werden nur knapp beschrieben. Die allerletzten Jahre Golo Manns bleiben, wofür es Gründe gibt, im Schatten; eine Darstellung in schärferem Licht ist späteren Zeiten aufgegeben. Auch die Familie Mann bleibt am Rande; doch ist über sie ja schon das eine und andere geschrieben worden. Dass nun aber endlich auch Golo Manns brillante Lebensleistung gewürdigt wird und dass dies so kompetent geschieht, ist hocherfreulich. Denn von solchen Beobachtern von Hellsicht und Urteil, solch geistreich-zweifelnden Bekennern gibt es nie genug.

Thomas Sprecher (Zürich)

Gregor Ackermann

4. Nachtrag zur Thomas-Mann-Bibliographie

Die nachfolgend mitgeteilten Drucke, die zu Lebzeiten Thomas Manns erschienen, schließen sich an die in Band 13 des *Thomas Mann Jahrbuchs 2000* begonnene Berichterstattung an. Drucke bekannter Texte werden nach den einschlägigen bibliographischen Arbeiten ausgewiesen. Hierbei benutze ich folgende Siglen:

Potempa (= Georg Potempa. Thomas Mann-Bibliographie. Mitarbeit Gert Heine. 2 Bde. Morsum/Sylt 1992–1997.)

Potempa, Aufrufe (= Georg Potempa. Thomas Mann. Beteiligung an politischen Aufrufen und anderen kollektiven Publikationen. Eine Bibliographie. Morsum/Sylt 1988.)

I. Texte

Das Problem des Films. Ein Münchner Volksverband für Filmkunst. – In: Münchner Neueste Nachrichten (München), Jg. 81, Nr. 133 vom 15.5.1928, S. 3
Der Beitrag referiert Thomas Manns kurze Ansprache, die dieser anläßlich der Gründung der „Münchener Urania" gehalten hatte.
Nicht bei Potempa

-er.: Von der Landesfilmbühne zur Urania. Der Abend der Filmreden. – In: Deutsche Filmzeitung (München), Jg. 7, Nr. 21 vom 18.5.1928, S. 2–4
Der Beitrag referiert eine kurze Ansprache Thomas Manns, die dieser anläßlich der Gründung der „Münchener Urania" gehalten hatte.
Nicht bei Potempa

Prinzengeburt. Aus dem Roman „Königliche Hoheit". – In: Prager Tagblatt (Prag), Jg. 33, Nr. 109 vom 29.4.1909, Morgenausg., S. 1–2
Potempa D 2

[o.T.] – In: Frankfurter Zeitung (Frankfurt/Main), Jg. 55, Nr. 204 vom 26.7.1910, 3. Morgenbl., S. 1
Thomas Manns Beitrag steht hier neben solchen von Jakob Wassermann,

Monty Jacobs, Ernst Heilborn u.a. unter dem redakt. Sammeltitel „Reclam und die Jugend".
Potempa G 40

[o.T.] – In: Prager Tagblatt (Prag), Jg. 32, Nr. 249 vom 9.9.1908, Morgenausg., S. 1–3
Thomas Manns Beitrag steht hier neben solchen von Max Burckhard, Otto Julius Bierbaum, Hugo von Hofmannsthal, Heinrich Mann, Frank Wedekind u.a. unter dem redakt. Sammeltitel „Hervorragende Männer über Tolstoi. Rundfragen deutscher Blätter".
Potempa G 42

E.K.: Ein deutscher Fürst und Thomas Mann. – In: Frankfurter Zeitung (Frankfurt/Main), Jg. 54, Nr. 87 vom 30.3.1910, 2. Morgenbl., S. 1
Potempa G 52. Ausz., Vorabdruck

Zum Tode Keyserlings. – In: Wochenblatt der Frankfurter Zeitung (Frankfurt/Main), Jg. 44, Nr. 42 vom 17.10.1918, S. 2
Potempa G 113

[o.T.] – In: Frankfurter Zeitung (Frankfurt/Main), Jg. 66, Nr. 356 vom 13.5.1922, Abendbl., S. 1
Thomas Manns Beitrag steht hier neben solchen von Gerhart Hauptmann, Hugo von Hofmannsthal u. Alfred Kerr unter dem redakt. Sammeltitel „Arthur Schnitzler zu seinem sechzigsten Geburtstag".
Potempa G 168

[o.T.] – In: Das Wochenblatt der Frankfurter Zeitung (Frankfurt/Main), Jg. 48, Nr. 20 vom 17.5.1922, S. 3–4
Thomas Manns Beitrag steht hier neben solchen von Gerhart Hauptmann, Hugo von Hofmannsthal u. Alfred Kerr unter dem redakt. Sammeltitel „Arthur Schnitzler zu seinem sechzigsten Geburtstag".
Potempa G 168

Von deutscher Republik. [Mit e. redakt. Einl.] – In: Das Wochenblatt der Frankfurter Zeitung (Frankfurt/Main), Jg. 48, Nr. 44 vom 15.11.1922, S. 1–3
Potempa G 174

Die Deutsche Republik. – In: Argentinisches Wochenblatt (Buenos Aires), Jg. 44, Nr. 2.341 vom 23.12.1922, S. 32
Potempa G 174

Zum 60. Geburtstag Ricarda Huchs. – In: Das Wochenblatt der Frankfurter Zeitung (Frankfurt/Main), Jg. 50, Nr. 30 vom 24.7.1924, S. 1–2
Potempa G 215

[o.T.] – In: Danziger Neueste Nachrichten (Danzig), Jg. 35, Nr. 16 vom 19.1.1928, S. 2
Thomas Manns Beitrag steht hier neben solchen von Ludwig Finckh, Kasimir Edschmid, Friedrich Freksa u.a. unter dem redakt. Sammeltitel „Bekenntnisse zu Wilhelm Schäfer. Eine Geburtstagsgabe für den Dichter".
Potempa G 341

Thomas Manns neuer Romanheld: Joseph von Ägypten. – In: Völkischer Beobachter. Bayernausgabe (München), Jg. 41, Nr. 105 vom 5.5.1928, S. 2
Potempa G 345

Ueber den Film. [Mit e. redakt. Einl.] – In: Danziger Neueste Nachrichten (Danzig), Jg. 35, Nr. 186 vom 9.8.1928, S. 2
Potempa G 350

Dürer. – In: Danziger Neueste Nachrichten (Danzig), Jg. 35, Nr. 138 vom 14.6.1928, S. 2
Potempa G 353

[o.T.] – In: Danziger Neueste Nachrichten (Danzig), Jg. 35, Nr. 126 vom 31.5.1928, S. 3
Thomas Manns Beitrag steht hier neben solchen von Heinrich Mann, Hermann Hesse, Jakob Wassermann, Lion Feuchtwanger u.a. unter dem redakt. Sammeltitel „Das Geheimnis des Publikumserfolges. Eine interessante Rundfrage".
Potempa G 356

[o.T.] – In: Danziger Neueste Nachrichten (Danzig), Jg. 35, Nr. 277 vom 24.11.1928, Beilage: Der Artushof. Nr. 47
Thomas Manns Beitrag steht hier als Einleitung zu dem Artikel „Kriegsbriefe gefallener Studenten. Aus dem gleichnamigen Buch des Georg Müller-Verlages (München)".
Potempa G 378

Ein Mutiger. Thomas Manns Bekenntnis zu Demokratie und Sozialismus. – In: Arbeiter-Zeitung (Wien), Jg. 46, Nr. 50 vom 19.2.1933, S. 1
Potempa G 549

II. Interviews

Victor Wittner: Unterhaltung mit Thomas Mann. – In: Danziger Neueste Nachrichten (Danzig), Jg. 35, Nr. 285 vom 4.12.1928, S. 2–3
Potempa K 73

Thomas Mann bei Sigmund Freud. – In: Psychoanalytische Bewegung (Wien), Jg. 4 (1932), H. 3 (Mai – Juni), S. 278
Potempa K 156

III. Aufrufe

Rettet Sacco und Vanzetti! Ein Aufruf! – In: Das Tage-Buch (Berlin), Jg. 7, 2. Halbjahr, H. 32 vom 7.8.1926, S. 1175–1176
Unterzeichner: Graf Johann Bernstorff, Professor Georg Brandes, Dr. Max Brod, Stefan Großmann, Maximilian Harden, Heinrich Eduard Jacob, Egon Erwin Kisch, Klabund, Professor Fritz Kreisler, Fürstin Mechthild[!] Lichnowsky, Akademiepräsident Dr. Max Liebermann, Heinrich Mann, Professor Dr. Thomas Mann, Karin Michaelis, Professor Max Reinhardt, Präsident Gustav Rickelt, Professor Dr. Max von Schillings, Professor Heinrich Zille.
Nicht bei Potempa, Aufrufe

Eine Ehrengabe für Frank Wedekind. – In: Frankfurter Zeitung (Frankfurt/Main), Jg. 58, Nr. 138 vom 19.5.1914, Abendbl., S. 1
Potempa, Aufrufe Nr. 6

Aufruf. – In: Die Bücherschau (Düsseldorf), Jg. 5 (1914/15), H. 1 (Juli 1914), S. 26
Potempa, Aufrufe Nr. 6

Dank und Gruß an die französische Goethegemeinde. – In: Deutsch-französische Rundschau (Berlin), Jg. 5 (1932), H. 8 (August), S. 611–612
Potempa, Aufrufe Nr. 61

Siglenverzeichnis

[Band arabisch, Seite]	Thomas Mann: Grosse kommentierte Frankfurter Ausgabe. Werke – Briefe – Tagebücher, hrsg. von Heinrich Detering, Eckhard Heftrich, Hermann Kurzke, Terence J. Reed, Thomas Sprecher, Hans R. Vaget und Ruprecht Wimmer in Zusammenarbeit mit dem Thomas-Mann-Archiv der ETH Zürich, Frankfurt/Main: S. Fischer 2002 ff.
[Band römisch, Seite]	Thomas Mann: Gesammelte Werke in dreizehn Bänden, 2. Aufl., Frankfurt/Main: S. Fischer 1974.
Ess I–VI	Thomas Mann: Essays, Bd. 1–6, hrsg. von Hermann Kurzke und Stephan Stachorski, Frankfurt/Main: S. Fischer 1993–1997.
Notb I–II	Thomas Mann: Notizbücher 1–6 und 7–14, hrsg. von Hans Wysling und Yvonne Schmidlin, Frankfurt/Main: S. Fischer 1991–1992.
Tb, [Datum]	Thomas Mann: Tagebücher. 1918–1921, 1933–1934, 1935–1936, 1937–1939, 1940–1943, hrsg. von Peter de Mendelssohn, 1944–1.4.1946, 28.5.1946–31.12.1948, 1949–1950, 1951–1952, 1953–1955, hrsg. von Inge Jens, Frankfurt/Main: S. Fischer 1977–1995.
Reg I–V	Die Briefe Thomas Manns. Regesten und Register, Bd. 1–5, hrsg. von Hans Bürgin und Hans-Otto Mayer, Frankfurt/Main: S. Fischer 1976–1987.
Br I–III	Thomas Mann: Briefe 1889–1936, 1937–1947, 1948–1955 und Nachlese, hrsg. von Erika Mann, Frankfurt/Main: S. Fischer 1962–1965.
BrAu	Thomas Mann: Briefwechsel mit Autoren, hrsg. von Hans Wysling, Frankfurt/Main: S. Fischer 1988.
BrBF	Thomas Mann: Briefwechsel mit seinem Verleger Gottfried Bermann Fischer 1932–1955, hrsg. von Peter de Mendelssohn, Frankfurt/Main: S. Fischer 1973.
BrFae	Thomas Mann – Robert Faesi. Briefwechsel, hrsg. von Robert Faesi, Zürich: Atlantis 1962.
BrHM	Thomas Mann – Heinrich Mann. Briefwechsel 1900–1949, hrsg. von Hans Wysling, 3., erweiterte Ausg., Frankfurt/Main: S. Fischer 1995 (= Fischer Taschenbücher, Bd. 12297).
BrP	Dichter oder Schriftsteller? Der Briefwechsel zwischen Thomas Mann und Josef Ponten 1919–1930, hrsg. von Hans Wysling unter Mitwirkung von Werner Pfister, Bern: Francke 1988 (= Thomas-Mann-Studien, Bd. 8).
DüD I–III	Dichter über ihre Dichtungen, Bd. 14/I–III: Thomas Mann, hrsg. von Hans Wysling unter Mitwirkung von Marianne Fischer, München: Heimeran; Frankfurt/Main: S. Fischer 1975–1981.

TM Jb   Thomas Mann Jahrbuch 1 (1988) ff., begründet von Eckhard Heftrich und Hans Wysling, hrsg. von Thomas Sprecher und Ruprecht Wimmer, Frankfurt/Main: Klostermann.

TMS   Thomas-Mann-Studien 1 (1967) ff., hrsg. vom Thomas-Mann-Archiv der ETH Zürich, Bern/München: Francke, ab 9 (1991) Frankfurt/Main: Klostermann.

TMA   Thomas-Mann-Archiv der ETH Zürich.

Thomas Mann: Werkregister

Kursive Seitenzahlen verweisen auf die Anmerkungen.

Personenregister

Die Autorinnen und Autoren

Gregor Ackermann, Augustastr. 60, 52070 Aachen.

Karsten Blöcker, Roeckstr. 7, 23568 Lübeck.

Dr. Manfred Eickhölter, Neptunstr. 7, 23562 Lübeck.

Prof. Dr. Helmut Koopmann, Universität Augsburg, Lehrstuhl für Neuere Deutsche Literaturwissenschaft, Universitätsstr. 10, 86159 Augsburg.

Priv. Doz. Dr. Astrid Lange-Kirchheim, Deutsches Seminar II, Institut für Neuere Deutsche Literaturwissenschaft, Werthmannplatz 3, 79085 Freiburg.

Joachim Lilla, Stadtarchiv Krefeld, 47792 Krefeld.

Prof. Dr. Friedhelm Marx, Lehrstuhl für Neuere Deutsche Literaturwissenschaft, Otto-Friedrich-Universität Bamberg, An der Universität 5, 96045 Bamberg.

Prof. Dr. Richard Matthias Müller, Zur Worbelsheide 6, 52156 Monschau.

Prof. Dr. Rosemarie Nave-Herz, Quellenweg 18, 26129 Oldenburg.

Prof. Dr. Holger Rudloff, Dannergasse 9, 79227 Schallstadt.

Dr. Walter L. Schomers, Bohlinger Str. 19, 78239 Rielasingen-Worblingen.

Dr. Dr. Thomas Sprecher, Thomas-Mann-Archiv der ETH Zürich, Schönberggasse 15, CH-8001 Zürich.

Prof. Dr. Dr. Thomas Vormbaum, FernUniversität in Hagen, Fachbereich Rechtswissenschaft, Institut für Juristische Zeitgeschichte, Universitätsstr. 21 (AVZ), 58097 Hagen.

Dr. Hans Wißkirchen, Heinrich-und-Thomas-Mann-Zentrum, Buddenbrookhaus, Mengstr. 4, 23552 Lübeck.

Auswahlbibliographie 2002 – 2003

zusammengestellt von Thomas Sprecher und Gabi Hollender

1. Primärliteratur

Mann, Thomas: Buddenbrooks: Verfall einer Familie: Roman, hrsg. und text-kritisch durchgesehen von Eckhard Heftrich, Kommentar von Eckhard Heftrich und Stephan Stachorski, Frankfurt/Main: S. Fischer 2002 (= Gros-se kommentierte Frankfurter Ausgabe, Thomas Mann, Bd. 1.1 und 1.2), 841 S. und 743 S.

Mann, Thomas: Lotte in Weimar: Roman, hrsg., textkritisch durchgesehen und kommentiert von Werner Frizen, Frankfurt/Main: S. Fischer 2003 (= Gros-se kommentierte Frankfurter Ausgabe, Thomas Mann, Bd. 9.1 und 9.2), 450 S. und 948 S.

Mann, Thomas: Der Zauberberg: Roman, hrsg., textkritisch durchgesehen und kommentiert von Michael Neumann, Frankfurt/Main: S. Fischer 2002 (= Grosse kommentierte Frankfurter Ausgabe, Thomas Mann, Bd. 5.1 und 5.2), 1100 S. und 522 S.

Mann, Thomas: Essays I: 1893–1914, hrsg., textkritisch durchgesehen und kommentiert von Heinrich Detering unter Mitarbeit von Stephan Stachor-ski, Frankfurt/Main: S. Fischer 2002 (= Grosse kommentierte Frankfurter Ausgabe, Thomas Mann, Bd. 14.1 und 14.2), 417 S. und 682 S.

Mann, Thomas: Essays II: 1914–1926, hrsg., textkritisch durchgesehen und kommentiert von Hermann Kurzke unter Mitarbeit von Jöelle Stoupy, Jörn Bender und Stephan Stachorski, Frankfurt/Main: S. Fischer 2002 (= Grosse kommentierte Frankfurter Ausgabe, Thomas Mann, Bd. 15.1 und 15.2), 1251 S. und 997 S.

Mann, Thomas: Thomas Mann's addresses delivered at the Library of Con-gress, ed. by Don Heinrich Tolzmann, Oxford: Lang 2003 (= New Ger-man-American studies, Vol. 25), 132 S.

Mann, Thomas: Briefe, ausgewählt und hrsg. von Thomas Sprecher, Hans Ru-dolf Vaget und Cornelia Bernini, Frankfurt/Main: S. Fischer 2002 (= Grosse kommentierte Frankfurter Ausgabe, Thomas Mann, Bd. 21), 935 S.

Mann, Thomas: Briefe an Richard Schaukal, hrsg. von Claudia Girardi, Frank-furt/Main: Klostermann 2003 (= Thomas-Mann-Studien, Bd. XXVII), 242 S.

Mann, Thomas und Adorno, Theodor W.: Briefwechsel 1943–1955, hrsg. von Christoph Gödde und Thomas Sprecher, Frankfurt/Main: S. Fischer 2003 (= Fischer-Taschenbücher, 15839), 179 S.

2. Sekundärliteratur

Abel, Angelika: Musikästhetik der Klassischen Moderne: Thomas Mann – Theodor W. Adorno – Arnold Schönberg, München: Fink 2003, 385 S.

Abel, Angelika: Thomas Mann im Exil: zum zeitgeschichtlichen Hintergrund der Emigration, München: Fink 2003, 281 S.

Ackermann, Gregor: 3. Nachtrag zur Thomas-Mann-Bibliographie, in: Thomas Mann Jahrbuch 2003, S. 167–177.

Ackermann, Gregor und Kurzke, Hermann: Sigmund Freud zum 70. Geburtstag: Corrigenda zu GKFA 15, in: Thomas Mann Jahrbuch 2003, S. 67–71.

Adair, Gilbert: Adzio und Tadzio: Wladyslaw Moes, Thomas Mann, Luchino Visconti: Der Tod in Venedig, Zürich: Edition Epoca 2002, 113 S.

Anderson, Mark M.: Mann's early novellas, in: Robertson, The Cambridge companion to Thomas Mann, S. 84–94.

Bahr, Ehrhard: Goethe in Hollywood: Thomas Mann in Exile in Los Angeles, in: Baron, Goethe im Exil, S. 125–139.

Bahr, Erhard: Imperialismuskritik und Orientalismus in Thomas Manns „Der Tod in Venedig", in: Baron, Thomas Mann: „Der Tod in Venedig", S. 1–16.

Bance, Alan: The political becomes personal: „Disorder and Early Sorrow" and „Mario and the Magician", in: Robertson, The Cambridge companion to Thomas Mann, S. 107–118.

Baranowski, Anne-Marie: Adrian Leverkühn: froideur et ironies, in: Quéval, Doktor Faustus [von] Thomas Mann, S. 187–202.

Baron, Frank und Sautermeister, Gert (Hrsg.): Goethe im Exil: deutsch-amerikanische Perspektiven, Bielefeld: Aisthesis 2002, 297 S.

Baron, Frank: Das Sokrates-Bild von Georg Lukács als Quelle, in: Baron, Thomas Mann: „Der Tod in Venedig", S. 81–91.

Baron, Frank und Sautermeister, Gert (Hrsg.): Thomas Mann: „Der Tod in Venedig": Wirklichkeit, Dichtung, Mythos, Lübeck: Schmidt-Römhild 2003, 200 S.

Baron, Frank: Wolfgang Born und Thomas Mann, in: Baron, Thomas Mann: „Der Tod in Venedig", S. 139–157.

Beddow, Michael: „The Magic Mountain", in: Robertson, The Cambridge companion to Thomas Mann, S. 137–150.

Beer, Fritz: Thomas Mann und der jüdische Autoschlosser, in: Beer, Fritz: Kaddisch für meinen Vater: Essays, Erzählungen, Erinnerungen, Wuppertal: Arco 2002 (= Bibliothek der böhmischen Länder), S. 89–103.

Bishop, Paul: The intellectual world of Thomas Mann, in: Robertson, The Cambridge companion to Thomas Mann, S. 22–42.

Blumberg, David: From muted chords to maddening cacophony: music in „The Magic Mountain", in: Dowden, A companion to Thomas Mann's „Magic mountain", S. 80–94.

Bönnighausen, Marion: Th. Adorno und Th. Mann und die Musik, in: Peter Weiss Jahrbuch für Literatur, Kunst und Politik im 20. Jahrhundert, Bd. 12, 2003, S. 117–131.

Braun, Peter: Die Literatur ist der Tod: Thomas Manns Buddenbrookhaus in Lübeck, in: Braun, Peter: Dichterhäuser, München: DTV 2003, S. 69–82.

Bremse, Uwe: Ein Foto-Essay über den „Tod in Venedig", in: Baron, Thomas Mann: „Der Tod in Venedig", S. 59–79.

Brenner, Michael: Beyond Naphta: Thomas Mann's Jews and German-Jewish writing, in: Dowden, A companion to Thomas Mann's „Magic mountain", S. 141–157.

Buchmayr, Friedrich: Exil in Österreich für Thomas Mann, in: Buchmayr, Friedrich: Der Priester in Almas Salon: Johannes Hollnsteiners Weg von der Elite des Ständestaats zum NS-Bibliothekar, Weitra: Bibliothek der Provinz 2003, S. 119–134.

Buck, Theo: „Doktor Faustus" – Roman der doppelten Zurücknahme, in: Quéval, Doktor Faustus [von] Thomas Mann, S. 75–92.

Buck, Timothy: Mann in English, in: Robertson, The Cambridge companion to Thomas Mann, S. 235–248.

Burg, Peter: „Dankesbrief an den Verfasser": eine unveröffentlichte Replik Thomas Manns auf die Rezension eines Jesuitenpaters zu „Doktor Faustus", in: Thomas Mann Jahrbuch 2003, S. 159–165.

Caullier, Joëlle: L'univers musical du „Docteur Faustus", in: Quéval, Doktor Faustus [von] Thomas Mann, S. 93–121.

Clairmont, Christoph Walter Abdelmu'min: Thomas Mann, in: Clairmont, Christoph Walter Abdelmu'min: Faszinierendes Morgenland: Kaiser Friedrich II von Hohenstaufen: der Felsendom in Jerusalem (Al Quds) und Castel del Monte: Ludwig Derleth (1870–1948): das literarische Werk, eine kritische Würdigung, Ernen: Christoph W. Abdelmu'min Clairmont [2002], S. 57–60.

Cobley, Evelyn: Ambivalence and dialectics: Mann's Doktor Faustus and Kleist's „Über das Marionettentheater", in: Seminar, a journal of Germanic studies, Vol. 39, 2003, No. 1, S. 15–32.

Darmaun, Jacques: Juden und Jüdisches in Thomas Manns Welt, in: Quéval, Doktor Faustus [von] Thomas Mann, S. 163–171.

Darmaun, Jacques: Thomas Mann, Deutschland und die Juden, Tübingen: Niemeyer 2003 (= Conditio Judaica, Bd. 40), 319 S.

Dedner, Burghard: „Sein" und „Sagen": die doppelte Botschaft in Thomas Manns Goethe-Essays und in „Doktor Faustus", in: Baron, Goethe im Exil, S. 101–123.

Dierks, Manfred: „Ein schöner Unsinn": Hans Castorps Träume im „Zauberberg", in: Castein, Hanne und Görner, Rüdiger (Eds.): Dream images in German, Austrian and Swiss literature and culture, München: Iudicium 2002 (= Publications of the Institute of Germanic Studies, Bd. 78), S. 112–127.

Dowden, Stephen D. (Ed.): A companion to Thomas Mann's „Magic mountain", [Columbia, S.C.]: Camden House 2002 (= Studies in German literature, linguistics, and culture), 250 S.

Dowden, Stephen D.: Mann's ethical style, in: Dowden, A companion to Thomas Mann's „Magic mountain", S. 14–40.

Dvoracek, Patricia: „meinetwegen" – Der Musteremigrant Thomas Mann, in: Prominente Flüchtlinge im Schweizer Exil, Bern: Bundesamt für Flüchtlinge, Medien & Kommunikation 2003, S. 68–97.

Ehrhardt, Gundula: „Meine natürliche Aufgabe in dieser Welt ist erhaltender Art": Thomas Manns kulturkonservatives Denken, in: Thomas Mann Jahrbuch 2003, S. 97–118.

Eilert, Heide: „[...] das lichtschleudernde, reklameflammende Paris": Thomas Manns „Pariser Rechenschaft" im Kontext zeitgenössischer Grossstadtwahrnehmung, in: Kaiser, Gerhard R. und Tunner, Erika (Hrsg.): Paris? Paris!: Bilder der französischen Metropole in der nicht-fiktionalen deutschsprachigen Prosa zwischen Hermann Bahr und Joseph Roth, Heidelberg: Winter 2002 (= Jenaer germanistische Forschungen, Neue Folge, Bd. 11), S. 293–307.

Elsaghe, Yahya A.: Die „Judennase" in Thomas Manns Erzählwerk, in: Journal of English and Germanic philology, Vol. 102, No. 1, 2003, S. 88–104.

Elsaghe, Yahya A.: „Lotte in Weimar", in: Robertson, The Cambridge companion to Thomas Mann, S. 185–198.

Elsaghe, Yahya A.: Rassenbiologische und kulturalistische Faktoren jüdischer Alterität bei Thomas Mann, in: Akten des 10. Internationalen Germanistenkongresses Wien 2000, Bd. 9, S. 93–98.

Elsaghe, Yahya A.: Thomas Manns schreibende Frauen, in: Seminar, a journal of Germanic studies, Vol. 39, 2003, No. 1, S. 33–49.

Engelberg, Edward: Ambiguous solitude: Hans Castorp's Sturm und Drang nach Osten, in: Dowden, A companion to Thomas Mann's „Magic mountain", S. 95–108.

Engelhardt, Dietrich von: Krankheit und Medizin, Patient und Arzt in Thomas Manns „Zauberberg" (1924) in medizinhistorischer Sicht, in: Engelhardt, „Der Zauberberg" – die Welt der Wissenschaften in Thomas Manns Roman, S. 1–27.

Engelhardt, Dietrich von und Wißkirchen, Hans: Bibliographie der Forschungsliteratur, in: Engelhardt, „Der Zauberberg" – die Welt der Wissenschaften in Thomas Manns Roman, S. 203–210.

Engelhardt, Dietrich von und Wißkirchen, Hans (Hrsg.): „Der Zauberberg" – die Welt der Wissenschaften in Thomas Manns Roman: mit einer Bibliographie der Forschungsliteratur, Stuttgart: Schattauer 2003, 217 S.

Fischer, Bernd Jürgen: Handbuch zu Thomas Manns „Josephsromanen", Tübingen: Francke 2002, 893 S.

Fleming, Ray: Thomas Mann's Dante and Weimar Humanism, in: Peer, Larry H. (Ed.): Recent perspectives on European romanticism, Lewiston, NY: Edwin Mellen Press 2002 (= Mellen studies in literature, Romantic reassessment, Vol. 158), S. 215–239.

Frimmel, Johannes: Alexander Skuhra, Thomas Mann und der Rikola-Verlag, in: Mitteilungen der Gesellschaft für Buchforschung in Österreich, 2003, H. 1, S. 13–17.

Gillespie, Gerald Ernest Paul: Proust, Mann, Joyce in the modernist context, Washington, D.C.: Catholic University of America Press 2003, 324 S.

Gökberk, Ülker: War as a Mentor: Thomas Mann and Germanness, in: Dowden, A companion to Thomas Mann's „Magic mountain", S. 53–79.

Golka, Friedemann W.: Joseph – Biblische Gestalt und literarische Figur: Thomas Manns Beitrag zur Bibelexegese, Stuttgart: Calwer 2002, 220 S.

Goodheart, Eugene: Thomas Mann's comic spirit, in: Dowden, A companion to Thomas Mann's „Magic mountain", S. 41–52.

Hackenberger, Christian: „In seinem Roman ‚Doktor Faustus' beschreibt Thomas Mann die Gedanken Jonathan Leverkühns über ihn faszinierende Naturphänomene mit folgenden Worten:…": Einleitung, in: Hackenberger, Christian: Untersuchungen zu chemischen und strukturbildenden Eigenschaften von Sulfoximidoylen und Sulfoximin-ß-Carbonylen: Definierte Sekundärstruktur in Pseudopeptiden, Oligomeren und molekularen Gerüstsystemen, Aachen: Wissenschaftsverlag Mainz 2003 (= Aachener Beiträge zur Chemie, Bd. 47), S. 1–9.

Haider, Frithjof: Thomas Mann – gigantischer Miniaturismus, in: Haider, Frithjof: Verkörperungen des Selbst: das bucklige Männlein als Übergangsphänomen bei Clemens Brentano, Thomas Mann, Walter Benjamin, Frankfurt/Main: Lang 2003 (= Europäische Hochschulschriften, Reihe 1, Deutsche Sprache und Literatur, Bd. 1869), S. 101–152.

Halder, Winfrid: Exilrufe nach Deutschland: die Rundfunkreden von Thomas Mann, Paul Tillich und Johannes R. Becher 1940–1945: Analyse, Wirkung, Bedeutung, Münster: Lit [2002] (= Tillich-Studien, Beihefte, Bd. 3), 101 S.

Hamacher, Bernd: Das Verschwinden des Individuums in der Politik: Erasmus, Luther und Calvin bei Stefan Zweig und Thomas Mann, in: Eicher, Thomas (Hrsg.): Stefan Zweig im Zeitgeschehen des 20. Jahrhunderts, Oberhausen: Athena 2003 (= Übergänge – Grenzfälle, Bd. 8), S. 159–178.

Hansen, Volkmar: Das Goethe-Bild von Kurt Martens und Thomas Mann, in: Feilchenfeldt, Konrad (Hrsg.): Goethezeit – Zeit für Goethe: auf den Spuren deutscher Lyriküberlieferung in die Moderne: Festschrift für Christoph Perels zum 65. Geburtstag, Tübingen: Niemeyer 2003, S. 239–250.

Hansen, Volkmar: Thomas Mann und Europa, in: Neuhaus-Koch, Ariane (Hrsg.): Literarische Fundstücke: Wiederentdeckungen und Neuentdeckungen: Festschrift für Manfred Windfuhr, Heidelberg: Winter 2002 (= Beiträge zur neueren Literaturgeschichte, Bd. 188), S. 301–319.

Hartwich, Wolf-Daniel: Religion and culture: „Joseph and his Brothers", in: Robertson, The Cambridge companion to Thomas Mann, S. 151–167.

Heftrich, Eckhard: „Doktor Faustus": radikale Autobiographie und Allegorie der Epoche, in: Quéval, Doktor Faustus [von] Thomas Mann, S. 5–13.

Heftrich, Urs: The art of lying: Thomas Mann's „Felix Krull" and Nikolay Gogol's „Dead Souls", in: Litteraria Pragensia, Vol. 12, H. 24, 2002, S. 65–76.

Heisserer, Dirk: Das Bild des Soldaten bei Thomas Mann, Feldafing: Fernmeldeschule und Fachschule des Heeres für Elektrotechnik 2002, 39 S.

Heisserer, Dirk: Die Starnberger Sphäre als Muse für den Magier: Thomas Mann [und] Feldafing, in: Krügel, Landpartie literarisch, S. 69–74.

Henry, Sean: August von Platen und „Der Tod in Venedig", in: Baron, Thomas Mann: „Der Tod in Venedig", S. 27–50.

Herrmann, Berndt: Der heitere Verräter: Thomas Mann – Aspekte seines politischen Denkens, Stuttgart: ibidem 2003, 487 S.

Hick, Christian: Vom Schwindel ewiger Gegenwart: zur Pathologie der Zeit in Thomas Manns „Zauberberg", in: Engelhardt, „Der Zauberberg" – die Welt der Wissenschaften in Thomas Manns Roman, S. 71–106.

Hoffschulte, Martina: „Deutsche Hörer!": Thomas Manns Rundfunkreden (1940 bis 1945) im Werkkontext, Münster: Telos 2003, 469 S.

Hudspeth, Glenn: Von Goethe zu Wagner und Aschenbach: Gedanke und Gefühl im Schaffensprozess, in: Baron, Thomas Mann: „Der Tod in Venedig", S. 93–100.

Jens, Inge und Jens, Walter: Frau Thomas Mann: das Leben der Katharina Pringsheim, Reinbek bei Hamburg: Rowohlt 2003, 352 S.

Joachimsthaler, Jürgen: Politisierter Ästhetizismus: zu Thomas Manns „Mario und der Zauberer" und „Doktor Faustus", in: Bialek, Edward (Hrsg.): Literatur im Zeugenstand: Beiträge zur deutschsprachigen Literatur- und Kulturgeschichte: Festschrift zum 65. Geburtstag von Hubert Orlowski, Frankfurt/Main: Lang 2002 (= Oppelner Beiträge zur Germanistik, Bd. 5), S. 303–332.

Jonas, Klaus W.: Thomas Mann und Marie Amelie von Godin, in: Literatur in Bayern, Nr. 73, 2003, S. 28–34.

Jones, Rose S.: Die Rezeption von Thomas Manns „Der Tod in Venedig" bei D.H. Lawrence, in: Baron, Thomas Mann: „Der Tod in Venedig", S. 125–137.

Jüngling, Kirsten und Rossbeck, Brigitte: Katia Mann: die Frau des Zauberers: Biografie, [Berlin]: Propyläen 2003, 415 S.

Kluge, Gerhard: Klaus Mann, gezeichnet von Paul Citroen, in: Thomas Mann Jahrbuch 2003, S. 119–124.

Klugkist, Thomas: 49 Fragen und Antworten zu Thomas Mann, Frankfurt/Main: S. Fischer 2003, 316 S.

Koebner, Thomas: Eine Passions-Geschichte „Der Tod in Venedig": „Der Tod in Venedig" als Film, in: Baron, Thomas Mann: „Der Tod in Venedig", S. 189–200.

Köpke, Wulf: Ein Spiel mit Goethes Grösse: die Auseinandersetzung des Exils mit Thomas Manns „Lotte in Weimar", in: Baron, Goethe im Exil, S. 161–183.

Körber, Thomas: Thomas Manns lebenslange Nietzsche-Rezeption, in: Wirkendes Wort: Deutsche Sprache und Literatur in Forschung und Lehre, 52. Jg., April 2002, H. 1, S. 417–440.

Kohler, Traute: Wolfgang Borns Lithographien, in: Baron, Thomas Mann: „Der Tod in Venedig", S. 159–171.

Kolbe, Jürgen: Tod in Venedig, in: Kolbe, Jürgen (Hrsg.): Wagners Welten: [eine Ausstellung des Münchner Stadtmuseums vom 17. Oktober 2003 – 25. Januar 2004], Wolfratshausen: Edition Minerva 2003, S. 358–361.

Koopmann, Helmut: Exilspuren in Thomas Manns Goethe-Roman, in: Baron, Goethe im Exil, S. 141–159.

Koopmann, Helmut: Faust reist an den Lido, in: Baron, Thomas Mann: „Der Tod in Venedig", S. 101–117.

Koopmann, Helmut: Naturphilosophie im „Zauberberg", in: Engelhardt, „Der Zauberberg" – die Welt der Wissenschaften in Thomas Manns Roman, S. 124–136.

Koopmann, Helmut: Thomas Manns „Doktor Faustus": die Absage an das

„runde Werk" und die Botschaft des Fragments, in: Quéval, Doktor Faustus [von] Thomas Mann, S. 35–52.

Kosch, Arlette: Thomas Mann (1875 Lübeck-1955 Zürich): Romancier, Essayist, in: Kosch, Arlette: Literarisches Zürich: 150 Autoren, Wohnorte, Wirken und Werke, Berlin: Verlag Jena 1800 2002 (= Der Dichter und Denker Stadtplan), S. 139–143.

Kreutzer, Hans Joachim: Thomas Manns Tripelfuge, in: Kreutzer, Hans Joachim: Faust: Mythos und Musik, München: Beck 2003, S. 143–149.

Krügel, Christian (Hrsg.): Landpartie literarisch: auf den Spuren grosser Dichter im Münchner Umland, München: Kirchheim 2003, 110 S.

Kurzke, Hermann: Vom Verstecken der Quellen: Erfahrungen beim Schreiben einer Thomas Mann-Biographie, in: Cudré-Mauroux, Stéphanie (Ed.): Vom Umgang mit literarischen Quellen: internationales Kolloquium vom 17.-19. Oktober 2001 in Bern, Schweiz, Genève: Slatkine 2002, S. 287–294.

Lawrence, Joseph P.: Transfiguration in Silence: Hans Castorp's uncanny awakening, in: Dowden, A companion to Thomas Mann's „Magic mountain", S. 1–13.

Lehnert, Herbert: Nietzsche und die Modernität des „Doktor Faustus", in: Quéval, Doktor Faustus [von] Thomas Mann, S. 15–34.

Leyh-Griesser, Frowine: Thomas Mann als Dermatologe im „Zauberberg", in: Engelhardt, „Der Zauberberg" – die Welt der Wissenschaften in Thomas Manns Roman, S. 28–33.

Lubich, Frederick A.: „The Confessions of Felix Krull, Confidence Man", in: Robertson, The Cambridge companion to Thomas Mann, S. 199–212.

Lunzer, Heinz: „Was hat man noch in Salzburg zu suchen, wenn dort schon diesen Sommer das Hakenkreuz gezeigt werden darf?": Thomas Mann, Bruno Walter und der Bermann-Fischer Verlag in Österreich: eine Dokumentation, in: Seeber, Ursula (Hrsg.): Asyl wider Willen: Exil in Österreich 1933 bis 1938, Wien: Picus 2003, S. 71–77.

Kesting, Hanjo: Heinrich und Thomas Mann: ein deutscher Bruderzwist, Göttingen: Wallstein 2003 (= Göttinger Sudelblätter), 78 S.

Madeira, Rogério Paulo: O Imaginário de Lisboa: nos Romances „Bekenntnisse des Hochstaplers Felix Krull" de Thomas Mann e „Schwerenöter" de Hanns-Josef Ortheil, Coimbra: Minerva Coimbra 2002, 243 S.

Marquardt, Franka: Erzählte Juden: Untersuchungen zu Thomas Manns „Joseph und seine Brüder" und Robert Musils „Mann ohne Eigenschaften", Münster: Lit 2003 (= Literatur – Kultur – Medien, Bd. 4), 400 S.

Marx, Friedhelm: Abenteuer des Geistes: Philosophie und Philosophen im „Zauberberg", in: Engelhardt, „Der Zauberberg" – die Welt der Wissenschaften in Thomas Manns Roman, S. 137–148.

Mennicken, Peter: Für ein ABC des Menschenbenehmens: Menschenbild und Universalethos bei Thomas Mann, Mainz: Grünewald 2002 (= Theologie und Literatur, Bd. 13), 246 S.

Meredith, Stephen C.: Mortal illness on the „Magic Mountain", in: Dowden, A companion to Thomas Mann's „Magic mountain", S. 109–140.

Merlin, Christian: Philosophie de la musique dans le „Docteur Faustus" de Thomas Mann, in: Quéval, Doktor Faustus [von] Thomas Mann, S. 123–136.

Mertens, Volker: „Elektrische Grammophonmusik im „Zauberberg" Thomas Manns, in: Engelhardt, „Der Zauberberg" – die Welt der Wissenschaften in Thomas Manns Roman, S. 174–202.

Minden, Michael: Mann's literary techniques, in: Robertson, The Cambridge companion to Thomas Mann, S. 43–63.

Moog, F.P.: Herophilos und das Buddenbrook-Syndrom, in: Deutsche Zahnärztliche Zeitschrift 58, 2003, H. 8, S. 472–476.

Náday, Gerti: Thomas Mann über Richard Wagner, die Literatur des Dritten Reiches und seinen Weg vom Zauberberg zum Bibelroman, in: Schneider, Eduard: Literatur in der „Temesvarer Zeitung" (1918–1949): Einführung, Texte, Bibliographie, München: IKGS 2003 (= Veröffentlichungen des Instituts für deutsche Kultur und Geschichte Südosteuropas, Wissenschaftliche Reihe, Bd. 79), S. 378–381.

Natterer, Claudia: Faust als Künstler: Michail Bulgakovs „Master i Margarita" und Thomas Manns „Doktor Faustus", Heidelberg: Universitätsverlag Winter 2002 (= Beiträge zur slavischen Philologie, Bd. 9), 257 S.

Naumann, Uwe: „Unter falscher Flagge": Textsatiren und Persiflagen zur Familie Mann, in: Sprecher: Thomas und Heinrich Mann im Spiegel der Karikatur, S. 185–205.

Neumann, Alexander: Alfred Kubins „Die andere Seite" und „Der Tod in Venedig": Apokalypse, Verfall und Untergang, in: Baron, Thomas Mann: „Der Tod in Venedig", S. 173–188.

Neumann, Helga und Neumann, Manfred: Maximilian Harden: Förderer und Wegbegleiter der Brüder Mann, in: Zeitschrift für deutsche Philologie, Jg. 122, Bd. 2003, 4. H., S. 564–581.

Neumann, Helga und Neumann, Manfred: Wegbegleiter und Förderer von Heinrich und Thomas Mann, in: Neumann, Helga und Neumann, Manfred: Maximilian Harden (1861–1927): ein unerschrockener deutsch-jüdischer Kritiker und Publizist, Würzburg: Königshausen & Neumann 2003, S. 54–94.

Pearson, Mark: Platon-Interpretationen des Erzählers und seines Helden, in: Baron, Thomas Mann: „Der Tod in Venedig", S. 51–58.

Peltzer, Courtney: Die Stadt als Verführerin, in: Baron, Thomas Mann: „Der Tod in Venedig", S. 119–124.

Petzold, Ernst R.: Die Psychosomatik und der „Zauberberg": Selbstorganisation an der Peripherie, in: Engelhardt, „Der Zauberberg" – die Welt der Wissenschaften in Thomas Manns Roman, S. 34–47.

Picard, Timothée: Procès de la musique et procès de la civilisation dans „Le Docteur Faustus" de Thomas Mann, in: Quéval, Doktor Faustus [von] Thomas Mann, S. 137–161.

Pieciul, Eliza: Literarische Personennamen in deutsch-polnischer Translation: eine kontrastive Studie aufgrund von ausgewählten Prosawerken von Thomas Mann, Frankfurt/Main: Lang 2003 (= Danziger Beiträge zur Germanistik, Bd. 5), 251 S.

Pütz, Peter: Thomas Manns Wandlung vom „Unpolitischen" zum Demokraten, in: Klein, Michael (Hrsg.): Literatur der Weimarer Republik: Kontinuität – Brüche, Innsbruck: Institut für Germanistik 2002 (= Innsbrucker Beiträge zur Kulturwissenschaft, Germanistische Reihe, Bd. 64), S. 45–58.

Quéval, Marie-Hélène (Hrsg.): Doktor Faustus [von] Thomas Mann, Nantes: Editions du Temps 2003 (= Lectures d'une oeuvre), 221 S.

Reed, Terence James: Animalisches beim Humanisten Thomas Mann: Transzendierung des Tierischen, in: Schweizer Monatshefte, Jg. 83, 2003, H. 5, S. 34–37.

Reed, Terence James: Mann and history, in: Robertson, The Cambridge companion to Thomas Mann, S. 1–21.

Reed, Terence James: Mann as diarist, in: Robertson, The Cambridge companion to Thomas Mann, S. 226–234.

Reed, Terence James: Das Tier in der Gesellschaft: Animalisches beim Humanisten Thomas Mann, in: Thomas Mann Jahrbuch 2003, S. 9–22.

Reich-Ranicki, Marcel: Thomas Mann, in: Reich-Ranicki, Marcel: Sieben Wegbereiter: Schriftsteller des zwanzigsten Jahrhunderts: Arthur Schnitzler, Thomas Mann, Alfred Döblin, Robert Musil, Franz Kafka, Kurt Tucholsky, Bertolt Brecht, Stuttgart: Deutsche Verlags-Anstalt 2002, 298 S.

Renner, Rolf G.: Die Modernität von Thomas Manns „Doktor Faustus", in: Quéval, Doktor Faustus [von] Thomas Mann, S. 53–74.

Robertson, Ritchie (Ed.): The Cambridge companion to Thomas Mann, Cambridge: Cambridge University Press 2002 (= Cambridge companions to literature), 257 S.

Robertson, Ritchie: Classicism and its pitfalls: „Death in Venice", in: Robertson, The Cambridge companion to Thomas Mann, S. 95–106.

Robles, Ingeborg: Unbewältigte Wirklichkeit: Familie, Sprache, Zeit als mythische Strukturen im Frühwerk Thomas Manns, Bielefeld: Aisthesis 2003, 239 S.

Rösch, Gertrud: Verwendbarkeit einiger lebendiger Details: die Verschiebung der Schwesterfiguren im erzählerischen Werk Heinrich und Thomas Manns, in: Thomas Mann Jahrbuch 2003, S. 125–140.

Roffmann, Astrid: Keine freie Note mehr: Natur im Werk Thomas Manns, Würzburg: Königshausen & Neumann 2003 (= Epistemata, Reihe Literaturwissenschaft, Bd. 420), 271 S.

Rohr Scaff, Susan von: „Doctor Faustus", in: Robertson, The Cambridge companion to Thomas Mann, S. 168–184.

Rudloff, Holger: Wer hat das Bild der Charitas geküsst?: die „heiter-criminologische Angelegenheit" in Thomas Manns „Lotte in Weimar", in: Wirkendes Wort: Deutsche Sprache und Literatur in Forschung und Lehre, 53. Jg., April 2003, H. 1, S. 59–83.

Ryan, Judith: „Buddenbrooks": between realism and aestheticism, in: Robertson, The Cambridge companion to Thomas Mann, S. 119–136.

Scheuffelen, Thomas: „Mir ist gerade, als ob ich Ihre Stadt schon kennte": ein unbekannter Brief Thomas Manns, in: Ferchl, Irene (Hrsg.): Literarische Spuren in Esslingen: „das ist eine Stadt", Esslingen am Neckar: Bechtle 2003, S. 149–155.

Scheuren, Franz Josef: Ernst Bertrams Lesespuren im Widmungsexemplar von Thomas Manns „Der Zauberberg", in: Thomas Mann Jahrbuch 2003, S. 55–65.

Schirnding, Albert von: Woher der Klammerweiher seine literarische Kälte bezog: Thomas Mann [und] Bad Tölz, in: Krügel, Landpartie literarisch, S. 49–54.

Schmidt-Schütz, Eva: Doktor Faustus zwischen Tradition und Moderne: eine quellenkritische und rezeptionsgeschichtliche Untersuchung zu Thomas Manns literarischem Selbstbild, Frankfurt/Main: Klostermann 2003 (= Thomas-Mann-Studien, Bd. XXVIII), 357 S.

Schöll, Julia: Goethe im Exil: zur Dekonstruktion nationaler Mythen in Thomas Manns „Lotte in Weimar", in: Thomas Mann Jahrbuch 2003, S. 141–158.

Schultz, Karla: Technology as desire: X-Ray vision in „The Magic Mountain", in: Dowden, A companion to Thomas Mann's „Magic mountain", S. 158–176.

Schultz, Tom R.: Aschenbach und Savonarola, in: Baron, Thomas Mann: „Der Tod in Venedig", S. 17–26.

Schwöbel, Christoph: Theologisches auf dem „Zauberberg", in: Engelhardt, „Der Zauberberg" – die Welt der Wissenschaften in Thomas Manns Roman, S. 107–123.

Siefken, Hinrich: Mann as essayist, in: Robertson, The Cambridge companion to Thomas Mann, S. 213–225.

Smikalla, Karl: Thomas Mann und seine Liebe zu Kreuth: ein Begleitbuch von Karl Smikalla, München: Karl Smikalla 2003, 136 S.

Soennecken, Heike: Die Rolle der Frau, in: Quéval, Doktor Faustus [von] Thomas Mann, S. 203–217.

Sontag, Susan: Pilgrimage, in: Dowden, A companion to Thomas Mann's „Magic mountain", S. 221–240.

Sprecher, Thomas: Fremde Ebenbilder des Menschen: Tiere bei Thomas Mann und Elias Canetti, in: Schweizer Monatshefte, Jg. 83, 2003, H. 5, S. 38–39.

Sprecher, Thomas: Rechtliches im „Zauberberg", in: Engelhardt, „Der Zauberberg" – die Welt der Wissenschaften in Thomas Manns Roman, S. 149–161.

Sprecher, Thomas: Der Tanz lebt vom Tod: zum Lob der Vergänglichkeit, in: L'Art Macabre, Jahrbuch der Europäischen Totentanz-Vereinigung 4, 2003, S. 237–244.

Sprecher, Thomas: Thomas Mann und die Karikatur, in: Sprecher: Thomas und Heinrich Mann im Spiegel der Karikatur, S. 9–14.

Sprecher, Thomas und Wißkirchen, Hans (Hrsg.): Thomas und Heinrich Mann im Spiegel der Karikatur, Zürich: Verlag Neue Zürcher Zeitung 2003, 228 S.

Stemmermann, Ulla: „Ein einfacher junger Mensch reiste...": Thomas Manns Transposition des „Candide" Voltaires in den „Zauberberg", Würzburg: Königshausen & Neumann 2003 (= Epistemata, Reihe Literaturwissenschaft, Bd. 472), 215 S.

Stoupy, Joëlle: „Brüder in der Zeit": über Thomas Mann und Hugo von Hofmannsthal, in: Sader, Jörg und Wörner, Anette (Hrsg.): Überschreitungen: Dialoge zwischen Literatur- und Theaterwissenschaft, Architektur und bildender Kunst: Festschrift für Leonhard M. Fiedler zum 60. Geburtstag, Würzburg: Königshausen & Neumann 2002, S. 163–169.

Stoupy, Joëlle: Serenus Zeitblom, l'humaniste, in: Quéval, Doktor Faustus [von] Thomas Mann, S. 173–185.

Stoupy, Joëlle: Thomas Mann in Frankreich, in: Thomas Mann Jahrbuch 2003, S. 35–54.

Thielking, Sigrid: Vom Kanon als Lebensform zur öffentlichen Didaktik geformten Lebens: der Fall Thomas Mann, in: Arnold, Heinz Ludwig (Hrsg.): Literarische Kanonbildung, München: Edition Text + Kritik 2002 (= Text + Kritik, Sonderband), S. 194–211.

Thomas Mann Jahrbuch 2003, hrsg. von Thomas Sprecher und Ruprecht Wimmer, in Verbindung mit der Deutschen Thomas-Mann-Gesellschaft

Sitz Lübeck e.V., Frankfurt/Main: Klostermann 2003 (= Thomas Mann Jahrbuch, Bd. 16), 199 S.

Tobin, Robert: Making way for the third sex: liberal and antiliberal impulses in Mann's portrayal of male-male desire in his early Short Fiction, in: Kontje, Todd (Ed.): A companion to German realism: 1848–1900, Rochester, N.Y.: Camden House 2002 (= Studies in German literature, linguistics, and culture) S. 307.

Tolzmann, Don Heinrich: Thomas Mann and Cincinnati, in: Max Kade Occasional Papers in German-American Studies, No. 11, 2003, S. 1–14.

Ullmann, Bettina: Krieg als Befreiung der Kultur: zur „Dialektik des deutschen Geistes" bei Friedrich Nietzsche, Georg Simmel und Thomas Mann, in: Thomas Mann Jahrbuch 2003, S. 73–96.

Vaget, Hans Rudolf: Late Love: Thomas Mann discovers Berlioz, in: Döhring, Sieghart (Hrsg.): Berlioz, Wagner und die Deutschen, Köln-Rheinkassel: Dohr 2003, S. 133–145.

Webber, Andrew J.: Mann's man's world: gender and sexuality, in: Robertson, The Cambridge companion to Thomas Mann, S. 64–83.

Weisinger, Kenneth: Distant oil rigs and other erections, in: Dowden, A companion to Thomas Mann's „Magic mountain", S. 177–220.

Wißkirchen, Hans: Heinrich Mann und die Karikatur, in: Sprecher: Thomas und Heinrich Mann im Spiegel der Karikatur, S. 15–33.

Wißkirchen, Hans: Überwindung des Historismus: der „Zauberberg" im Kontext der Geschichtsphilosophie seiner Zeit, in: Engelhardt, „Der Zauberberg" – die Welt der Wissenschaften in Thomas Manns Roman, S. 162–173.

Wyder, Margrit: Auf dem Zauberberg, in: Wyder, Margrit: Kräuter, Kröpfe, Höhenkuren: die Alpen in der Medizin – die Medizin in den Alpen: Texte aus zehn Jahrhunderten, Zürich: Verlag Neue Zürcher Zeitung 2003, S. 166–175.

Zeder, Franz: Der „Österreicher" Thomas Mann, in: Thomas Mann Jahrbuch 2003, S. 23–33.

Zissler, Dieter: Zur Biologie in Thomas Manns „Zauberberg", in: Engelhardt, „Der Zauberberg" – die Welt der Wissenschaften in Thomas Manns Roman, S. 48–70.

Mitteilungen der Deutschen Thomas-Mann-Gesellschaft, Sitz Lübeck e.V.

Die Frühjahrstagung *Thomas Mann, Goethe und ein Förderpreis* 2004 fand am 17. und 18. April in den Räumen des Buddenbrookhauses statt. Im Anschluss an die Begrüßung durch den Präsidenten Prof. Dr. Ruprecht Wimmer besuchten die Teilnehmer die Ausstellung *Diesseits und jenseits von Arkadien. Goethe und Grass als Landschaftszeichner*. Das Abendprogramm eröffnete Dr. Werner Frizen mit seinem Vortrag „*Lotte in Weimar*". Jan Bovensiepen las beim geselligen Beisammensein aus den Werken Thomas Manns zum Ausklang des Abends.

Am Sonntagmorgen wurde erstmals der Förderpreis für Junge Thomas-Mann-Forscher verliehen. Den Zuschlag erhielt Malte Herwig für seine in Oxford eingereichte Dissertation *Bildungsbürger auf Abwegen – Naturwissenschaft im Werk Thomas Manns*.

Das Herbstkolloquium 2004 (16. bis 19. September) zum Thema *Felix Krull. Schelm – Hochstapler – Künstler* fand wiederum in Lübeck statt. An die Begrüßung durch den Präsidenten und das Grußwort des Lübecker Stadtpräsidenten schlossen sich der Vortrag Dr. Julia Schölls „‚Verkleidet also war ich in jedem Fall ...'. Zur Identitätskonstruktion in *Joseph und seine Brüder* und *Felix Krull*" sowie das Werkstattgespräch der Jungen Thomas-Mann-Forscher mit Dr. Thomas Sprecher und Monica Bussmann zu „Herausforderungen der *Krull*-Edition" an. Der Tag endete mit der Mitgliederversammlung und einem anschließenden geselligen Beisammensein im Historischen Weinkeller.

Der Freitag startete mit Dr. Thomas Sprecher: „‚Ein junger Autor hat es begonnen, ein alter setzt es fort.' *Krull* im Gesamtwerk Thomas Manns". Dr. Karin Tebben schloss an mit „‚Du entkleidest mich, kühner Knecht?' *Felix Krull* und die Frauen", und Prof. Dr. Gabriele Rosenthal beschloss das Vormittagsprogramm mit „Die biographische Erzählung. Dichtung oder erlebte Wirklichkeit? Zur Rekonstruktion erlebter Vergangenheit in der soziologischen Biographieforschung". Den Nachmittag bestritten Prof. Dr. Michael Neumann mit „Der Reiz des Verwechselbaren. Von der Attraktivität des Hochstaplers im späten 19. Jahrhundert" sowie Prof. Dr. Eckhard Heftrich mit „Der unvollendbare *Krull* – die Krise der Selbstparodie". Martin Mosebach las abends aus seinem Werk *Der Nebelfürst*.

Prof. Dr. Friedrich Gaede eröffnete den Samstag mit „Gewinn und Verlust des ‚Selbst'. Simplicius und *Krull*". Danach sprach Prof. Dr. Horst-Jürgen Gerigk zum Thema „‚Die Reize des Inkognitos'. *Felix Krull* in komparatistischer Sicht". Nachmittags bestand dann die Möglichkeit des Besuchs der Felix-Krull-Ausstellung, an den sich die Mitgliederversammlung des Fördervereins Buddenbrookhaus und der Vortrag und das Gespräch von und mit Sigrid Löffler zu „Fragen des literarischen Kanons heute" anschlossen.

Die Tagung endete sonntags mit den beiden Vorträgen von Prof. Dr. Ruprecht Wimmer zu: „Drei Masken des Autobiographischen: *Krull I – Faustus – Krull II*" und von Dr. Malte Herwig zu: „„Nur in der Jugend gestielt'. Die langen Wurzeln des *Felix Krull*" sowie einem anschließenden Empfang auf der „Lisa von Lübeck".

Mitteilungen der Thomas Mann Gesellschaft Zürich

Die Mitgliederversammlung fand in diesem Jahr am 5. Juni im Conrad-Ferdinand-Meyer-Haus in Kilchberg statt. In ihrem geschäftlichen Teil wurde Herr Prof. Dr. Arnaldo Benini, ehemaliger Chefarzt der Schulthess-Klinik und eminenter Thomas-Mann-Kenner, als Beisitzer in den Vorstand der Gesellschaft gewählt, und Herr Dr. Thomas Sprecher, Präsident der Thomas Mann Gesellschaft Zürich von 1994 bis 2003, wurde unter grossem Beifall zu ihrem Ehrenpräsidenten ernannt. Die anschliessende, ausserordentlich gut besuchte Tagung stand unter dem Titel *Thomas Mann und seine Söhne.* Sie umfasste drei Vorträge: Herr Dr. Uwe Naumann, Hamburg, Programmleiter Sachbuch des Rowohlt Verlags, Mitherausgeber der Rowohlt Monographien und Autor mehrerer Bücher über Klaus Mann, sprach über Thomas und Klaus Mann. Herr Dr. Dirk Heisserer, München, Lehrbeauftragter an der Ludwig-Maximilians-Universität für Neuere Deutsche Literatur und Vorsitzender des Thomas-Mann-Förderkreises München, widmete sich Thomas und Michael Mann. Herr Prof. Dr. Urs Bitterli, Gränichen, emeritierter Professor für Geschichte an der Universität Zürich und Verfasser der ersten umfassenden Golo-Mann-Biographie (Zürich und Berlin 2004), sprach über Thomas und Golo Mann. Im Anschluss an die Veranstaltung versammelte man sich um das Familiengrab der Manns auf dem nahen Friedhof Kilchberg, wo Manfred Papst als Präsident der Gesellschaft bei zunehmendem Regen eine Ansprache hielt.